Bildung kann das Leben kosten. Das beweisen mit ihren kriminellen Stories Dietrich Schwanitz, Thea Dorn, Wolf Haas, Fred Breinersdorfer, Uta-Maria Heim und andere Kenner der Campus-Szene. Anhand von vierzehn Hochschulorten dokumentiert die Anthologie eine beispiellose Verrohung der akademischen Sitten und beantwortet damit letztgültig Fragen, die nicht nur für Studienanfänger und Hochschulwechsler von Bedeutung sind: Geht es auf dem Hamburger oder Marburger Campus brutaler zu? Finden sich die korruptesten Professoren eher in Tübingen oder Berlin? Treiben die bösesten Studenten ihr Unwesen lieber in Frankfurt oder Köln? Es geht in den schwarzen Stories nicht mehr darum, das Humboldtsche Bildungsideal, sondern die nackte Haut auf dem Campus zu retten.

DIETRICH SCHWANITZ u.a.

Amoklauf
im Audimax

Die blutigsten Unis
Die gemeinsten Professoren
Die bösesten Studenten

Stories

Zusammengestellt
von Wolfram Hämmerling

Rowohlt Taschenbuch Verlag

rororo thriller
Herausgegeben von Bernd Jost

Originalausgabe
Veröffentlicht im Rowohlt Taschenbuch Verlag GmbH,
Reinbek bei Hamburg, Oktober 1998
Copyright © 1998 by Rowohlt Taschenbuch Verlag
GmbH, Reinbek bei Hamburg
Umschlaggestaltung Notburga Stelzer
Illustrationen: Roland Reznicek
Satz Stempel Garamond PostScript,
QuarkXPress 3.32
Gesamtherstellung Clausen & Bosse, Leck
Printed in Germany
ISBN 3 499 43326 5

INHALT

ULTIMA RATIO

Am Morgen des siebzehnten November 1997 beschloß Professor Penelope Kura die Auslöschung des Philosophischen Instituts der Freien Universität Berlin.

Der Gedanke war einfach, plausibel und konsistent, war unmißverständlich und sparsam formuliert, kurz: er besaß alle Merkmale eines guten philosophischen Gedankens. Darüber hinaus besaß er eine Eigenschaft, an der es guten philosophischen Gedanken im allgemeinen mangelte: motivierende Kraft.

Penelope Kura spürte, wie ihr Körper unter dem plötzlich ausgeschütteten Adrenalin zu vibrieren begann. Ihr Herz stampfte. Ihre Hände scharrten auf dem Federbett. Wie lange war es her, daß sie eine solche Erregung verspürt hatte. Eine Erregung durch den Gedanken. Die Königin aller Erregungen.

Ohne es zu merken, war sie aufgestanden. Der Gedanke trieb sie vor sich her wie ein gefangenes Tier. Sieben Schritte hin. Drehung. Sieben Schritte zurück. Ausgelöscht waren die dumpfen Lehrstuhljahre, in denen ihr Halbschlaf keine Geistesblitze, sondern nur mehr Tiefschlaf geboren hatte. Sieben Schritte. Sieben Schritte. Alles war wie früher, als sie noch nicht in die akademische Falle getappt war. Blind folgten ihre Füße dem ausgetretenen Sinnierpfad im Teppichboden.

Penelope Kura atmete die Stille und die Dunkelheit, die sie umgaben. Mochte die Eule der Minerva ihren Flug mit der Dämmerung beginnen – Penelope Kuras Geist erhob sich erst in absoluter Finsternis. Deshalb hatte sie die Wände dieses Raumes schalldicht isolieren und sämtliche Fenster zumauern lassen. Und heute, am Morgen des siebzehnten November 1997, vier Jahre nach ihrer Antrittsvorlesung, fünf Monate vor ihrem siebenunddreißigsten Geburtstag – noch immer durfte sie sich jüngste Philosophieprofessorin der deutschsprachigen Welt nennen –, war ihr Schlafbunker endlich wieder seiner Bestimmung zugeführt worden: Er diente der Konzentration.

Penelope Kura blieb stehen und lauschte. Irgendwo in ihrem Innern, von Blutrauschen, Herzstampfen und Brustflattern fast gänzlich überlagert, vernahm sie noch etwas anderes: ein Stimmchen, ein wohlvertrautes Stimmchen. Die Professorin lächelte. Der Aufruhr der Körpersäfte hatte die Moralphilosophin mitgeweckt. Zwar klang sie noch vorsichtig und ein wenig heiser, doch es bestand kein Zweifel: Die Stimme, die früher mit ihr – bevor sie von ihr ans Katheder geliefert worden war – nächtelang hitzig gestritten hatte, rührte sich wieder. Penelope Kura hielt die Luft an, um besser zu verstehen.

«Dein Gedanke ist gut», wisperte die Stimme, «aber ist er auch *gut*?»

«Was meinst du mit *gut*? Inwiefern *gut*? Erkläre dich», hakte Penelope Kura ein, bevor es sich die Stimme anders überlegte. Sie hatte plötzlich wieder Lust auf das alte philosophische Spiel, Begriffe so lange hin und zurück zu reichen, bis ihre Prägung einer restlos glatten Oberfläche gewichen war.

«Stell dich nicht dümmer, als du bist», gab die Stimme ungeduldig zurück, «du weißt schon – moralisch gut, absolut gut, gut schlechthin.»

«Ach so», sagte Penelope Kura und überlegte kurz. «Nach welcher Methode hättest du's denn gern geprüft?» Ein Hauch von Boshaftigkeit lag in ihrer Stimme.

«Kant», flüsterte die Moralphilosophin leise, aber entschlossen. Penelope Kura lachte. Natürlich. Ein' feste Burg ist unser Kant. Wer sonst in diesen hirnerweichten Zeiten.

«Welche Formel des Kategorischen Imperativs sollen wir nehmen, eins, eins a, zwei, drei, drei a?» fragte Penelope Kura, ihrer Herausforderin die Wahl der Waffen überlassend.

«Egal», erwiderte die Stimme siegesgewiß.

«Also gut.» Penelope Kura brachte sich in Position. *«En garde!»*

«HandlenurnachderjenigenMaximevonderduzugleichwollenkannstdaßsieeinallgemeinesGesetzwerde», rasselte die Moralphilosophin herunter, bevor die Gegnerin Zeit hatte, sich zu räuspern. In dem geräuschlosen Raum entstand eine perfekte Stille.

«Na los, was ist», stichelte die Stimme, «verteidige dich und deine Maxime!»

«Kann wollen», parierte Kura knapp.

«Was soll das heißen?»

Die Professorin spürte, wie ihr autopädagogischer Eros nachzulassen begann. *«Kann wollen* soll heißen, daß ich wollen kann, daß meine Maxime ein allgemeines Gesetz werde.»

«Kannst du eben nicht», krähte die Stimme triumphal. «Kannst du eben nicht! Ein solcher Wille würde sich selbst widersprechen!»

«Schön, daß du deinen Kant so brav gelernt hast», sagte Penelope Kura, «aber denk doch in Zukunft bitte dreißig Sekunden nach, bevor du mir irgendwelche Königsberger Kamellen ins Gesicht spuckst. Hier widerspricht sich gar nichts. Und am allerwenigsten mein Wille.»

Dem Stimmchen entwich ein hohler Schmerzenslaut. «Ist es etwa kein Widerspruch, Philosophin sein zu wollen und gleichzeitig Philosophische Institute auslöschen zu wollen?» vermochte es noch zu fragen, dann schwanden ihm die Sinne.

«Nein, nicht der geringste Widerspruch», sagte Penelope Kura lächelnd und stieß ihr moralphilosophisches Selbst in die ewige Hölle der Inkonsistenzen, Kontradiktionen und ausgeschlossenen Dritten.

«Frau Kollegin, entschuldigen Sie, wenn ich Sie unterbreche, aber ich kann hier nicht länger schweigend zuhören.» Professor Friedrich Warburg stieß zitternd die Luft aus. «Es ist ein absoluter Skandal, was in diesem Papier steht. Ein Abbau von vier weiteren Professuren bis zum Jahr 2007! Unser neuer Strukturplan sieht doch ohnehin nur noch das Skelett eines Lehrkörpers vor. Wie können wir denn da vier weitere Stellen kürzen!» Die weißen Haare standen um Warburgs Kopf herum wie nach einem Elektroschock. «Wenn der Unipräsident wirklich meint, was er dort schreibt, dann soll er das Institut gleich schließen. Anstatt verschlüsselte Todesurteile mit der Hauspost zu verschicken.» Der Grandseigneur des deutschen Idealismus lehnte sich auf seinem ramponierten Holzstuhl zurück.

Regen prasselte gegen die gläserne Außenwand des Sitzungsraums. Ein bitteres Lächeln zog über Friedrich Warburgs Gesicht. Vor fünfzehn Jahren hatte er seinen samtgepolsterten Münchner Lehrstuhl verlassen und war nach Berlin, in die Stadt seiner zerbombten Kindheit zurückgekehrt, um das im postmarxistischen Brackwasser dümpelnde Institut ins offene Meer des Geistes hinauszunavigieren. *Berlin darf nicht untergehen*, hatte er damals gedacht. Und die Politik hatte ihm recht gegeben. Es war ihm sogar gelungen, als Berufungszusage ein neues Institutsgebäude auszuhandeln, und er selbst hatte das philosophische Bauwerk aus redlichem Waschbeton, subtilen Metallgeländern und luziden Glasflächen mit entworfen. Und nun?

Eine Windbö peitschte Wasser gegen die Scheiben. Friedrich Warburg lief es kalt den Rücken hinunter.

Im Sitzungssaal hatte sich weiträumiges Schweigen ausgebreitet. Die stellvertretende Direktorin, die in Abwesenheit Penelope Kuras den Institutsrat leiten mußte, blickte abwechselnd von dem präsidialen Schreiben zu ihren versammelten Kollegen. Der Antike-Spezialist schwieg gelassen, der Ästhetiker hintersinnig, der Sprachanalytiker deutlich, der letzte Alt-Marxist trotzig, der Logiker und Wissenschaftstheoretiker schwieg sachlich, und Kuras Assistentin schien zu schlafen. Ein Wille zur Wortmeldung war auf keiner der Mienen zu erkennen. Einzig Ludger Spieß, Warburgs Assistent, knetete seine Unterlippe, angestrengt überlegend, wie er den Gedanken apportieren konnte, den sein Dienstherr in den Raum geworfen hatte.

Wie in den vergangenen Sitzungen war es einmal mehr der Logiker, der mit seinem Räuspern die Institutsratlosigkeit beendete. «Ich möchte Warburg in seinen Befürchtungen hinsichtlich der Zukunft dieses Instituts nicht widersprechen», sagte er, «ich denke, niemand in diesem Raum möchte dies – aber ich denke dennoch, daß wir uns hüten sollten, das Kind mit dem Bade auszuschütten. Nur weil wir uns an das Leben in fetten Zeiten gewöhnt haben, heißt das nicht, daß in mageren Zeiten ein philosophisches Institut nicht sinnvoll weitergeführt werden kann.»

«Magere Zeiten», höhnte der Alt-Marxist. «Herr Kollege, vielleicht sollten Sie einmal die Frage stellen, woher diese mageren Zeiten kommen, bevor Sie sich über rationale Mangelverwaltung Gedanken machen.» Er lachte nasal. «Und auch zu Warburg kann ich nur sagen: Sie glauben doch nicht im Ernst, daß der Unipräsident noch die Kompetenz hat, Todesurteile zu fällen. Er hat vielleicht die Kompetenz, seinen Dienststempel darunterzusetzen. Aber gefällt werden diese Todesurteile doch woanders.»

«Ich glaube auch nicht, daß Friedrich Warburg sein Argument in dieser Weise verstanden haben wollte», nutzte Ludger Spieß die Gunst der beginnenden Eskalation. «Bereits letztes Semester hat –»

«Herrschaften!» Der Logiker fuhr ungehalten dazwischen. «Ich bin strikt dagegen, wieder eine dieser sinnlosen Grundsatzdebatten anzufangen. Ich plädiere dafür, daß Renate den Brief vom Präsidialamt zu Ende vorliest.»

Das beleidigte Schweigen der Debattierhähne und das zustimmende Gemurmel der restlichen Ratsmitglieder bewegten die Sitzungsleiterin, mit der Verkündigung der neusten Hiobszahlen fortzufahren.

Friedrich Warburg starrte durch die wasserverhangenen Fenster ins Leere. Ein Windhauch streifte seinen Rücken. Er drehte sich um und konnte gerade noch erkennen, wie Sophie Ackbach, Penelope Kuras Assistentin, den Sitzungsraum verließ. Sein Herz krampfte sich zusammen.

Weiterhin überlegen wir uns nicht die Ziele, sondern das, was zu den Zielen führt. Penelope Kuras Auslöschungsplan war in die Phase der praktischen Überlegung eingetreten. Sie mußte sich über das Wann, das Wo und das Wie ihres Vorhabens Klarheit verschaffen. *Denn der Überlegende geht forschend und analysierend vor, wie wenn er eine geometrische Figur konstruierte.* Stur folgten Penelope Kuras Füße dem Teppichpfad.

Über das Wo ihrer Handlung mußte sie nicht lange nachdenken, es ergab sich aus dem Ziel Institutsauslöschung beinahe von selbst, doch das Wie und das Wann verweigerten sich der einfachen analytischen Ableitung. Abstrakt gesehen wäre ein Bombenattentat die plausibelste Lösung, aber Penelope Kura hatte Zweifel, ob ein Bombenattentat auch *für sie*, wenn sie ihre konkreten Mittel und Möglichkeiten erwog, der richtige Weg war. Ein Brandanschlag wäre leichter zu bewerkstelligen, hatte jedoch den Nachteil, daß zu viele, die dazugehörten, sich würden retten können. Was sie zum nächsten Problem brachte, der Frage nach dem für die Auslöschung günstigsten Zeitpunkt. Selbst wenn der monströse Brutkasten Teil ihres Alptraums war, konnte es nicht ihr vorrangiges Ziel sein, das Instituts*gebäude* zu vernichten. Sie mußte ihre Aufmerksamkeit darauf richten, die Instituts*mitglieder* möglichst vollständig auszulöschen. Was wiederum bedeutete, daß sie einen Zeitpunkt wählen mußte, zu dem alle Institutsmitglieder möglichst vollständig versammelt waren. Und bei welchen Gelegenheiten waren alle Institutsmitglieder möglichst vollständig versammelt? Penelope Kura spürte, wie ihr Hirn auf Autopilot umschaltete.

Es hatte zu regnen aufgehört, und durch das große Fenster zum Institutsgarten fielen ein paar Sonnenstrahlen. Doktor Sophie Ackbach gähnte im 10-Sekunden-Takt. Während sie den letzten braungelben Kastanienblättern beim Fallen zusah, fragte sie sich, ob das heute vielleicht doch nur der zweitschrecklichste Tag in ihrem Leben werden würde. Novemberliche Sonnenstrahlen in Berlin – sie war fast geneigt, es als Gottesbeweis gelten zu lassen.

Lustlos blätterte die Assistentin in dem zerfledderten Reclamheft, das vor ihr auf dem Schreibtisch lag. Die Bleistiftdichte, die in dem Text herrschte, nötigte ihr einigen Respekt vor ihrem früheren, präpromovierten Arbeitsethos ab. Allerdings hatte sie nicht die leiseste Ahnung, was ihr die winzig an den Rand gequetschten Anmerkungen sagen wollten.

Sie griff nach der Tasse, die auf dem Bücherstapel neben ihrem Schreibtisch stand, warf einen forschenden Blick hinein und überlegte. Wenn sie sich recht erinnerte, stammte der Kaffeerest von letztem Freitag. Das hieß, der Schimmel hatte diesmal nur knappe drei Tage gebraucht, um sich zu einer blau-weiß-grünen Inselhochkultur zu entwickeln. Ein neuer Rekord. Sophie schwenkte die Petritasse, bis das pelzige Atoll in der Brühe versunken war. Vielleicht sollte die Univerwaltung dieses merkwürdige Treibhaus den Botanikern oder Biochemikern als Versuchsgelände überlassen.

Sophie hatte gerade mit einem zarten Seitenraschelen begonnen, ihre herumstreunenden Hirnzellen wieder zu John Stuart Mill und seinen Auslassungen über die Meinungsfreiheit zurückzulocken, als es an der Tür klopfte. Ein aufgebrachter Friedrich Warburg stürmte ins Zimmer.

«Sophie, hast du eine Idee, wo ich Penelope erreichen kann? Niemand in diesem ganzen verfluchten Institut scheint etwas von ihr gehört zu haben.»

«Hast du es schon bei ihr zu Hause probiert?» schlug Sophie im teilnahmslosen Tonfall der Philosophin vor, die signalisieren wollte, daß ihr Geist zur Zeit in ganz anderen Dimensionen weilte. Sie wandte sich wieder dem Text und Warburg den Rücken zu.

«Selbstverständlich», antwortete er gereizt, «aber dort geht immer nur diese gräßliche Maschine ran.» Er blickte auf die Assistentin wie Moses auf ein besonders ungezogenes Israelitenmädchen.

«Dann, fürchte ich, kann ich dir auch nicht weiterhelfen.» Sophie zuckte schwach die Schultern. Sie stellte fest, daß die Mill-Lektüre unter den Augen ihres philosophischen Ziehvaters überraschend an Attraktivität gewann.

«Sophie, Sophie.» Friedrich Warburg schüttelte den Kopf. «Warum bist du immer so störrisch?» Der zürnende Moses hatte sich in einen traurigen Teddybär verwandelt.

«Ich bin nicht störrisch, aber dieser beschissene Institutsrat hat mir schon genug Zeit geraubt. In einer Stunde fängt mein Seminar an, und ich habe noch keinen Strich dafür getan.»

Der Teddy heftete seine Knopfaugen auf Sophies Rücken. «Dieser Vortrag von Wendelstein, morgen. Ich soll …» Er schnaufte herzkrank und setzte noch einmal an. «Ich soll die Einleitung machen. Aber ich kann nicht. Ich kann diesen Mann hier nicht willkommen heißen.»

«Und warum hast du ihn dann eingeladen?» erkundigte sich Sophie träge.

«Das weißt du ganz genau», brauste Warburg auf. «Ich habe ihn eingeladen, um dir einen Gefallen zu tun.» Er strich sich zitternd durch die Haare.

«Und dafür danke ich dir recht herzlich, aber würdest du mich jetzt, bitte, arbeiten lassen.»

Es gelang Friedrich Warburg, sich an der abgestorbenen Topfpflanze vorbei in Sophies Gesichtskreis zu schieben. «Sophie, so kann das nicht weitergehen.» Der nackte Stengel der ungegossen-ungeliebten Pflanze ragte wie eine überdimensionale Stimmgabel aus dem Hydrokulturtopf.

Friedrich Warburg zupfte gereizt an einer der beiden Zacken. «Und, Sophie, was ist das für eine Arbeitshaltung?

Ich beobachte das schon seit längerem. Du nimmst deine Pflichten nicht mehr ernst. Als ich Assistent war, kam ich morgens ans Institut und war vorbereitet.»

Sophie zog scharf die Luft ein. Sie zwang sich, den alten Mann nicht anzuschauen. Seine Herzkranzgefäße hätten ihrem Blick nicht mehr standgehalten. «Wahrscheinlich warst du auch nicht die halbe Nacht damit beschäftigt, die Sauerei wegzuräumen, die ein versoffener alter Bock in deiner Wohnung angerichtet hat. Für den Fall, daß du dich nicht mehr erinnerst: Vor knapp zwölf Stunden hast du noch bei mir auf dem Teppich gehockt, mit Immanuels Katzenstreu rumgeworfen und dir deinen verdammten Philosophenfrust von der Seele gewichst.»

Penelope Kura mußte unwillkürlich lächeln, nachdem sie die Nachricht auf ihrem Anrufbeantworter zum zweiten Mal abgehört hatte. Da war er. Die ganze Zeit, während sie sich in ihrem Schlafbunker die Fersen heiß gelaufen hatte, war er hier auf ihrem Anrufbeantworter gewesen. Der zweite Vordersatz des praktischen Syllogismus, der sie zum Wann ihrer Tat führen sollte.

Ihr Lächeln verdüsterte sich. Eigentlich hätte ihr dieser konkrete Termin selbst einfallen können. Hätte ihr sogar einfallen müssen, nachdem sie den allgemeinen Zeitpunkt so klar bestimmt hatte. Es wurde höchste Zeit, daß sie zu ihrer alten Funktionalität zurückfand.

Sie ging ins Wohnzimmer zurück, um die Tasche zu holen, in die sie vorhin bereits alles Nötige gepackt hatte. Während sie im Flur die Stiefel anzog, prüfte sie ein letztes Mal, ob sie nichts vergessen hatte. Sie wußte das Was, sie wußte das Wann, sie wußte das Wie. Sie war sich über alle Wege und Mittel, Risiken und Konsequenzen im klaren. Sie hatte den äußersten Rand der Reflexion erreicht.

Die Aristotelische Handlungstheorie unerbittlich vollstreckend, nahm Penelope Kura den dunklen Kaschmirmantel von der Garderobe, griff nach den schwarzen Kalbslederhandschuhen, schulterte ihre Tasche und setzte die Sonnenbrille auf. *Wenn es sich aber als möglich erweist, beginnt man zu handeln.*

«Mensch, ja klar, Pragmatismus, hähä. Ich würd das anders nennen. 'ne ganz widerliche Konformistenkacke ist das, was du uns hier erzählen willst.» Der zottelige Wortführer bedachte den Zweitsemesterkommilitonen im ambitionierten Oxford-Blazer mit einem Blick, der noch nicht entschieden hatte, ob ihm der ideologische Delinquent überhaupt einen Funken Verachtung wert sein sollte. «Das, was die da durchziehen wollen, hat doch Methode, Mann. Die wollen die Geisteswissenschaften ausräuchern. Am liebsten nur noch Unis, die so nette kleine stromlinienförmige Jura- und BWL-Wichser produzieren. Weißt du, was ich hinter diesem ganzen Reformgefasel höre? Das Diktat der Wirtschaft, Mann, nix anderes. Kritische Uni – pfft.» Der Redner machte eine eindeutige Bewegung mit beiden Armen und gerecktem Mittelfinger. Das studierwillige Zweitsemester machte sich kopfschüttelnd auf den Weg in die Bibliothek.

Angesichts des anhaltenden deutschen Bildungsausverkaufs hatte die Fachschaft Philosophie wieder einmal eine Institutsvollversammlung einberufen, was bedeutete, daß ungefähr dreißig StudentInnen in den schwarzen Hängesesseln oder auf dem Kokosteppichboden des Institutsfoyers hockten und heftig nachdachten.

«Streik», rief eine im Revolutionsrausch zittrige Frauenstimme, «wir werden wieder streiken! So lange, bis diese Politbonzen endlich kapiert haben, daß sie das mit uns nicht machen können.»

«Nö, Hanna, Streik ist scheiße, das hatten wir doch erst letztes Jahr», nölte ein kahlrasierter Aktivist dazwischen. «Studistreik als Protestmittel – das kannste doch lutschen.»

«Aber nur, weil so 'ne Bazillen wie der sofort den Streikbrecher machen.» Die Revolutionärin stieß eine düstre Drehtabakwolke aus.

«Leute, wir brauchen Ideen», versuchte sich das organisie-rende Fachschaftsgirlie Gehör zu verschaffen. Sie knabberte an ihrem Kreidestück. «Also, soll ich jetzt mal Streik auf-schreiben? Ich schreib jetzt mal Streik auf.» In bauchiger Schreibschrift malte sie das Wort an die Schultafel. Ihr Hän-gerkleidchen und die drei geflochtenen Rattenschwänze wippten eifrig mit.

«Wir brauchen was Spektakuläreres. Was, das weh tut», be-schied der Wortführer unheilvoll. «Irgend'ne Aktion, die je-der Penner hier in dieser Schnarchstadt einfach mitkriegen *muß*. Und die außerdem denen da oben klarmacht, daß unsere Geduld am Ende ist.»

«Wir besetzen die Siegessäule!»

«Warum nicht gleich den Fernsehturm?»

«Stürmt das *Kranzler*!»

«Hey, wir lassen die Nilpferde aus'm Zoo frei. Und hängen denen so Schilder um mit *Studis 97 – wir haben die Schnauze voll.*» Heiterkeit schwappte durch das Foyer.

«Wir sperren die Habelschwerdter vorm Institut ab und lassen die Autoheinis nur durchfahren, wenn sie 'ne Mark Wegzoll löhnen. So als symbolische Aktion gegen Studienge-bühren.» Die Heiterkeit brach sich zu echter Begeisterung.

«Hey, suuuuuuper», johlte der Kahlgeschorene. «Das is mal 'ne geile Aktion, Mann, ultralässig.»

Penelope Kura gab Vollgas. Ihr Volvo schoß an einer pol-nischen LKW-Kolonne vorbei. Sie hatte einen der seltenen Punkte erreicht, an denen die A 9 Berlin–München aufhörte, permanente Baustelle zu sein, und in etwas überging, das die Bezeichnung *Autobahn* halbwegs verdiente.

Wenn Penelope Kura es genau bedachte, regte sie die Tatsa-che, daß diese Strecke als Autobahn bezeichnet wurde, noch mehr auf als die Tatsache, daß sie eine einzige Baustelle war.

Die allgemeine begriffliche Schlamperei hatte so gigantische Ausmaße angenommen, daß sie sich fragte, wie es dem sprachbegabten Teil der Menschheit überhaupt noch gelang, sich in dieser verbal zugewucherten Welt durchzuschlagen. Denn was konnte heimtückischer sein als ein Begriff, auf den man sich verließ und der dann entweder gar nichts oder etwas ganz anderes bedeutete als das, was er versprochen hatte. Waren die klaren Bedeutungen aus dem Haus, tanzte die Sprache auf dem Tisch. Und ihre eigene Disziplin, die Philosophie, hatte diesen Sprachtanz mit allen Mitteln gefördert, hatte ihre Institute zu regelrechten Sprachtanzschulen gemacht. Penelope Kuras Verdacht, die einzige Philosophin zu sein, die ihre Aufgabe darin sah, verbale Luftwurzeln auszurotten, anstatt neue zu schlingen oder in den alten Tarzan zu spielen, war ihr in den letzten Jahren zur Gewißheit geworden. Die Zeiten, in denen die Sprachverwilderung sie schlicht geärgert hatte, waren vorbei. Heute bereitete sie ihr echte physische Qual.

Und es gab nur einen Weg, diese Qual zu beenden. Den Weg, dessen erste Etappe sie mit einhundertachtzig Stundenkilometern verfolgte.

«Daß der moralische Eifer im Zuge fortschreitender Zivilisation weniger physisch sanktioniert, dafür strukturell sublimiert wirkt, daß das horizontal umgreifende und einschnürende soziale Stigma die vertikal pressierende und fokussierte Doktrin der politischen Autorität ersetzt und sich in ökonomische Mechanismen integriert – führt zur Nivellierung des Denkens und zur sozialen wie politischen Stagnation.»

Sophie Ackbach blickte unruhig auf ihre Armbanduhr. Zehn Sekunden würde sie dem Referenten noch geben. Zehn Sekunden. Die ersten Studenten begannen verstohlen zu kichern. Neun, acht, sieben …

«Der Geist der Anpassung erstickt die Häresie. Die Ahndung der Abweichung …»

… drei, zwei, eins. Sophie Ackbach holte tief Luft. «Entschuldigen Sie», sagte sie, «entschuldigen Sie, aber das geht so nicht.»

Der Referent blickte von seinem handbeschriebenen Zettelwust auf. «Wie», fragte er verständnislos, «was geht nicht?»

Sophie bemühte sich, nur halb so aggressiv zu klingen, wie sie sich fühlte. «Dieses Referat geht nicht. Würde es Ihnen etwas ausmachen, Ihre eigenen Idiosynkrasien für den Moment zurückzustellen und erst einmal Mills Gedankengänge zu rekonstruieren?»

Aus dem studentischen Gekicher wurde offenes Gelächter.

Der höhersemestrige Referent verschränkte die Arme vor der Brust: «Was soll'n das? Ich red die ganze Zeit über *Mills Gedankengänge.*»

«Tut mir leid, aber das ist mir bislang nicht aufgefallen.»

Halb betreten, halb entzückt verfolgten die restlichen Seminarteilnehmer das Duell. Mit einem Blick, der im günstigsten Fall *Schnepfe!* sagen wollte, begann der Referent erneut aus seinen Papieren vorzutragen. «Die Ahndung der Abweichung erfolgt nicht mehr verzögert –»

«Ich fürchte, Sie haben mich nicht ganz verstanden», schnitt ihm Sophie das Wort ab, «*dieses* Referat werden Sie hier nicht weiterhalten. Entweder Sie fangen jetzt an, in vollständigen deutschen Sätzen zu erklären, was in diesem Kapitel steht, oder ich werde es selber tun.»

«Soll das heißen, Sie wollen mir das Reden verbieten?» Der Referent gluckste ungläubig.

«Ich verbiete Ihnen gar nichts, ich fordere Sie nur auf, so zu reden, daß außer Ihnen noch jemand anders was verstehen kann. Die Veranstaltung hier ist nämlich keine Übung in Privatsprachen, sondern ein philosophisches Proseminar. Und dessen profane Aufgabe ist es, gemeinsam den Sinn eines Textes zu erschließen. Habe ich mich klar ausgedrückt?» Sie blickte den Studenten eisig an.

«Also, das darf doch nicht wahr sein. Hey, wir sind 'ne

Freie Universität, oder hab ich da was nich kapiert? Zensur ist das. Ganz üble Zensur, die Sie hier ausüben.» Hektische Flecken färbten den Hals des Studenten rot.

«Hören Sie, ich werde mit Ihnen nicht weiterdiskutieren. Entweder Sie halten jetzt ein verständliches Referat, oder Sie halten den Mund.»

Der Referent riß seine Papiere vom Tisch, stopfte sie in seinen Dritte-Welt-Beutel und stand auf. «Das werden Sie noch bereuen, das garantiere ich Ihnen. Das wird noch Folgen haben.»

«Ja, ja. Schon recht.» Sophie Ackbach rückte ihre vorhin eilig zusammengeschriebenen Notizen zurecht. Während sie mit monotoner Stimme begann, die verschiedenen Aspekte von Mills erstem Hauptargument im Kapitel über Gedankenfreiheit zu entfalten, stürmte der Student türknallend aus dem Raum.

Penelope Kura warf einen finsteren Blick in den Rückspiegel. Prinzipiell hatte sie nichts einzuwenden gegen Menschen, die eine freie Autobahn mit zweihundertzwanzig Stundenkilometern nutzten. Sie hatte allerdings etwas einzuwenden gegen Menschen, die einen mit zweihundertzwanzig Stundenkilometern, Blinker und Lichthupe von der linken Fahrbahn zu scheuchen versuchten, wenn dreihundert Meter weiter das Ende eines Staus in Sicht war. Penelope Kura trat heftig in die Bremse. Sie sah, wie ihr Verfolger, der soeben zum Rechtsüberholen angesetzt hatte, das gleiche tat.

Doch der Schwachsinn, von dem sich die Mitglieder einer anderen Spezies treiben ließen, beleidigte sie nicht persönlich. Was interessierte es sie, wenn ein flachstirniger homo erectus einen anderen flachstirnigen homo erectus in die Leitplanken schob? Das Haltbarkeitsdatum der Menschheit im allgemeinen war ohnehin schon lange abgelaufen. Persönlich beleidigte sie die Irrationalität, die unter denjenigen herrschte, die ihrer Bestimmung nach hätten rational sein müssen. Denn weshalb betrieb man Philosophie, wenn nicht aus Liebe zur Rationalität? Philosophie war entweder Rationalität oder ein gewaltiger Irrtum. Die akademische Philosophie hatte sich zu einem so gewaltigen Irrtum entwickelt, daß selbst mit Sprachrodung nichts mehr zu retten war. Denn paradoxerweise war es nicht das große Feld der Wirrköpfe, das der Philosophie den allerschlimmsten Schaden zufügte, sondern die wenigen Auserwählten, die noch klar zu denken und zu reden vermochten, aber dafür in ihrem Tun und Handeln von einer um so tieferen Irrationalität besessen waren. Sophie Ackbach war das beste Beispiel für diese fatale Kopf-Körper-Entkopplung. Ihr Intellekt war klar und scharf wie ein geschliffener Diamant, ihr Privatleben ein trübes Schlammloch. Kein semipotenter Philosoph, den sie nicht erst flach-, dann unter Qualen ab- und unter noch größeren Qualen schließlich doch wieder an ihr Herz gelegt hatte. Niemand schien sich mehr des klassischen Gedankens, daß ein rationaler Geist nur in einem rationalen Körper wohnen konnte, zu erinnern. Und so war es kein Wunder, daß im Laufe eines normalen akademischen Lebens auf die Verwahrlosung der Persönlichkeit die Verwahrlosung des Geistes folgte.

«Penelope, äh, ja, hier ist noch mal Friedrich – äh, Warburg. Ich habe vorhin schon einmal bei dir angerufen, und, äh – ja, ich wollte jetzt fragen, ob du schon irgend etwas in dieser – in dieser Angelegenheit – ähm, in der ich dich gebeten habe – äh, ob du schon etwas entschieden hast. Ich meine, du als Direktorin könntest doch ganz leicht – weil mir ist es wirklich unmöglich – persönliche Gründe verbieten es mir, und, nun ja, das – das habe ich ja vorhin schon alles gesagt.»

Friedrich Warburg legte den Telefonhörer zitternd und zornig zugleich auf die Gabel zurück. Er nahm einen kräftigen Schluck aus der Wodkaflasche, die er in seiner untersten Schreibtischschublade aufbewahrte. Zum zehnten Mal hatte er jetzt den Anrufbeantworter, diesen Zerberus des sogenannten

Kommunikationszeitalters, am anderen Ende der Leitung gehabt. Er verabscheute jede Art von technischem Gerät, aber nichts fand er entwürdigender, als seine Worte einer Maschine anzuvertrauen. Nur dreimal in seinem Leben war er so verzweifelt gewesen, daß er es dennoch über sich gebracht hatte. Zwei von den drei Malen waren heute gewesen.

Das Klopfen an seiner Zimmertür wurde ungeduldiger. Friedrich Warburg zuckte unwillkürlich zusammen. Die Studenten hatten keine Geduld mehr. Keine Geduld und keinen Halt mehr. In seinen Seminaren saßen entweder ehrgeizige Dummköpfe, begabte Faulpelze oder reiche Koreanerkinder ohne Deutschkenntnisse. Von Tag zu Tag spürte er deutlicher, daß er zu alt wurde für das akademische Geschäft. Seitdem letztes Jahr eine Studentin, deren Hausarbeit zu benoten er sich geweigert hatte, mit einem Messer auf ihn losgegangen war, trieb ihm jedes Sprechstunden-Türklopfen den Angstschweiß auf die Stirn.

Doch der Niedergang der deutschen Universitäten und seine eigene Unfähigkeit, diesem Untergang noch etwas entgegenzusetzen, waren es nicht allein, die ihn immer regelmäßiger die unterste Schreibtischschublade herausziehen ließen. Es war die Geschichte mit Sophie, die ihn im Innersten zerrieb. Nach einem Leben voll philosophischer Entbehrung, in dem die hochgeistigen Gedanken wie neidische Kuckucksküken alle anderen Regungen sogleich aus dem Nest geworfen hatten, hatte er im Alter von achtundfünfzig endlich die Liebe entdeckt. Und mehr als das. Mit Sophie glaubte er sie nicht nur entdeckt, sondern auch für immer gefunden zu haben. Die Anfangszeit mit ihr, als sie noch seine Studentin gewesen war, hatte seine Vorstellung von dem Leben, das gänzlich verpaßt zu haben er eines Tages gefürchtet hatte, weit übertroffen. Wenn er mit ihr zusammen gewesen war, hatte er stets das Gefühl gehabt, zum ersten Mal *das Leben selbst* zu erfahren. Sein Alter, die Tatsache, daß er ein berühmter deutscher Philosoph war, daß er ihr Lehrer war, hatten keine Rolle mehr gespielt.

Bei ihr hatte er sich als Mensch fühlen dürfen. Als Mensch und Mann.

Friedrich Warburg nahm einen tiefen Schluck aus der Flasche.

Dann hatten die langen, schwarzen Zeiten der Folter begonnen. Sie hatte ihm Schmerzen zugefügt, die sie ihm nie hätte zufügen dürfen – ihm, dem vollkommen Wehr- und Schutzlosen, der keine Erfahrungen mit der Liebe und also keine Hornhaut auf dem Herzen hatte. Ohne jeden Grund hatte sie angefangen, ihn mit anderen zu betrügen. Mit jedem Milchbart, der sich wichtig nahm, mit jedem aufgeblasenen Gedankensimulator, mit Ludger Spieß, seinem eigenen Assitenten, hatte sie es getan, und jedesmal, wenn er sie zur Rede stellte, lachte sie bloß. Er hatte sich ein doppeltes Forschungsfreisemester genehmigt, war nach England gegangen, um Abstand zu gewinnen, hatte versucht, in sein altes Gelehrtenleben zurückzufinden, das ihm auf einmal doch nicht mehr so karg und unbefriedigend erschienen war. Doch sämtliche Versuche waren gescheitert. Die junge Geliebte hatte seine Gedanken nicht freigelassen. Und die Philosophie, die alte Geliebte, die er so leichtfertig verstoßen hatte, war trotz aller Geistesanstrengungen nicht zu ihm zurückgekehrt.

Schweren Herzens erhob sich der alte Mann vom Schreibtisch und wechselte hinüber zu der verschlissenen Sesselgruppe, um sich seiner Sprechstunde zu stellen.

Penelope Kura klopfte auf ihrem Lenkrad nervöse Synkopen. Sie hatte bei Nürnberg die A 9 verlassen, war über die A 6 und A 7 zügig bis nach Memmingen gelangt und war nun auf dem nicht ausgebauten Stück der A 96 hinter einem Sonntagsfahrer gefangen, der sich im Wochentag geirrt hatte. Bis St. Gallen war es nicht mehr weit, höchstens neunzig Kilometer, aber sie hatte noch die zähen Vorarlberger Ortsdurchfahrten vor sich. Penelope Kura warf einen Blick auf die Uhr am Armaturenbrett. Sechzehn Uhr siebenundvierzig.

Sie atmete tief ein, blinkte einmal kurz und zog ihren Volvo trotz bevorstehender Kurve und absolutem Überholverbot auf die linke Fahrbahn. Sie war sich darüber im klaren, daß ihr Manöver, isoliert betrachtet, unvernünftig und schwer zu rechtfertigen erscheinen mußte. Aber sie hatte keine Wahl. Sie konnte nicht zulassen, daß sich ein verwirrter Schleicher zwischen sie und die Institutsauslöschung schob.

Außerdem sagte ihr eine sophistische Intuition, daß sie mit dem Glück rechnen durfte. Daß sie mit dem Glück rechnen durfte, wenn sie nur konsequent genug nicht mit ihm rechnete. Denn das Glück war ein Ablehnungssüchtling und warf sich stets denen an den Hals, die nichts von ihm wissen wollten.

Mit noch tieferem Aus- als Einatmen lenkte Penelope Kura den Wagen auf die rechte Spur zurück. Kein Auto. Kein Fahrrad. Kein Hirsch. Ihr Zwischenziel war wieder in realistische Nähe gerückt. Einhändig blind kramte sie aus ihrer Handtasche den Schweizer Paß heraus und legte ihn griffbereit.

Sophie biß in das Brötchen. Es hatte die Konsistenz von Schaumstoff und schmeckte nach nichts. Die Tomatenscheibe, die von der Cafeteria-Kaltmamsell dazwischengepackt worden war, hatte lepröse Flecken. Sophie legte das Brötchen zu den anderen Essensresten, die sich gemeinsam mit dreckigem Plastikgeschirr auf dem Tisch türmten.

«Hast du den neuen Aufsatz von Eisenfeldt in *Ratio* gelesen? Ganz schwach, sage ich dir, ganz schwach.»

«Was?» fragte Sophie abwesend. Sie starrte auf die weiße Kunststoffgabel, die sich wie ein Schaufelrad zwischen zwei Stück Käsekuchen und dem Mund von Ludger Spieß hin und her bewegte.

«*Reconstructing the Absolute*», die Gabel grub sich in den Käsekuchen, «Eisenfeldt versucht, seine alte Leib-Seele-Theorie zu plausibilisieren», die Gabel kippte ihre Ladung in den aufgesperrten Freßschacht, «dabei zeigt sich erst richtig, wie dünn das Ganze ist.» Zwei dicht geschlossene Zahnreihen zermalmten die steife Masse zu Brei, und die Gabel lud erneut auf.

Sophie schüttelte sich. Die Art, in der ihr ehemaliger Bettkollege den Käsekuchen konsumierte, erinnerte sie an Dinge, an die sie lieber nicht erinnert wurde.

«Ich habe heute einen Studi aus meinem Seminar geworfen», sagte sie mit rauher Stimme.

«So», Ludger Spieß blickte kurz von seinem Käsekuchen auf. «Will er Ärger machen?»

«Kann sein.» Sophie nippte an ihrem Kaffee.

«Ich bin immer dafür, bei Querulanten hart durchzugreifen», kaute er. «Es gibt hier schließlich mehr als genug, bei denen sie stundenlang faseln können.»

«Eigentlich ist er ja von selbst gegangen.»

«Dann brauchst du dir sowieso keine Gedanken zu machen.» Ludger Spieß klang ein wenig enttäuscht. Er kratzte mit seiner Gabel auf dem leeren Papierteller herum. «Gehst du morgen zu dem Vortrag?»

Sophie schaute ihn mißtrauisch an. «Sicher.»

«Dieser Mann ist so ein peinlicher Dünnbrettbohrer.» Ludger Spieß wischte sich lachend über den Mund. Zwei größere Käsekuchenkrümel fielen auf seinen Schoß und blieben unbeachtet liegen. «Das letzte Mal habe ich ihn auf diesem Adorno-Benjamin-Kongreß in Princeton gehört. *The Art of Salvation.*» Er senkte die Mundwinkel voller Verachtung und Selbstrespekt. «Ich habe ihn ganz schön in die Mangel genommen.»

«So», sagte Sophie.

«Das dürfte morgen abend ziemlich lustig werden. Ich glaube nicht, daß bei unserem – na ja», die Mundwinkel des Assistenten senkten sich noch tiefer, «bißchen härteren Diskussionsstil hier vom großen Karl Wendelstein viel übrig bleiben wird.»

Penelope Kura legte den Kopf in den Nacken und schrie. In Augenblicken wie diesem tat es ihr unendlich leid, daß es keinen Gott gab, den sie hätte verfluchen können. Eine schwache Sekunde lang überlegte sie, wenigstens den Sanggaller Waffenhändler zu verfluchen, der – obgleich sie ihn vor ihrer Abfahrt angerufen und ihm gesagt hatte, er solle in jedem Fall auf sie warten – seine Rollgitter um Punkt achtzehn Uhr heruntergelassen hatte. Weiß und dampfend stieg ihr Atem in den kalten Nachthimmel. Penelope Kura biß die Zähne aufeinander und rüttelte ein letztes Mal an dem Gitter.

Sie hatte lange nicht mehr gehandelt. Zwar war es ihr selbst in den finstersten Zeiten ihres akademischen Winterschlafs gelungen, sich fast täglich an die Universität zu schleppen, Seminare zu halten, Hausarbeiten zu korrigieren und Gremiensitzungen durchzustehen, hin und wieder hatte sie sogar eingekauft, etwas gegessen oder ihren Wagen in die Werkstatt gebracht – aber eine Handlung im vollen philosophischen Sinne des Begriffs hatte sie lange nicht mehr begangen. So lange, daß sie vergessen hatte, daß der gerade Weg von praktischer Überlegung, Handlungsvorsatz, zielstrebigem Verfolgen der Zwischenschritte bis hin zur eigentlichen Tat von zwei falsch geschalteten austriakischen Ampeln und einem eidgenössischen Pünktlichkeitsfetischisten empfindlich gekreuzt werden konnte. Sie wollte ihren Kollegenhaufen nicht entschuldigen, aber sie sah jetzt in aller Deutlichkeit, daß es immer nur einige wenige geben würde, die der Herausforderung, in einer Welt wie dieser rational zu bleiben, standhalten konnten.

Es hatte zu schneien begonnen. Penelope Kura schlug den Mantelkragen hoch und ging einige Schritte auf und ab.

Wenn sie tief einatmete, glaubte sie den Bodensee riechen zu können. Seit fünfzehn Jahren hatte sie ihrer Heimat keinen Besuch mehr abgestattet. Mit zwanzig war sie aus der Tälerenge Helvetiens geflohen, um den freien Geist zu suchen. Wieso sie damals geglaubt hatte, ihn ausgerechnet in der

Mauerenge Berlins zu finden, vermochte sie heute nicht mehr zu sagen.

Berlin war kein Hort der Freiheit, Berlin war eine Ungezieferfalle. Hunderttausende krochen jährlich wie Kakerlaken in die Stadt hinein und kamen nie wieder heraus.

In der ersten Zeit hatte sie noch die Kraft gehabt, an akademischen Butterfahrten zu Kongressen, internationalen Symposien und Gastdozenturen teilzunehmen. Doch seit mindestens drei Jahren hatte sie sich zu keinem Ausbruchsversuch mehr aufraffen können. Berlin verströmte ein Nervengift, das süchtig machte.

Penelope Kura schloß die Augen. Es wunderte sie, daß sie in der Novemberdunkelheit nicht fror. In Berlin war ihr das ganze Jahr über kalt. Vielleicht sollte sie einfach hierbleiben. Kündigen, alles vergessen und zurück an den Zürisee oder ins Engadin ziehen. In ein Haus mit Kachelofen. Und Kühen. Die Frage nach dem Lebenssinn an einem vorgezogenen Lebensabend entschlummern lassen.

Sie strich durch den Schnee, der sich auf einem Mauersims gesammelt hatte. Ihre ersten Versuche, einen Schneeball zu formen, scheiterten. Sie mußte lachen. Eine ungelenke Kugel zerstob am Rollgitter vor dem Waffengeschäft. Sie war verrückt. Seit zehn Stunden hatte sie ein Ziel vor Augen. Hatte sie ein Ziel, das sie erreichen *mußte*. Hatte sie den Gipfel des Menschseins erreicht.

Penelope Kura klopfte sich den Schnee vom Mantel. Noch war ihr Plan nicht gescheitert. Morgen in gottloser Frühe, wenn der Alpenfirn sich rötete und die freien Schweizer beteten, würde sie wiederkommen.

Der Wachmann zog die Mütze tiefer ins Gesicht und beschleunigte seinen Schritt. Berlingemäß hatte es just in dem Moment, in dem er seinen warmen trockenen Posten im Zentralgebäude der Freien Universität, der *Silberlaube*, verlassen hatte, wieder stärker zu regnen begonnen. Er haßte diesen allwerknächtlichen Gang zum Philosophischen Institut, zu dem ihn die Universitätsleitung verdonnert hatte, nachdem im letzten Sommer Junkies sämtliche Institutscomputer abgeräumt und die Philosophen sich als unfähig erwiesen hatten, ihr eigenes Haus ordentlich zu verschließen. Schon von weitem konnte er sehen, daß auch heute wieder mindestens einer der Herren Professoren vergessen hatte, in seinem Arbeitszimmer das Licht auszumachen.

Der Wachmann spuckte aus. Bei Regen erinnerte ihn das Gebäude noch stärker an ein Aquarium. In dem unwahrscheinlichen Fall, daß ihn jemals einer fragen sollte, was Philosophen für Leute seien, würde er antworten: Solche, die in einem trockenen Aquarium hocken und dem Wasser draußen zuschauen.

Mit fünf großen Schritten legte er die flachen Stufen zum Eingang zurück. Er hatte die gläsernen Flügeltüren noch nicht geöffnet, als ihm der vertraute Philosophengestank in die Nase kroch. Die langen Jahre im Dienste der universitären Sicherheit hatten ihn zu einem Profi in Sachen universitäre Ausdünstungen werden lassen. Wenn er nachts durch die weitläufigen Gänge der *Silberlaube* strich, konnte er allein am Geruch erkennen, in welchem Institutsbereich er sich gerade aufhielt. Bei den Historikern roch es nach nassem Hund, Moder und türkischem Tabak, bei den Germanisten nach Haarspray, Leichtzigaretten und *Hugo Woman*. Trotz seines akademisch verfeinerten Riechers war es ihm bislang nicht gelungen, das Geheimnis des Philosophengestanks zu lüften.

Der Wachmann blieb im Foyer stehen. Er schnupperte. Es kam ihm so vor, als ob es heute nacht anders stinken würde als sonst. Ein frischer, akuter Gestank. Und wenn er sich nicht irrte, kannte er die Duftmarke.

Er ging um den polierten Granittisch herum, auf dem die schmutzigen Tassen des Studentencafés standen.

Unter der Wendeltreppe zur Galerie lag sein kleiner Lieblingspenner. In fast allen Ecken und Winkeln der *Silberlaube* hatte er ihn schon aufgestöbert, aber hier hatte er ihn noch nie gefunden. Mit den Uni-Pennern war es wie mit den Tauben vor der Gedächtniskirche. Man klatschte in die Hände, scheuchte sie auf und sah zu, wie sie sich zwanzig Meter weiter erneut niederließen.

Der Wachmann stieß das zusammengerollte Bündel mit seiner Schuhspitze an. «Sportsfreund, Feierabend», sagte er laut.

Der Angetippte zeigte keinerlei Reaktion. Aus der Tatsache, daß sein rechter Arm sich in regelmäßigen Abständen vor und zurück bewegte, schloß der Wachmann jedoch, daß er nicht schlief.

Er trat etwas heftiger zu. «Ey, Kumpel, ick versteh ja, daß de hier nich raus willst – aber ick muß dichtmachen.»

«Dichtmachen», echote der Penner. Er setzte sich umständlich auf. Zwei übereinandergestülpte Baseballkappen, deren Schirme wie Flügel rechts und links von seinem Kopf abstanden, waren die einzigen Schnörkel, die er seiner Silhouette zugefügt hatte.

«Ick weeß, ick weeß», seufzte der Wachmann, «dit is überhaupt nich nett, dir jetzt inne Regen und Kälte da raus zu hetzen, aber wat soll ick machen. Der Laden hier jehört nu mal den Herrn Philosophen. Und die ham letzten Sommer beschlossen, dasse so'ne Typen wie dir hier nich mehr ham wolln.»

Der Penner brach in ein heiseres Kichern aus. «Philosophen», schnaufte er, «Philosophen!»

Der Wachmann war kein schlechter Mensch, aber er war eben Wachmann. Außerdem machten ihn das Geschnaufe und die heimlichen Armbewegungen des Penners nervös. Mit drei entschiedenen Schritten umrundete er die vornübergebeugte Gestalt.

Der Penner stieß ein hohes Quietschen aus und rubbelte schneller an dem dünnen Hautwurm, der aus seiner offenen Hose hing.

Der Wachmann stemmte den Arm in die Seite. «Also nee, wat soll'n dit nu werden, wenns fertig is.»

«Schieß die Sophie in den Wind», johlte der Penner. «Mach dir Sophie selber. Mehr Sophie, als die Philosophies machen.»

Mit einer letzten Anstrengung gelang es ihm, einige Tropfen auf den rechten Schuh des Wachmanns zu entladen.

*

Der Mann hinter dem Tresen öffnete einen weiteren mit Schaumstoff ausgekleideten Alukoffer. Mit einer Art Vaterstolz fuhr er sich über den Schnurrbart. «Und do hett i no öppis sehr Schös Bruuchts. Än MP Füf-A-Drü, Kaliber Nü Millimeter Para.»

Penelope Kura legte die Beretta, die ihr der Mann zuvor in die Hand gedrückt hatte, auf den Ladentisch zurück. «Herr Bürgi, Sie sind der Waffenspezialist, nicht ich. Können Sie mir nicht einfach sagen, welches von diesen Geräten hier am effektivsten ist?» Wahrscheinlich hätte es die Angelegenheit extrem vereinfacht, wenn sie Schwyzerdütsch gesprochen hätte, aber sie brachte es nicht über sich, in die tiefe Kehle ihrer Kindheitssprache zurückzukrabbeln.

«Jo, Madame, da hangät doch ganz dävo ab, was Sie mit ärä söttigä Maschinäpischtolä machä wönd, oder?»

Penelopa Kura setzte an, ihm mit Aristoteles zu erklären, daß jedes Ding sein *ergon*, seinen ihm eigentümlichen Zweck hatte, und daß der Fachmann exakt und objektiv bestimmen konnte, ob ein Ding sein *ergon* schlecht, mäßig oder vorzüglich erfüllte, und daß das *ergon* einer Maschinenpistole wohl kaum in etwas anderem liegen konnte, als einen möglichst langen, möglichst dichten Dauerkugelhagel zu produzieren. Aber wie sollte sie einem Sanggaller Waffenhändler diesen Gedanken nahebringen, wenn nicht einmal ihre Studenten ihn begriffen?

«Wil, gsehnd Sie, Madame, es git Chundä, Sammlär, diä wönd ihri Waffä nu dähai i d' Vitrine stellä», erklärte der Waffenhändler, als ob er die Gedanken der Philosophin erraten hätte, «und es git Chundä, diä wönd im Schüüßchällär schüüßä, jo, und dänn git's no ganz andäri Chundä, oder, Madame?»

Friedrich Warburg blinzelte verstört um sich. Wieso hatte sein Bett kein Fußende mehr? Wieso hatte er sich in Anzug und Schuhen schlafen gelegt? Wieso waren seinem Bett rechts und links Armlehnen gewachsen? Und wieso stand sein Institutsschreibtisch in seinem Schlafzimmer? Sein Blick streifte die leere Flasche, die neben ihm auf dem Boden lag.

Der alte Mann schloß die Augen. *Sein Bett hatte kein Fußende mehr, weil es nicht sein Bett war. Sein Bett hatte Armlehnen, weil es kein Bett, sondern ein Sessel war. Er trug noch Anzug und Schuhe, weil er sich überhaupt nicht schlafen gelegt hatte, sondern gestern abend im Sitzen eingeschlafen war. Und seinen Institutsschreibtisch konnte er sehen, weil er nicht in seinem Schlafzimmer, sondern in seinem Institutszimmer saß.*

Eine Träne rollte über Friedrich Warburgs linke Wange. Er war müde. Seine Gedanken standen Kopf. Er war es nicht gewohnt, den Dingen ins hämische Auge zu schauen. Sein Leben lang hatte er sich in Theoriegebäuden bewegt, die ihn gegen die kalte Wirklichkeit der Tatsachen geschützt hatten.

Er liebte Sophie. Und Sophie liebte ihn so, wie er sie liebte. Ich ist Ich.

Ein Schluchzen erschütterte die Brust des alten Mannes. Er hätte seine Welt der seligen Systeme nie verlassen dürfen. Er hätte wissen müssen, daß ein Denker wie er der Empirie nicht gewachsen war. Ein Denker wie er konnte an Tatsachen nur zugrunde gehen.

Penelope Kura ließ die Beretta sinken. Zum ersten Mal in ihrem Leben fühlte sie sich geneigt, mit Adorno *Ist das denn alles?* zu fragen. Der vielbeschworene Rückstoß kam ihr im Verhältnis zum Gewicht der Waffe enttäuschend gering vor.

Noch mehr enttäuschte sie allerdings, daß nur ein einziger Schuß die muffige Stille des Schießkellers durchzuckt hatte. Sie nahm ihren Gehörschutz ab und drehte sich zu dem Waffenhändler um, der unmittelbar hinter ihr stand.

«Achtung, Madame», ermahnte er sie, «diä Waffä isch nöd gsichärät und Sie händ no nünäzwanzg Schuß im Magazin.» Er nahm ihr die Beretta mit einer Behutsamkeit aus der Hand, die keine Hebamme einer Frühgeburt hätte angedeihen lassen. «Fuchtläd Sie niä mit ärä gladänä Waffä umä.»

«Herr Bürgi», sagte Penelope Kura gereizt, «ich denke, das ist eine Maschinenpistole, und eine Maschinenpistole schießt Dauerfeuer.»

Der Händler winkte lachend ab. «Jo, Madame, so eifach isch da nöd. Gsehnd Sie, do i dä Schwiiz dörfäd Sie nu typäprüäfti MPs värchaufä.»

«Typäprüäfti.» Penelope Kura lüpfte skeptisch die linke Hälfte ihrer Oberlippe.

«Gsehnd Sie, üsi MPs sind alli Halbautomatä», fuhr er gut gelaunt fort. «Än Vollautomat dörf i i mim Gschäft überhaupt nöd värchaufä. Än Vollautomat chömäd Sie nu übär, wenn Sie än äntsprächändi Kantonali Sammlärbewilligung händ.»

Penelope Kura blickte ihn finster an.

«Gsehnd Sie», er neigte die Beretta seitlich, «dä Hebel do hät drü Stelligä: Gsichärät – Halbautomatik – Vollautomatik. Seriefüür git's nu, wenn dä Hebel bi Vollautomatik stoht. Jetzt gsehnd Sie dä Metallstift do? Dä värhindärät, daß dä Hebel uf Vollautomatik umglait wärdä chann. Und wenn dä Hebel nöd uf Vollautomatik umglait wärdä chann, dänn chann's au kei Seriefüür gee, oder», folgerte er mit einer Stringenz, die Penelope Kura unter anderen Umständen gelobt hätte.

Sie unterzog die Apparatur einer genaueren Prüfung. «Kann man diesen Stift nicht einfach entfernen?» fragte sie schließlich.

«Jo, da chönnd Sie scho, Madame.» Ein blendendweißes Lächeln zerteilte die Sonnenstudiobräune des Waffenhändlers. «Aber nöd i mim Chällär. Diä MP wär dänn nämlich nümä legal.»

«Karl, was redest du da für einen Unsinn. Selbstverständlich hole ich dich vom Flughafen ab.» Sophie Ackbach zupfte an der verhedderten Telefonstrippe. «Ach so, du kommst erst mit der Maschine um kurz nach sechs. Na ja, dann ist es um so klarer, daß ich dich abhole.» Sie bohrte ihren Zeigefinger durch zwei besonders geschundene Kabelwindungen. «Wie oft hast du diesen Vortrag schon gehalten? Zwanzigmal? Fünfundzwanzigmal? Dreißigmal? Du willst mir doch nicht im Ernst weismachen, daß du dich noch vorbereitest.» Sie lachte spöttisch. «Eben. Genau das meine ich. Also dann, um fünf nach sechs in Tegel. Ich freu mich.»

Sophie Ackbach befreite ihren Finger aus der Telefonschnur und legte den Hörer langsam auf die Gabel zurück. Sie würde Karl Wendelstein heute das vierte Mal treffen. Vielleicht war das bereits einmal zu viel. Männer waren wie Kaugummi. Nur ein Genuß, wenn man sie rechtzeitig ausspuckte.

Von ihrem Schreibtisch aus konnte sie sehen, daß im Zimmer Friedrich Warburgs Licht brannte. Sie lächelte schwach.

Nur ein Genuß, wenn man nicht eines Tages wieder in sie hineintrat und sie fortan am Absatz kleben hatte.

«Guten Tag. Kann ich bitte Ihren Ausweis sehen?»

Mit einem Lächeln, wie sie es bei amerikanischen Provinzkellnerinnen gesehen hatte, reichte Penelope Kura ihren Paß durch das heruntergelassene Fenster. Sie konnte sich nicht erinnern, den Anblick des hellroten Heftchens mit dem Schweizerkreuz jemals so erhebend gefunden zu haben. Ein warmes Gefühl der Dankbarkeit stieg in ihr auf, Dankbarkeit gegenüber dem Vaterland, das seinen Bürgerinnen und Bürgern Maschinenpistolen frei über den Ladentisch verkaufte. Nicht einmal den sogenannten Waffenerwerbsschein hatte sie benötigt. *Für Waffä, wo Sie nöd verdeckt trägä chönd, bruchäd Sie au kein Waffäärwärbsschii, oder*, hatte Herr Bürgi ihr erklärt.

Penelope Kura spürte, wie sich ihre Gesichtsmuskeln zu verkrampfen begannen. Der Blick des Zollbeamten wanderte immer noch zwischen ihr und ihrem schwarzweißen Konterfei hin und her. Das Foto war keine drei Jahre alt. Sie verstand nicht, was es so lange zu prüfen gab. Der Beamte beugte sich zu ihr hinab. Ein Schweißtropfen löste sich in Penelope Kuras Genick.

«Haben Sie etwas zu verzollen, Tabak, Spirituosen?»

«Nein. Keine Zigaretten. Keinen Alkohol», erwiderte Penelopa Kura ruhig. Die Fingerknöchel ihrer ums Lenkrad geballten Fäuste standen weiß hervor. Für sich selbst und für den Zollbeamten hoffte sie, daß er nicht auf den Gedanken kam, unter den Kaschmirmantel schauen zu wollen, der sorgfältig längsgefaltet auf der Rückbank lag. Für den Zollbeamten, weil sie ihn dann erschießen mußte. Für sich, weil es angesichts der deutschen Straßen- und Polizeidichte höchst unwahrscheinlich war, mit einem toten Zollbeamten im Rücken die knapp achthundert Kilometer bis Berlin zu schaffen. Deutschland war ein schlechtes Land, wenn es darum ging, Blutspuren im Alleingang zu legen.

Der Beamte klappte den Paß zu und gab ihn ihr zurück. «Auf Wiedersehen. Ich wünsche Ihnen eine gute Fahrt.»

Penelope Kura nickte freundlich. Sie würde eine gute Fahrt haben. Die beste ihres Lebens.

Höher entwickelte Säugetiere neigten dazu, nach dem Beischlaf tiefer Traurigkeit zu verfallen. Philosophische Säugetiere neigten dazu, bereits während des Beischlafs depressiv zu werden.

Sophie Ackbach wischte sich eine Haarsträhne aus dem verschwitzten Gesicht. Wenn sie richtig mitgezählt hatte, hatten es Karl Wendelstein und sie in den letzten sechzig Minuten auf fünf Orgasmen gebracht. Was bedeutete, daß sie mit einem Orgasmus Vorsprung führte, was wiederum bedeutete, daß er sein Bestes gab, um den Ausgleichstreffer zu erzielen. Und trotzdem fühlte sie sich hundeelend.

Ihr Hintern und ihre Knie hatten sich auf dem rauhen Institutsteppich wundgescheuert. Doch das allein konnte ihre Depression kaum verursacht haben. Komplexere Konzepte waren im Spiel. Sie hatte den Sex zum *casus probandi* ihrer philosophischen Grundüberzeugung, daß es für jedes metaphysische Problem eine pragmatische Lösung gab, erwählt. Vielleicht quälte sie der Verdacht, daß die Gleichung *Sex = interpersonale Präzisionsgymnastik mit (reziproker) Orgasmusorientierung*, deren Richtigkeit zu beweisen sie sich seit Monaten quer durch die Wissenschaftsgemeinde vögelte, letzten Endes doch ungenügend war. Vielleicht ließ sich dem Sex die Metaphysik nicht restlos austurnen.

Sophie Ackbach pfiff den Gedanken zurück. Was war sie für eine schwache Philosophin, wenn sie die erstbeste Gegenevidenz ihrer Hypothese sofort an die Gurgel gehen ließ.

Sie schleuderte ihre Haare aus dem Gesicht und dirigierte Karl Wendelsteins Hände zielstrebig zu ihren Brustwarzen, den empfindlichsten Erregungsreglern des menschlichen Körpers. Es war Punkt acht. Dank akademischem Viertel blieben der postmetaphysischen Hochstimmung noch zehn Minuten Zeit.

Es war kalt geworden im Auto, trotzdem verspürte Penelope Kura keinen Drang, das Fenster zu schließen. Es gefiel ihr, wie der Fahrtwind ihre Haare zerwühlte. Noch nie war sie schneller als zweihundert Stundenkilometer gefahren. Ein Versäumnis. Der schwarze Brandenburger Wald flog rechts und links an ihr vorbei. Die Reifen ihres Volvo ratterten gleichmäßig über die Nähte der Autobahnplatten, begleitet vom synkopischen Klopfen der Schlaglöcher.

Penelope Kura bekam Lust zu singen. Sie stellte das Radio

an und lauschte … *and it seems to me that you lived your life like a candle in the wind* … Irgendwo hatte sie das Lied in letzter Zeit schon einmal gehört. Ein Popsong – oder wie immer die Leute das nannten. Sie wechselte den Sender. Sie empfand es als Fortschritt, daß die Suchknöpfe der neuen Radios nicht mehr zum Drehen, sondern zum Drücken waren … *verpiß dich, ich weiß genau, du vermißt mich* … Ein deutscher Schlager, der ihr gleichfalls nichts sagte.

Mit wachsender Ungeduld drückte ihr Finger den Knopf … *why's it so hard … like to movin' … every woman … scharfes Schwert … when the sun goes down* … Kein Sender spielte ein Lied, das sie mitsingen konnte. Immer schneller rasten die Musikfetzen an ihr vorbei … *hope … nicht … for … a … you … why* … Die Tachonadel kletterte über die Zweihundertzwanzig hinaus. Mit einer groben Knopfdrehung brachte Penelope Kura das Radio zum Schweigen.

Sie blickte stur auf die Straße. Die Mittelstreifen verschwammen zu einer endlosen weißen Linie. Zu einer endlosen weißen Linie, an deren Ende das Ende vom Ende vom Ende vom EnEnEnEnEn …

Eine Kilometertafel rückte ins Scheinwerferlicht. *Berlin 79.* Penelope Kura schüttelte sich. Sie schloß das Wagenfenster. Sie fror.

Die Radiostationen waren unschuldig. Sie spielten kein Lied, das sie mitsingen konnte, weil es auf der ganzen Welt kein einziges Lied gab, das sie hätte mitsingen können.

«Sehr geehrte Damen und Herren! Liebe Kolleginnen und Kollegen! Liebe Studentinnen und Studenten! Ich nehme an, unser heutiger Vortragsgast ist für Sie alle kein Unbekannter, und es genügt daher, wenn ich Ihnen Karl Wendelstein in einigen knappen Sätzen vorstelle.»

Friedrich Warburg wischte sich mit seinem alten Stofftaschentuch die Stirn. Die Luft in dem überfüllten Seminarraum stand. Unzählige Gesichter drängten sich aneinander, glotzten ihn an, jede Sekunde bereit, sich hohnlachend auf ihn zu stürzen und ihn zu zerreißen.

«Karl Wendelstein wurde 1961 in Bielefeld geboren. Er studierte Philosophie, vergleichende Literaturwissenschaft und Politologie an den Universitäten Freiburg und Heidelberg. Nach dem Magisterabschluß 1985 folgten längere Auslandsaufenthalte in Paris und Yale.»

Friedrich Warburg bewegte die Lippen, ohne zu hören, was er sagte. Die Schriftzeichen auf seinem Notizzettel verflossen zu einem grauen Schleier. Um zwölf nach acht hatte er Sophie mit Karl Wendelstein aus ihrem Zimmer kommen sehen. Derangiert. Verschwitzt. Animalisch. Ohne ihn anzuschauen, war sie an ihm vorbei in den Seminarraum geeilt.

«Von den zahlreichen Publikationen Karl Wendelsteins möchte ich nur zwei namentlich hervorheben, die Dissertation, 1989 unter dem Titel *Wahn und Eigentlichkeit – Ein Beitrag zur geistesgeschichtlichen Ätiologie existenzphilosophischer Konzepte des Selbstseins* veröffentlicht, und die Habilitationsschrift von 1993, *Das Schimmeln der Revolte – Studien zum ästhetischen Verfall des Widerstandes.*»

Friedrich Warburg griff nach einem der beiden Wassergläser, die halb gefüllt auf dem Rednertisch standen. Ihm war übel. Der Raum drehte sich. Ein schwerer, süßlicher Geruch war in seine Nase gestiegen. Ein vertrauter Geruch. Ein Geruch, in dem sein ganzes vergangenes Glück aufblitzte.

Er haftete dem Mann an, der neben ihm saß und gelangweilt sein taubenblaues Blazerrevers streichelte.

Die Leuchtziffern am Armaturenbrett flimmerten. Zwanzig Uhr dreiundzwanzig. Penelope Kura preßte die Lippen aufeinander. Sie hatte den Berliner Ring erreicht. Die massivachtspurige Autobahn, die ganz Berlin umschloß. Die Strecke, auf der man bis ans Ende aller Tage fahren konnte. Die Strecke, die zahlreiche Ausfahrten bot. In tausend Metern lockte Ferch.

Penelope Kura schrak zusammen. Ein Polizeiwagen hatte unmittelbar hinter ihr sein Martinshorn angeworfen. Vom Licht der Scheinwerfer geblendet, blickte sie in den Rückspiegel. Der Wagen setzte zum Überholen an. Zentimeterweise arbeitete sich der weiß-grüne Opel an ihr vorbei. Penelope Kura schlug die Augen nieder. Sie wagte nicht nach links zu schielen. Schamesröte war der Frauen schönste Zier. Sie schwor, nie wieder eine einzige Sekunde in ihrem Entschluß zu wanken, wenn dieser Polizeiwagen sie unbehelligt ließ. Der Wagen zeigte ihr seine Rücklichter. Sonst nichts. Sie schaute den zwei roten Flecken nach, bis sie in einer Kurve verschwunden waren. Erst jetzt merkte sie, wie sehr ihre Knie zitterten.

In einer Dreiviertelstunde würde sie vor dem Institut stehen. In einer Dreiviertelstunde würden die Köpfe des Betriebs noch in knirschender Runde beieinandersitzen. In einer Dreiviertelstunde würde sie ihre Beretta vom Rücksitz holen.

Mit beiden Händen glättete Karl Wendelstein die obligatorische Klatsch-und-Klopf-Woge, die sein Aufstehen begleitet hatte. «Meine Damen und Herren! Ich freue mich sehr, daß Sie mich nach Berlin eingeladen und mir so die Chance gegeben haben, heute abend hier vor Ihnen zu sprechen.» Er machte eine Vierteldrehung zu Friedrich Warburg, der zusammengesunken neben ihm saß. «Und bei Friedrich Warburg möchte ich mich natürlich ganz besonders für seine freundlichen einleitenden Worte bedanken.»

Ohne aufzublicken, nahm der alte Mann die Hand vom Mund und winkte mürrisch ab.

Karl Wendelstein drehte sich schwungvoll in seine Rednerpose zurück. «Wie angekündigt lautet der Titel meines Vortrags *Philosophie der Erlösung – Erlösung der Philosophie.* Und selbst auf die Gefahr hin, daß ich Ihnen altmodisch erscheine: Ich verspreche Ihnen, daß der Titel auch das Thema sein wird.» Hier und dort erklangen einige akademisch hingehüstelte Lacher.

Sophie Ackbach lehnte den Kopf an die Fensterscheibe und schloß die Augen. Ihre coitale Depression war nackter Verzweiflung gewichen. Da sich aufgrund der ehelichen Verstrickungen Wendelsteins ihre Begegnungen stets im Rahmen seiner Vortragsreisen abgespielt hatten, kam sie heute zum dritten Mal in den Genuß seiner Erlösungsrhapsodie. Vor vier Wochen, in Konstanz, hatte sie den Vortrag geschwänzt. Und sich anschließend im Hotelzimmer einen dreistündigen Ersatzvortrag über die rationalistisch verklemmte Borniertheit der analytischen Philosophie anhören müssen. Sollte Sex doch Sünde sein, leistete sie hiermit zehnfach Buße.

«Lange Zeit schien Erlösung als möglicher oder gar notwendiger Gegenstand philosophischer Reflexion obsolet geworden zu sein. So wie die Moderne alles, dem der Ruch des Transmundanen anhaftete, aus ihrem steinernen Tempel verbannt hatte, war auch der Erlösungsgedanke ihrem blinden Ostrazismus anheimgefallen. Doch heute, wo die Moderne an ihrer eigenen Ruchlosigkeit zu ersticken droht, ist es dringlicher geworden denn je, die Erlösung in den Reigen der philosophischen Fundamentalthemen zurückzuholen.»

Sophie ließ ihren müden Blick durch den Raum schweifen. Ungewöhnlich viele Studenten waren heute abend da. Die Erlösungsfrage mußte einen studentischen Nerv treffen. An der gegenüberliegenden Wand entdeckte sie den Studenten, der gestern aus ihrem Seminar gerannt war. Mit tiefer Miene starrte er unter sich.

Dank des jüngsten Institutsratsbeschlusses, die Professorenschaft bei wichtigen Gastauftritten zwangszuordniern, war dieselbe einigermaßen vollzählig erschienen. Den mimisch Begabteren gelang es, ihr Desinteresse hinter der Maske intellektueller Skepsis zu verbergen.

Ansonsten hatten sich die zwanzig üblichen Bulimiker versammelt, die wahllos jeden Vortrag am Institut in sich hineinschlangen, um die halbverdauten Gedankenbrocken beim anschließenden Kneipengang wieder auszukotzen.

Ganz vorn, an seinem Stammplatz neben dem Rednertisch, saß Ludger Spieß. Sein angestrengtes Profil verriet, daß er bereits heftig mit der Frage beschäftigt war, welches Bauklötzchen er aus Karl Wendelsteins Burg herausziehen mußte, um sie komplett zum Einsturz zu bringen.

«*Erkenntnis hat kein Licht, als das von der Erlösung her auf die Welt scheint.* Wenn dieser frappierende Gedanke Adornos wahr ist, dann hat sich die Philosophie in ihrer vielgerühmten kritischen Blütezeit selbst ins Dunkel gerückt.»

Sophie zuckte zusammen. Der Penner mit der doppelten Baseballkappe, treuster Zögling der Alma mater in ihrer Eigenschaft als Tagesmutter, hatte sich mit munterem *Hoppla* auf den kaputten Stuhl neben ihr fallen gelassen. Sophie drehte den Kopf zur Seite. Seitdem sie in dieser Institution arbeitete, waren sie und ihre Nase in der hohen Kunst des Ignorierens geübt. Sie schloß abermals die Augen. Vielleicht gelang es ihr, ein wenig zu schlafen.

«Mann, laß uns vom Acker schieben. Mir is kalt. Um die Uhrzeit kommt hier in diesem Döskiez eh keine Sau mehr vorbei.» Der Student rieb sich die angefrorene Glatze.

«Sag doch gleich, daß du noch zu dem Vortrag von diesem Schleimfurz gehen willst. Wenn dir so 'n Gelaber wichtiger is als politische Aktion ...»

Der Kahlgeschorene blickte seinen gepiercten Mitstraßenblockierer abfällig an. «Quatsch, Mann.» Er trat ein paarmal auf der Stelle. «Außerdem is der Vortrag eh gleich rum.»

Vom Frontposten her ertönte der schrille Pfiff der Chefaktivistin.

«Hey, Leute, in Stellung. Fette Karosse im Anmarsch!»

Das Fachschaftsgirlie sprang auf die Fahrradspur und schwenkte wild ihre Warnblinklampe, um den dunkelgrauen Volvo, der soeben von der Thielallee in die Habelschwerdter eingebogen war, zum Bremsen zu animieren. Unmittelbar vor dem breiten Plastikband, das ihre beiden männlichen Aktionsgenossen quer über die Straße gespannt hatten, kam der Wagen zum Stillstand. Lautlos senkte sich das Fahrerfenster.

Der Kahlgeschorene beugte sich hinab. «Ach, guten Abend, Sie sind's, Frau Kura. Spät dran.»

Penelope Kuras Wangenknochen traten hervor, als wollten sie die Gesichtshaut durchstechen. «Was soll das hier», herrschte sie den Studenten an.

«Äh, ja, wie Sie bestimmt wissen, will der Senat ab dem nächsten Semester Studiengebühren einführen. Und – also wir finden das total willkürlich, und um das zu demonstrieren, haben wir jetzt beschlossen, von jedem, der am Institut vorbeifährt, 'ne Mark Wegzoll zu kassieren. So als symbolische Protestaktion», ergänzte er unsicher.

Penelope Kuras Züge entspannten sich. «Wirklich eine originelle Idee.»

«Ich weiß jetzt aber gar nich, ob das mit dem Wegzoll auch für Institutsmitglieder gelten soll», fuhr der Kahlgeschorene aufgeräumt fort. Er wandte sich in Richtung Chefaktivistin. «Hanna», rief er, «sag mal, kassieren wir den Wegzoll auch bei Profs?»

«Ist schon in Ordnung. Ich zahle Ihnen Ihre Mark.» Penelope Kura schenkte dem Studenten ein schmales Lächeln. «Warten Sie, ich muß nur meinen Geldbeutel aus der Manteltasche holen.» Mit leisem Klicken öffnete sich ihr Sicherheitsgurt. Ohne Eile drehte sie sich zu der Rückbank um, auf der ihr sorgfältig längsgefalteter Kaschmirmantel lag.

Im Seminarraum war ein Moment unbeholfenen Schweigens eingetreten. Alles lauschte den Geräuschen nach, die wie ein verirrter Donnerhall die Abendstille zerrissen hatten. Serielle Fehlzündung, Jüngstes Gericht oder kollektive Einbildung? Karl Wendelstein rieb unbehaglich an seinen Manuskriptblättern.

«Ratatatatatatata … die Russen kommen!» Der Penner mit den Flügelkappen sprang von seinem Stuhl und ließ sich auf den Boden fallen. Die forscheren Gemüter im Auditorium wagten zu lachen.

Karl Wendelstein nutzte den Moment der Entspannung, um sich zu räuspern. «Ja, vielleicht akzeptieren wir fürs erste die Erklärung des Kommilitonen, und ich fahre mit meinem abschließenden Resümee fort.»

«Kommilitone ratatatatatatata», brüllte der Penner, angestachelt von seinem Lacherfolg. «Kommilitant! Kommilitonne!»

Karl Wendelstein lächelte säuerlich in seine Richtung. «Ich denke, wir alle haben Ihren Punkt verstanden. Ich wäre Ihnen dankbar, wenn Sie mich nun meinen Punkt zu Ende bringen ließen.»

«Punkt, Punkt, Komma, Strich, fertig ist das Mondgesicht», summte der Penner und kletterte auf seinen Platz zurück.

Penelope Kura stellte den Motor ab. Sie schaute argwöhnisch zum Institut. Das Foyer war hell erleuchtet. Und leer. Alles schien friedlich zu sein. Dennoch war es unklug gewesen, den vier Studenten ein ganzes Magazin zu opfern. Andererseits hatte ihr der Probelauf Auftrieb gegeben. In den drei Sekunden, die den dreißig Metallgeschossen genügt hatten, um vier aufrechte Autonomie- und Würdenträger zu zersieben, waren für sie die letzten Reste vom Mythos Mensch gestorben.

Penelopa Kura stieg aus dem Wagen, zog Mantel und Handschuhe an und stopfte die vier vollen Wechselmagazine, die ihr noch geblieben waren, in die rechte Manteltasche. Zum Schluß nahm sie die frisch geladene Beretta vom Beifahrersitz. Gemessen schritt sie die Stufen zum Institut hinauf.

Karl Wendelstein verneigte sich vor der höflich applaudierenden Mehrheit. Die Eingeweihten hatten ihren Blick bereits Ludger Spieß zugewandt, fest darauf bauend, daß er sein Gewohnheitsrecht der ersten Frage auch heute abend nutzen werde. Mehrere Studenten, die das Gehörte lieber ohne professorale Aufsicht diskutieren wollten, packten ihre Jacken und Taschen. Angeregt tuschelnd zogen sie foyerwärts.

Friedrich Warburg versuchte den Notizzettel glattzustreichen, den die linke Faust während seiner mentalen Abwesenheit in den vergangenen fünfzig Minuten zu einer kompakten Kugel zusammengeknüllt hatte. *Und jetzt den Kugelschreiber*, soufflierte ihm eine Stimme aus seinem verdunkelten Hirnkasten, *alle schauen auf dich, du mußt jetzt deinen Kugelschreiber zücken.*

Der Schweiß rann Friedrich Warburg von der Stirn. Zitternd versenkte er seine Rechte in der ausgebeulten Jacketttasche.

«Die Diskussion ist eröffnet», sagte er heiser. «Ich bitte um Wortmeldungen.»

«Ah, Frau Professor Kura, gut, daß ich Sie treffe!» Ein unbekannter Student kam Penelope Kura mit flatternden Haaren entgegen. «Ich muß mich bei Ihnen beschweren. Ihre Assistentin, Frau Ackbach, hat gestern –»

Sie zögerte eine Sekunde, ob sie sich noch anhören sollte, was Frau Ackbach gestern getan hatte, dann entschied sie, daß es ohnehin keine Rolle mehr spielte. Sie drückte zweimal ab.

Die nach Freiheit und Gerechtigkeit strebende Brust des Studenten bäumte sich auf. Ungläubig starrte er die Professorin an. Er ging in die Knie. Ein Blutschwall färbte den Kokosteppich rot.

Penelope Kura nickte zufrieden. Der Sinn der Halbautomatik begann ihr einzuleuchten. Wohldosierte Einzelschüsse für den kleinen Rahmen. Sparten Munition für das Dauerfeuer im größeren Rahmen.

Die Studenten, die gemeinsam mit dem Niedergeschossenen im Foyer herumgestanden hatten, spritzten wie Granatsplitter auseinander. Das Gekreische, das nach kurzer Schockverzögerung ausgebrochen war, erschien Penelope

Kura ohrenbetäubender als die Schüsse. Lediglich zwei unanfechtbare Studenten eilten in die umgekehrte Richtung, ihrem gefallenen Kommilitonen zu Hilfe.

Ungehindert legte Penelope Kura die letzten Meter zum Seminarraum zurück. Mit leisem Lächeln stellte sie die Beretta wieder auf Vollautomatik um.

Ludger Spieß sah aus, als wollte er an der Frage, die er sich bereits zu zwei Dritteln von der Zunge gezwirbelt hatte, ersticken. Karl Wendelstein hatte den Brillenbügel entzweigebissen, auf dem er während der rhetorischen Gegenattacke souverän herumgekaut hatte. Friedrich Warburg hielt seine Rechte in Herzhöhe unter sein Jackett gepreßt. Sophie Ackbachs Gesichtsausdruck war zwischen Amüsement und Grauen erstarrt. Keiner der Anwesenden wagte zu atmen. Selbst der Penner mit den Flügelkappen schien zu spüren, daß die Stunde der letzten Wahrheit gekommen war.

Ernst und stumm stand Penelope Kura im erhöhten Eingang. Von der Waffe in ihrer Hand ging ein metallischer Schimmer aus, der den ganzen Raum erleuchtete. Ein Engel war aus seiner intelligiblen Welt in die akademischen Niederungen herabgestiegen, um die Irrationalen und die Willensschwachen, die Begriffsstutzigen und die Einfallslosen, die Verquasten und die Blasierten zu bestrafen. Und an diesem Tag würde der Engel sie nicht mehr mit Worten strafen, sondern mit Feuer und Blitz. Seine Zunge war heute so verschlossen, wie es ihre Ohren die ganzen Jahre über gewesen waren. Er hatte sie gewarnt, doch sie hatten den Namen der Philosophie weiter mißbraucht. *Misosophen* hätten sie sich nennen müssen, denn aus jedem ihrer Gedanken und jeder ihrer Reden hatte Weisheitsverachtung gesprochen. Jede ihrer Taten war ein Akt der Weisheitsbekämpfung gewesen. Und je tiefer sie sich mit ihren Händen und Füßen in den Schlamm gewühlt hatten, desto höher hatten sie ihre Hälse gereckt. Anstatt der kosmischen Zufallspaarung von Körper und

Geist durch die Ausbildung eines durchgeistigten Körpers Sinn zu verleihen, hatten sie aus sich hybride Brontosaurier gemacht, deren Hirne immer weiter anschwollen, während sie unterhalb des Kehlkopfes immer weniger zu sagen hatten. Anstatt den Kampf gegen die geistlose Wirklichkeit aufzunehmen, hatten sie den Weg der geringsten Mimikry gewählt. Sie hatten sich in ihre Schädelhöhlen verkrochen, damit ihre Leiber der allgemeinen Willkür um so ungestörter frönen konnten.

Der Engel senkte und hob seine Lider. Ein letztes Mal blickte er in die todgeweihte Runde. Und mußte blinzeln. Ihm gegenüber, am Kopfende des Raums, hatte sich ein zweiter Engel erhoben. Ein grauer Engel mit einer kleinkalibrigen Faustfeuerwaffe. Mit einer kleinkalibrigen Faustfeuerwaffe, die er ihm nun entgegenstreckte.

Ein kurzer Schuß pfiff durch den Raum.

Penelope Kura faßte sich erstaunt an die Stirn. Ein winziger runder Krater hatte sich geöffnet. Etwas Warmes, Rotes floß ihr in die Augen. Sie spürte, wie die Beretta ihren Händen entglitt. Mit stummem Wutschrei ging sie zu Boden.

Friedrich Warburg ließ die Pistole fallen. «Nein», schrie er, «nein», und entfesselte damit die aufgestaute Panik. Stühle und Tische stürzten, ausgetrocknete Kehlen kreischten, wie sie im Leben noch nie gekreischt hatten, Philosophen durchdrangen Fensterscheiben, Fensterscheiben durchdrangen Philosophen, mit aller Macht des Faktischen drängte die Meute zum Ausgang.

Sophie Ackbach sprang von ihrem Stuhl, boxte sich zum Rednertisch durch, stieß den nach wie vor katatonischen Ludger Spieß und den hysterisch kichernden Karl Wendelstein beiseite und warf sich Friedrich Warburg an die Brust.

Der alte Mann schluchzte und stammelte. «Ich wollte doch nicht – Penelope doch nicht – warum hat sie bloß – ich wollte mich – ich wollte diesen Menschen – nein – mein Gott – Sophie, ich wollte *dich* –»

«Schschsch», die junge Frau strich ihm beruhigend über den Kopf, «schschsch, es wird alles wieder gut.» Sie barg das zitternde Greisenhaupt an ihrem Busen.

Penelope Kura schloß die Augen. «Irrational», flüsterte sie leise, «vollkommen irrational.»

UNISEX

Nach Büroschluß staut sich der Verkehr vom Donaukanal bis Hietzing heraus. Dann ist man mit dem Auto dreimal so lang unterwegs wie mit der U 4. Und ausgerechnet zu dieser Tageszeit kann ich die U 4 nicht benutzen.

Dabei ist es schon fast zwanzig Jahre her, seit ich in Wien mein Studium begann, um Ärztin zu werden. Doch in all den Jahren ist es nur noch schlimmer geworden. Und wenn ich aus Versehen einmal zwischen halb sechs und halb sieben mit der U 4 nach Hietzing heraus fahre, rieche ich es sofort.

Diesen penetranten Geruch der Hietzinger Arztkinder. Sie fahren zurück in die Villen ihrer Eltern, wo sie bis zum Abschluß ihres Studiums noch wohnen. Bis sie selbst Ärzte sind. Wie ihre Eltern, wie ihre Großeltern. Ich weiß, wovon ich rede. Meine eigene Tochter ist ja ein Hietzinger Arztkind und hat vor kurzem mit ihrem Medizinstudium begonnen.

In der U 4 erkennt man die Hietzinger Arztkinder sofort. An ihren angenehmen Manieren. An ihren angenehmen Gesichtszügen. An ihren angenehmen Kleidern. Aber vor allem an ihrem unerträglichen Formalingeruch, den sie jeden Abend nach dem Ende des Sezierkurses rudelweise in die U 4 tragen.

Obwohl ich selbst als Studentin diesen Geruch mit mir herumtrug, empfand ich ihn immer als den Geruch meiner Hietzinger Kollegen. Sie schämten sich nicht für den Geruch. Sie lächelten darüber, daß ich mich unter dem weißen Mantel immer komplett auszog, um am Heimweg nach dem Sezierkurs den Formalingeruch wenigstens nicht in meinen Kleidern zu haben.

Im Seziersaal trugen wir alle die gleichen weißen Mäntel. Männer und Frauen. Hietzinger und Provinzler. Arzttöchter und Fleischhauertöchter. Ununterscheidbar. Heute brauche ich den weißen Mantel nicht mehr. Ich wohne selbst schon lange in meiner Hietzinger Arztvilla. Stolz trägt mir meine Tochter jeden Abend den Formalingeruch ins Haus. Deshalb ist mein Bedürfnis so groß, den ganzen Tag in der frischen Luft spazierenzugehen. Mit meinem kläffenden Hund, der die Nachbarn verrückt macht.

Die Nachbarn müssen mich «Frau Professor» nennen, obwohl ich mein Medizinstudium nicht abgeschlossen habe. Meine Mutter wünschte sich, daß ich Chirurgin werde. Auch sie war ja die Gattin des Fleischhauers mit den aufgedunsenen Kühlhaus-Fingern geworden, weil ihre Mutter nie Fleisch in der Küche gehabt hatte.

Aber ich schloß mein Studium nicht ab. Nur den Sezierkurs schloß ich ab. Gott sei Dank. Als Chirurgin müßte ich mir die Hände so oft waschen, daß ich heute schon längst die gleichen aufgedunsenen Finger hätte wie mein Vater von der Arbeit im Kühlhaus. Ich müßte stundenlang die Gummihandschuhe tragen, bis der ekelhafte Schweißgeruch nicht mehr wegzukriegen wäre. So wie der Ekelgeruch von den Fingern meines Vaters nicht wegzukriegen war.

Ich würde im Monat soviel verdienen, wie ich heute an einem Tag ausgebe. Ich würde Miete bezahlen! Statt Miete zu kassieren. Ich müßte den ganzen Tag im Operationssaal verbringen, statt mit meinem Hund den ganzen Tag durch Hietzing zu spazieren. Asti ist ein Yorkshireterrier. Er hat soviel gekostet, wie Chirurginnen in einem Monat verdienen. Trotzdem kann er nicht einmal richtig bellen. *Uik! Uik!* ist das einzige, was er herausbringt. Das kläfft er dafür ununterbrochen. Als Ärztin würde ich nicht einmal genug verdienen, um all die Anzeigen meiner Nachbarn zu bezahlen. *Uik! Uik!* Ruhig, Asti, du störst die heilige Hietzinger Ruhe.

Die Nachbarin ist Tierärztin, Asti! Sie sagt, ich soll dir die

Haare nicht mit einem Mäschchen aus dem Gesicht binden. Sie sagt, ihr Yorkshireterrier seid ohnehin halb blind, und die Haare habt ihr zum Schutz vor den Augen. Wenn man sie euch auf den Kopf bindet, sieht es nicht nur bescheuert aus, sondern ihr bekommt auch noch eine Augenentzündung. Die Nachbarin sagt, daß du deshalb soviel kläffst, weil dich die Augen schmerzen. Und sie deckt mich mit Anzeigen ein. Doch ich weiß, daß du aus einem anderen Grund kläffst. *Uik! Uik!* Es sind nicht deine Augen. Es ist deine Nase.

Nie wird dein Frauchen den Moment vergessen, als sie die Prüfung für den Sezierkurs bestanden hatte. Ich zog mich um und ging auf die Währinger Straße hinaus. In diesem Augenblick sah ich alles so klar vor mir wie nie zuvor in meinem Leben. Als hätte ich mein ganzes Leben lang eine Augenentzündung gehabt, die während der Prüfung verheilt war. Als könnte ich plötzlich mit meinem Stilett nicht nur Leichname, sondern die ganze Stadt in saubere, verständliche Portionen unterteilen.

Der Kran, der auf der anderen Seite der Währinger Straße stand und eine Dachwohnung auf das alte Gebäude pflanzte, stand so klar und übersichtlich vor mir wie ein Arm oder ein Bein aus dem Seziersaal, wo ich gerade meine Prüfung bestanden hatte. Das stählerne Knochengerüst, die hydraulische Muskulatur, Kabel, Adern, Nerven. Obwohl ich mich nie zuvor für eine Maschine interessiert hatte, war mir dieser Kran vollkommen verständlich. Wie von einem überirdischen Hietzinger Monster skelettiert, stand er da mitten im 9. Bezirk und hob eine luxuriöse Dachterrassenwohnung auf das alte Gebäude.

Die ganze Stadt schien so klar vor mir zu liegen. Das sonst so verwirrende Straßen- und Häuser- und Menschengewirr war so rein und deutlich wie eine gut präparierte Leiche. Wer nie eine Leiche präpariert hat, stellt es sich meist viel zu ekelhaft vor. Doch man putzt nur das Fett zur Seite, um die klaren Strukturen zum Vorschein zu bringen.

«Wir sind nicht beim Fleischhauer!» schimpfte der Assistent Kruzik immer, wenn jemand schlampig arbeitete.

Er konnte nicht wissen, daß mein Vater Fleischhauer war. Ich wollte ihm nicht erklären, daß Fleischhauer gar nicht schlampig arbeiten. Sondern sauberer als manche meiner Hietzinger Kollegen, die in den ersten Wochen so grün im Gesicht waren wie das Fett, das sie von den Muskeln schaben sollten, um die Stränge schön freizulegen.

Manchmal war das Fett nicht grünlich, sondern gelblich. Je nach der Ernährung des Verstorbenen. Hatte er eine Vorliebe für rote Rüben gehabt, war sein Fett rötlich. Dieselbe Farbe, die meine Hietzinger Kolleginnen annahmen, wenn Kruzik das Wort an sie richtete: «Wir sind nicht beim Fleischhauer!»

Dieser blonde, braungebrannte Hietzinger Schnösel. Er konnte sagen, was er wollte, und meine Kolleginnen kicherten. Sie hätten ihre Näschen gerümpft, hätte ich erklärt, woher ich wußte, wie sauber manche Fleischhauer arbeiten. Deshalb behielt ich es für mich. Kruzik hatte so oder so keinen Blick für mich übrig. Ich begnügte mich mit der guten Note, die ich im Sezierkurs 1 bekam.

Erst mit dem Sezierkurs 2 begannen die Schwierigkeiten. Kruzik war Assistent des Anatomie-Professors Georg Astleitner. Der Professor kümmerte sich natürlich nicht selbst um die Sezierkurse. Als er mich einmal beim Umziehen im Spindraum überraschte, erkannte ich ihn zuerst gar nicht. Er hatte nur noch ein paar Jahre bis zur Pensionierung, und alle wußten, daß Kruzik sein Nachfolger werden sollte.

Entsprechend gekränkt reagierte Kruzik, als der Professor sich bei den Prüfungen für den Sezierkurs 2 plötzlich wieder einmischte. Kruzik erschrak mehr darüber, daß der Professor mich durchfallen ließ, als ich selbst. Nachher sagte er mir im Vertrauen, daß ich alles richtig gemacht hätte. Er verstand den Professor nicht. Aber es gab ja ohnehin noch eine zweite Chance.

Professor Astleitner ließ mich auch bei der zweiten Prüfung durchfallen. Diesmal machte ich aus Nervosität wirklich schon einige Fehler. Aber es gab ja immer noch die Chance auf eine kommissionelle Prüfung. Doch wer auch bei der kommissionellen Prüfung durchfiel, hatte keine Chance mehr. Aus und vorbei.

Bei der kommissionellen Prüfung versagte ich vollkommen. Die Professoren der Kommission waren angeekelt. Nicht von der Leiche, sondern davon, wie ich in meinem weißen Mantel dastand und alles falsch machte.

Doch da zeigte sich Professor Astleitner plötzlich von seiner menschlichen Seite. Ich vermutete, er hätte ein schlechtes Gewissen wegen der ungerechten ersten Prüfung, wo ich alles gekonnt hatte. Ich erzählte ihm von meiner Großmutter, von meiner Mutter, von meinem Vater mit den dicken Fleischerfingern. Und er hatte Mitleid mit mir. Er gab mir noch eine vierte Chance, erfand irgendeinen Formfehler, so daß ich noch einmal antreten konnte. Und ich habe sie genutzt! Ich bin durchgekommen. Ich habe bestanden.

Als ich nach der bestandenen Prüfung aus dem Seziersaal hinausging, lag alles so klar vor mir wie nie zuvor in meinem Leben. Ich eilte nicht wie sonst immer die Hintertreppe hinunter, die direkt in den Spindraum führte. Ich schritt über die Repräsentierstiege des alten Palais hinab, und obwohl ich mich nie zuvor für Bauten interessiert habe, verstand ich in diesem Moment den Bau der Stiegenanlage, als hätte ich sie selbst entworfen.

Ich zog mich im Spindraum um, packte zum letzten Mal meine Sachen ein. Nie wieder Formalingeruch, sagte ich mir. Ich konnte nicht ahnen, daß ich den Formalingeruch trotzdem nicht mehr loswerden würde. Daß ich den Formalingeruch nie wieder aus meinen Haaren kriegen würde, nie wieder aus meiner Haut, aus meinem Schweiß, aus meinem Atem, aus meinen Organen kriegen würde.

Die Leute riechen es nicht an mir. Sonst riechen die feinen Hietzinger Nasen alles. Sie riechen einen Nicht-Hietzinger einen Kilometer gegen den Wind. Und sie rümpfen ihre Nasen über alles. Vor allem über das dauernde, nervenaufreibende Bellen von meinem Asti. Dabei bellt er nicht einmal richtig. *Uik! Uik!* Ruhig, Asti. Dein ewiges Gejammer geht meinen Nachbarn auf die Nerven. Sie glauben, du jammerst über deine entzündeten Augen. Dabei jammerst du über den Formalingeruch, den ich seit zwanzig Jahren nicht mehr loswerde. Du bist halb blind, aber du hast die beste Nase von allen Hietzingern.

In den drei, vier Stunden nach der Prüfung war die Welt so einfach zu bedienen wie ein Muskel. In dem Moment, als ich aus dem Gebäude trat, ließ ich bei der Baustelle gegenüber den Müll-LKW vorfahren, damit ich meinen weißen Seziermantel dazuwerfen konnte. Nur das Holzetui mit dem Stilett behielt ich.

Ich machte mich auf den Weg in das Café Stein, wo Edi Kruzik um die Zeit immer herumlungerte. Meistens mit einer meiner Hietzinger Kolleginnen. *Kommilitoninnen* hätte der Schnösel Kruzik in feinstem Hietzingerisch gesagt. Er war so begehrt bei meinen Kommilitoninnen wie ein Kitzbühler Schilehrer. Dort hatte seine Familie tatsächlich ein Haus, und dorthin hatte er auch die eine oder andere meiner Kolleginnen schon eingeladen. Auch die Nichte des Professors. Das hatte sich allerdings als Fehler erwiesen. Als der Professor davon erfuhr, brüllte er Kruzik in seinem Büro so zusammen, daß im Seziersaal fast die Leichen aufgewacht wären.

Mich hatte Kruzik in den zwei Semestern nie auch nur eines Blickes gewürdigt. Aber ich war nach der bestandenen Prüfung so gut gelaunt, daß ich einfach schnurstracks in das Café Stein ging. Da es erst sieben Uhr war, lehnte Edi Kruzik noch ganz allein an der Bar.

Ich stellte mich zu ihm und bestellte einen Ouzo.

«Wie kann man nur einen Ouzo trinken?» fragte Kruzik.

«Schmeckt scheußlich», sagte ich. «Nur damit kann man den Formalingeschmack aus dem Mund vertreiben.»

Kruzik grinste blöd. «Daran hab ich mich schon lange gewöhnt.»

«Ich gewöhne mich an nichts.»

«Man gewöhnt sich an alles», behauptete Edi Kruzik. Ich konnte in diesen paar Stunden die Welt steuern wie meinen eigenen Muskel. Denn das war genau das Stichwort, das ich hören wollte.

«Ich habe mich noch nicht einmal daran gewöhnt, das Stilett nicht wie ein Messer zu halten», behauptete ich.

Kruzik schaute ungläubig. «Wie ein Messer? Das lernt man doch schon in der ersten Stunde.»

«Eben.»

«Man muß das Stilett wie einen Bleistift halten!» erklärte Kruzik.

Ich lächelte ihn so an, daß sich seine Blutgefäße öffneten und literweise Blut in seinen blonden Schädel hinauftrieben.

«Wie einen Bleistift? Nicht wie ein Messer?» fragte ich so naiv, wie Kruzik es bei den Studentinnen gern hatte.

«Nein, nicht wie ein Messer», grinste Kruzik blöd.

«Wir sind ja nicht beim Fleischhauer», sagte ich.

«Genau.»

«Aber wie hält man einen Bleistift?» fragte ich Kruzik.

«Wie ein Stilett», scherzte Kruzik.

«Zeigen!» befahl ich in der Babysprache, mit der man bei Kruzik alles erreichen konnte, und ließ das Holzetui aufschnappen.

«Zeigen?»

Ich hielt ihm das Etui unter die Nase, und er nahm das Stilett heraus und zeigte mir, wie man einen Bleistift hält.

«So hält man einen Bleistift?»

«Ganz locker halten. Das ist das wichtigste», betonte Edi Kruzik.

«Wieder zurücklegen», sagte ich, als Kruzik nicht aufhörte, es zu demonstrieren. «Nicht hinters Ohr stecken wie einen Bleistift!»

Kruzik schaute mich zweifelnd an. Während ich mein Etui wegpackte, rückte er mit seinem Verdacht heraus. «So übermütig? Wir werden doch nicht wieder bei der Prüfung durchgefallen sein?»

«Im Gegenteil», lächelte ich.

«Ach, daher der ungewohnte Übermut.»

Dabei konnte Kruzik noch gar nicht wissen, wie weit ihn mein Übermut noch treiben würde. Zwei Stunden später hatte er schon etwas mehr Ahnung. Immerhin lag er da bereits mit mir im Bett. Unsere Konversation war allerdings nicht recht von der Stelle gekommen. Wir unterhielten uns immer noch über die verschiedenen Möglichkeiten, einen Bleistift zu halten.

«Gut, daß ein Stilett nicht größer wird, wenn man es angreift», grinste Edi Kruzik blöd. Er sah gut aus, und er war der Assistent im Sezierkurs von Professor Astleitner, und alle meine Kolleginnen wären gern in meiner Lage gewesen – halb neben, halb unter Edi Kruzik.

«Ich bin froh, daß ich das Stilett nie mehr angreifen muß.»

«Nie mehr? Nur bis zum Pathologie-Sezierkurs», dozierte der zukünftige Professor. Kruzik würde eine große Karriere machen. Wie sein Großvater, der direkte Vorgänger von Professor Astleitner.

«Den Pathokurs mache ich nicht», sagte ich. Ich zog es immer vor, im Bett nicht gleich zur Sache zu kommen, sondern zwischendurch ein bißchen über Belanglosigkeiten zu plaudern. Für Kruzik war das allerdings alles andere als eine Belanglosigkeit.

«Da wärst du aber die erste Medizinerin, die ihr Studium ohne Pathokurs abschließt.»

«Ich schließe mein Studium nicht ab.»

«Du willst abbrechen?» fuhr Kruzik auf. «Bist du heute doch bei der Prüfung durchgefallen?»

«Den Sezierkurs habe ich bestanden. Aber ich werde nicht weitermachen.»

«Aber wozu bist du dann zur Prüfung überhaupt noch angetreten, wenn du nicht weitermachen willst?»

«Den Sezierkurs mußte ich ordentlich abschließen.»

Er schüttelte unwillig den Kopf. Dabei habe ich nie logischer argumentiert als in diesem Moment. Heute kann ich längst nicht mehr logisch denken. Ich denke nur noch in Kreisen, so wie ich in Kreisen durch Hietzing wandere. Asti denkt logischer als ich. Wenn ihn mein giftiger Formalingeruch in die Nase sticht, ruft er: *Uik! Uik!*

Kruzik konnte mit meiner Logik nichts anfangen. Es war ihm aber egal. Er wollte nicht länger diskutieren. Er wollte endlich die Karteileiche anstechen, die da neben ihm im Bett lag und in der Uni-Statistik noch als angehende Medizinerin geführt wurde, obwohl sie insgeheim schon ausgestiegen war.

Doch die Karteileiche plauderte noch weiter: «Ich bin nur froh, daß ich den Sezierkurs abgeschlossen habe.»

«Ich verstehe dich nicht», wurde Kruzik langsam ein bißchen ungehalten. «Was nützt dir der Sezierkurs jetzt noch?»

«Ich will auch eine Villa in Hietzing.»

«Die wirst du dir mit einem Abschluß im Sezierkurs mit Sicherheit erwerben», spottete er.

«Ich will auch so eine schöne Villa haben wie deine Eltern. Mit einer Prachttreppe, wie ich sie nur aus dem Anatomie-Institut kenne. Mit einer Terrasse, wie sie der gelbe Kran auf das Haus in der Währinger Straße stellt.»

Kruzik lachte genervt auf. «Da stecken drei Generationen harte Arbeit drinnen!»

Alle Hietzinger Söhnchen und Töchterchen dieser Welt haben denselben abgrundtief dummen Gesichtsausdruck, wenn sie das Lied von der harten Arbeit ihrer Eltern singen. Ich weiß, wovon ich rede. Meine eigene Tochter trägt mir jeden Abend nach dem Sezierkurs den Formalingestank und die Hietzinger Weisheiten ins Haus.

«Genau so eine Villa wie deine Eltern will ich!» sagte ich, um Kruzik noch ein bißchen zu ärgern.

«Dann würde ich das Stilett lieber nicht wegwerfen. Sondern brav den Pathokurs machen. Und all die Prüfungen. Und ein Leben lang hart arbeiten.»

«Mit Arbeit ist noch niemand reich geworden.»

Kruzik schaute angeekelt.

«Außerdem hab ich das Stilett ja noch nicht weggeworfen.»

«Also ist es dir doch nicht so ernst mit dem Ausstieg?»

«Ich hab es nicht weggeworfen, sondern weggeschickt.»

«Was weggeschickt?»

«Das Stilett. Du hast doch gesehen, daß ich dem Taxifahrer vorhin noch etwas mitgegeben habe, als du schon ausgestiegen warst und am Gehsteig auf mich gewartet hast. In dem Kuvert war mein Stilett.»

«Spendest du es für einen bedürftigen Studenten?» lachte Kruzik.

«So könnte man es nennen. Für eine bedürftige Studentin.»

«Selbstverständlich. Eine Stilettin für eine Studentin», amüsierte Kruzik sich königlich.

«Damit sie zu ihrer Hietzinger Villa kommt.»

«Du bist fixiert», diagnostizierte Dr. Kruzik.

«Von Fixierungen kommt man am besten los, indem man sie zur Realität macht.»

Kruzik runzelte die Stirn: «Kann es sein, daß du vielleicht doch wieder bei der Prüfung durchgefallen bist?» Bei diesem Gedanken rückte er instinktiv etwas von mir ab. «Warum hat der Professor dich eigentlich noch ein viertes Mal antreten lassen? Das ist ja überhaupt noch nie vorgekommen. Normalerweise zwei Prüfungen. Und wenn man dann auch noch bei der kommissionellen durchfällt, ist es aus.»

«Aus!» wiederholte die Karteileiche.

«Jawohl, aus», bestätigte Kruzik trotzig. «Und ich finde es richtig so. Es gibt ohnehin zu viele Ärzte. Vor allem zu viele schlechte Ärzte.»

«Aus!»

«Heraus mit der Sprache. Wieso hat er dich noch ein viertes Mal antreten lassen?» beharrte Kruzik mit einem hämischen Grinsen im Gesicht.

«Ich hab ihm was vorgeheult.»

«Na und? Das tun doch alle.»

«Und dann hab ich mich trösten lassen.»

«Trösten?»

«Bumsen.»

«Du hast dich von ihm bumsen lassen?»

Kruziks Stilett wurde bei der Vorstellung so groß, als müßte er ein Pferd operieren. «Das glaube ich nicht», behauptete er. Aber der Geifer, der ihm dabei fast aus den Mundwinkeln lief, strafte ihn Lügen.

«Daß ich mich bumsen ließ?»

«Daß er dafür eine Note verschenkt. Der kann doch jede Studentin haben, die er will. Ohne daß er ihr dafür eine Note schenkt.»

«Kann schon sein», sagte ich. «Aber nicht auf dem Seziertisch.»

«Auf dem Seziertisch!» schrie Kruzik, der Pferde-Chirurg, «das gibt's doch nicht!»

«Auf dem Seziertisch.»

«Aber das gibt's doch gar nicht. Da liegen doch Tag und Nacht die Leichenteile drauf herum. Den müßte man ja eine Woche lang putzen und desinfizieren, bis er nicht mehr giftig ist. Der ist ja getränkt mit Formalin! Wenn er sich da hinlegt, ist der Asti auf der Stelle tot.»

Ich habe diesen Spitznamen immer schon gehaßt. Aber meine Hietzinger Kollegen nannten den Professor Astleitner immer nur liebevoll «Asti». Und dafür, daß Kruzik ausgerechnet jetzt Asti sagte, hätte ich ihn umbringen können.

Aber ich ließ mir nichts anmerken. «Er hat sich ja nicht auf den Seziertisch gelegt», erklärte ich. «Er hat sich nur auf mich gelegt. Und so schnell hat sich mein Körper nicht mit dem Formalin vollgesogen, daß er durch mich hindurch noch was abgekriegt hätte wie bei einem nassen Lappen.»

«Aber wieso ausgerechnet dich? Ich meine –»

«Es gibt Schönere? Er ist einmal zufällig in den Spindraum gekommen, als ich gerade beim Umziehen war. Ich habe mich immer komplett ausgezogen, bevor ich in den Mantel geschlüpft bin. Damit ich den Gestank nicht in die Kleider kriegte. Diese Begegnung muß ihn auf Gedanken gebracht haben. Kurz darauf bin ich zum erstenmal bei der Prüfung durchgefallen.»

«Aber das gibt's ja nicht», schüttelte Kruzik verdattert den Kopf.

«Doch wie du siehst, war es gar nicht so schlimm. Zumindest war ich nicht auf der Stelle tot. Oder besser gesagt: Zumindest war nicht ich auf der Stelle tot.»

«Nicht ich?» murmelte Kruzik.

«Sondern er.»

«Wer er?»

«Er. Dein Professor Asti war auf der Stelle tot.»

«Aber das …»

… gibt's ja nicht, wollte Kruzik vermutlich sagen. Aber ich achtete jetzt nicht mehr auf ihn. «Asti wollte, daß ich den Mantel anlasse», erzählte ich ihm weiter. «Und mein Stilett war in der Manteltasche. Wie er ganz außer sich auf mir auf und ab gehüpft ist, hab ich in die Manteltasche gegriffen.»

«In deine Manteltasche?» Kruzik wirkte jetzt leicht anästhesiert.

«Damenmäntel haben zwar meist nicht so viele praktische Taschen wie Herrenmäntel. Aber die Seziermäntel sind ja unisex.»

«Unisex», murmelte Kruzik kraftlos.

«Dir brauch ich ja nicht zu erklären, wie phänomenal ein Stilett schneidet. Ein wunderbares Werkzeug. Ich hab es nur über seinen Rücken gehalten. Nicht ganz so locker wie einen Bleistift. Aber er hat seinen Rücken selbst hineingerammt, ohne es überhaupt richtig zu merken.»

Da steht schon wieder meine Nachbarin am Gartenzaun

und schaut böse, weil mein Hündchen so erbärmlich kläfft. Aber im letzten Augenblick muß sie mich doch freundlich grüßen: «Grüß Gott, Frau Professor Kruzik! Wie geht's, Frau Professor Kruzik?» Ich grüße nicht zurück. Asti grüßt an meiner Stelle: *Uik! Uik!*

Nachdem ich Kruzik damals erklärt hatte, daß der Taxifahrer das Stilett mit Astis Gewebespuren und Kruziks Fingerabdrücken bei einem Anwalt hinterlegt habe, hat er zuerst ungläubig gelacht. Dann erinnerte ich ihn daran, daß alle Studenten in der Vorwoche den schrecklichen Streit wegen der Nichte des Professors mitgekriegt hätten. Der Professor hatte so gebrüllt, daß seine Drohung, sich einen neuen Assistenten zu suchen, noch im Seziersaal deutlich zu hören war.

Als Kruzik endlich begriff, reagierte er zu meiner Überraschung seltsam inspiriert. Nicht nur, weil er kapierte, daß er jetzt Asti als Anatomie-Professor beerben konnte. Es schien ihn anzuspornen, daß ich ihn mit dem Stilett in der Hand hatte. So etwas hatte er mit seinen Hietzinger Studentinnen wohl noch nicht erlebt. Jedenfalls brauchte er nur wenige Sekunden, um unsere Tochter zu zeugen.

Sie ist zu einer fröhlichen jungen Frau herangewachsen. Obwohl ihr Vater dann schon bald nach ihrer Geburt verstorben ist. Er wäre bestimmt sehr stolz auf sie. Bei ihrem Medizinstudium macht sie glänzende Fortschritte. Alles geht ihr leicht von der Hand, und sie wird einmal eine hervorragende Ärztin sein. Bis zum Ende des Studiums wohnt sie noch bei mir. Sie fühlt sich wohl in der Villa, die sie einmal erben wird. Wir haben sie redlich erworben.

Von den ekelhaften Vorfällen im Seziersaal wird sie nie erfahren. Auch ich versuche, nicht mehr daran zu denken. Aber wenn ich mit dem Hund spazierengehe, erinnert mich sein Kläffen doch immer wieder daran, wie es dazu kam, daß meine Haut diesen stechenden Formalingeruch ausströmt:

Wie der Anatomie-Professor meinen Körper in den Seziertisch preßte. Wie er, ohne es zu bemerken, sein Herz in mein

Stilett rammte. Wie er reglos auf mir lag und nicht einmal mehr dazu kam, einen Schrei auszustoßen. Nur drei-, viermal rasselte sein Atem noch ein quälendes «Uik! Uik! Uik!»

PETER SCHMIDT

Das Dozentenvirus

Das mysteriöse Virus hatte inzwischen die Gehirne von drei Bochumer Hochschuldozenten befallen – es hatte sie dazu gebracht, sich von der obersten Etage des Hochhauses zu stürzen. Merkwürdigerweise waren ausschließlich Geisteswissenschaftler aus GA/B davon betroffen: ein Philosophiedozent, ein vergleichender Literaturwissenschaftler und ein Theologe.

Natürlich war die Rede vom Virus lediglich eine Verlegenheitslösung, da sich niemand vorzustellen vermochte, was sie sonst zu ihrem Selbstmord bewogen haben könnte. In ihrer Biographie fanden sich keinerlei Hinweise auf außerordentliche Probleme oder Krisen. Offensichtlich waren sie auch nicht verrückter als der Rest der Universitätsneurotiker. Zwei von ihnen hatten in einer unauffälligen Ehe gelebt, was gewöhnlich die Bezeichnung «glücklich» nahelegt. Einer war bekennender Homosexueller (der Theologe). Wenn man nicht annehmen wollte, ein Irrer habe sie über die Brüstung geworfen oder ein geheimnisvolles Virus brüte ausschließlich in den Köpfen habilitierter Geisteswissenschaftler, gab es keinerlei vernünftige Erklärung für ihr plötzliches Ableben.

Als die Universität nach dem Krieg mit ihren Hochhaustürmen in die freie Hügellandschaft unweit des Stausees gesetzt worden war, hatte man jene unglücklichen Studenten, die sich aus der achten Etage von GA/B auf die Betonplattform zur Mensa stürzten, noch scherzhaft Mauersegler genannt. Inzwischen war die Bezeichnung wieder aus der Mode gekommen. Die Selbstmordrate war auf den Durchschnitt anderer Universitäten zurückgegangen, und das lag zweifellos an den verbesserten Einführungsseminaren.

Ein Philosophiestudent, der nach einem langen, behüteten Schulleben voller unverrückbarer weltanschaulicher Überzeugungen und klarer Definitionen in den ersten drei Wochen seines Studiums erkennen muß, daß nichts, aber auch gar nichts sicher ist (außer der allgemeinen Unsicherheit) und daß jede Meinung und Theorie angezweifelt werden kann (und auch angezweifelt wird), verfällt entweder in eine tiefe Depression und Sinnkrise und stürzt sich von GA/B, 8. Etage – *oder er wird Philosophiedozent.*

Es ist, als verliere man schon nach wenigen Semesterstunden jeglichen Halt unter den Füßen und stürze ins Bodenlose: Phänomenologen bekämpfen Sprachanalytiker, kritische Realisten halten jeden erkenntnistheoretischen Idealisten für ein psychiatrisches Problem. Und das Verteufelte daran: Jedes Problem scheint in jedem Seminarraum oder Hörsaal offenkundig ein für allemal gelöst – wenn auch jedesmal anders. Wer will uns wirklich beweisen, daß die Welt nicht mit jedem Wimpernschlag ins Nichts versinkt? Wer hat schon plausible (und nicht nur eingebildete) Argumente für die erkenntnistheoretische These, diese Welt existiere tatsächlich unabhängig vom Bewußtsein?

Unser Student lernt als erstes, daß sein Alltagsglaube eine lächerliche, wenn auch äußerst bequeme Naivität ist. So nahmen in den Anfängen viele Erstsemester ihren ganzen Mut zusammen, fuhren hinauf nach GA/B 8 und betraten den umlaufenden Balkon, um herauszufinden, was sich wirklich hinter der Dunkelheit ihres Bewußtseins verbarg ...

Als man Appenzell beauftragte, der merkwürdigen Serie von Selbstmorden nachzugehen, stand er in dem Ruf, Spezialist für unlösbar scheinende Aufgaben zu sein. Weniger erfolgreich war er in den Standardfällen. Gewöhnliche Morde, Raubüberfälle, Vergewaltigungen oder Betrügereien interessierten ihn nicht die Bohne. Sein Gehirn schien den besonderen Reiz zu benötigen, um zur Höchstform aufzulaufen. Darum war auch seine Karriere als Assistent in der Mordkommission eher dem glücklichen Zufall einer Reihe ungewöhnlicher Kriminalfälle zu verdanken. Er hatte das berühmte Mobdalon-Paradox gelöst, bei dem sich ein übergewichtiger Gemüsehändler namens Bernhard Mobdalon aus Norddeutschland scheinbar an zwei Tatorten gleichzeitig aufhielt. Und er ging in die Kriminalhandbücher ein, weil er zum erstenmal einen Mordanschlag durch vergiftetes Sperma aufgedeckt hatte: die medizinische Meisterleistung eines Mikrobiologen an der Universität Würzburg.

Appenzell nahm sich noch einmal die Akten der Selbstmörder vor und studierte ihre Lebensläufe. Er hatte an jede Beschreibung kleine Zahlen angefügt, die am Ende der Akte erläutert wurden. 4 bedeutete: «Karrierist – setzt seine Professur über die wissenschaftliche Arbeit. Geringe Arbeitsleistung während der Semesterferien.» 8: «Verbohrter Spinner mit dem Hang, nächtelang Fachliteratur zu studieren.»

Nach seiner Klassifizierung gehörte der Philosophiedozent der Kategorie des verbohrten Spinners an. Unser Theologe war in psychotherapeutischer Behandlung, weil seine Sexualität «latente Schuldkomplexe» verursachte. Der Literaturwissenschaftler bekam eine milde 3: «Unauffälliger Arbeiter, keine nachteiligen Eigenschaften bekannt.»

Er betrachtete lange und nachdenklich ihre Fotografien (zwei Leptosomen, ein Pykniker). Philosoph und Literaturwissenschaftler besaßen eine denkerisch umwölkte Stirn, der Theologe war eher vom Typ des Sancho Pansa, des treuen, pfiffigen Knappen Don Quijotes. Der Literaturwissenschaftler hatte sich als Romanautor versucht, wenn auch mit geringem Erfolg. Unser Theologe war zweimal zur Audienz im Vatikan empfangen worden. Allerdings vor seiner Zeit als bekennender Homosexueller.

Danach genehmigte sich Appenzell einen Kaffee in der Cafeteria von GA. Die Cafeteria war einer der meistbesuchten Plätze der Universität. Mancher Professor wünschte sich sicherlich im Hörsaal, man würde seinen Vorträgen dieselbe

Aufmerksamkeit schenken wie den Pappbechern mit Kaffee, den belegten Baguettes und den Milchtüten. Die Studentinnen waren wegen des nahenden Frühlings besonders anziehend, fand Appenzell, während er nachdenklich seine Tasse zum Mund führte. Die meisten trugen in den noch winterlich überheizten Räumen nur soviel, wie unbedingt nötig war, und er fragte sich, wie sich dieser Aufzug wohl vom Rednerpult aus der Sicht eines Professors ausnahm, der die besten sexuellen Jahre bereits hinter sich hatte. Noch verlockender? Konnte einen das auf dumme Gedanken bringen?

Dann fuhr er hinauf in die achte Etage, weil er sich die «Sprungschanze» ansehen wollte (wie er den Platz insgeheim für sich nannte). Um auf den umlaufenden Balkon zu gelangen, mußte man durch das Fenster eines der Dozentenzimmer steigen. Es gab keine Balkontüren, die von den Fluren aus zugänglich waren. Falls es sich um ein Verbrechen handelte, hatte der Täter demnach Zugang zu den Zimmern besessen. Aber vermutlich war das gar nichts Außergewöhnliches, denn die Dozenten empfingen ihre Studenten zur Sprechstunde in ihren Arbeitsräumen, und auch die Assistenten und Sekretärinnen der Lehrkräfte gingen dort ein und aus.

Appenzell schloß einen der Räume auf, öffnete das Fenster und kletterte über die Brüstung. Der Balkon hatte keine Trenngitter. Das bedeutete, man konnte von jedem beliebigen Punkt der Etage aus jeden anderen Punkt erreichen: ideale Voraussetzungen für einen Mordanschlag.

Aber was sollte die Dozenten bewogen haben, überhaupt auf den Balkon hinauszuklettern? Sicher hatte der eine oder andere, aus welchen Gründen auch immer, schon einmal auf dem Balkon gestanden. Aber alle drei Dozenten nacheinander in so kurzer Zeit? Das war eher unwahrscheinlich.

Als nächstes widmete sich Appenzell der Frage, ob sich unter den Dozenten irgend etwas Verbindendes finden ließ, ein gemeinsamer Faktor. Das konnte vielerlei sein. Vielleicht besuchten sie denselben Club? Vielleicht liebten sie dieselbe Frau? Vielleicht spielten sie alle Tennis oder waren Mitglieder in derselben Partei? Oder, was noch viel wichtiger war, wenn man nach Verdachtsmomenten suchte: Vielleicht ließ sich das Gemeinsame sogar in ihren Lehrveranstaltungen entdecken?

Appenzell ließ sich in den Sekretariaten Listen der Seminarteilnehmer anfertigen. Sollte nur einer der Studenten die Seminare aller Dozenten besucht haben, so rückte er damit unvermeidlich in den Status eines Hauptverdächtigen auf.

Glücklicherweise gab es für sämtliche Seminare Teilnehmerlisten, was bei der zunehmenden Anonymität an unseren Universitäten keineswegs die Regel ist. Appenzell studierte die Listen nachdenklich bei einer zweiten und dritten Tasse Kaffee und pfiff plötzlich durch die Zähne.

«Pagnini Bertolucci ...», sagte er laut. Ein Italiener, dem Namen nach zu urteilen, war in allen Veranstaltungen eingeschrieben gewesen!

Als er seinen Blick hob, um die kleine dralle blonde Studentin mit der schiefen Strumpfnaht am Kaffeeautomaten zu beobachten, die seit einiger Zeit vergeblich ihren Pappbecher aus der Roboterhand des Auswurfs zu befreien versuchte, gewahrte er am Nachbartisch einen ganz in Schwarz gekleideten Studenten: schwarzes Sakko, schwarzes Seidenhemd, schwarze Hose, schwarze Strümpfe, und in seiner Brusttasche steckte, wie um diese Orgie in Schwarz zu krönen, ein schwarzes Taschentuch. Der junge Mann sah ihn fragend, streng, wenn nicht sogar düster an, ein Eindruck, der aber möglicherweise nur durch seine etwas tiefliegenden, leicht geröteten Augen entstand.

«Sie haben meinen Namen genannt?»

«Was denn, Sie sind Pagnini Bertolucci?» fragte Appenzell erstaunt und deutete mit dem Zeigefinger auf die Listen vor sich. «Das ist aber ein Zufall – ich habe soeben entdeckt, daß Sie an allen Seminaren der toten Dozenten teilgenommen hatten. Offensichtlich trifft das auf niemanden sonst zu.»

«Sie meinen die Seminare der Selbstmörder?»

«Vorausgesetzt, es handelte sich tatsächlich um Selbstmord.»

«Sie suchen einen Mörder, nicht wahr?» erkundigte sich Bertolucci. Während er einige Sekunden lang schweigend in Appenzells Mienenspiel nach der ausbleibenden Antwort suchte, verzog sich sein Gesicht zu einem breiten Grinsen. «Und nun glauben Sie, ihn auch schon gefunden zu haben?»

«Nein, wie kommen Sie darauf?»

«Wenn es tatsächlich einen Mörder gibt, dann sollte ihn irgend etwas mit seinen Opfern verbinden, oder?»

«Selbstverständlich hat Ihr Name auf den Teilnehmerlisten keinerlei Beweiskraft.»

«Aber da Sie nun einmal Erfolge vorweisen müssen, um Ihr kärgliches Gehalt und Ihre Zukunft als Ermittlungsbeamter zu rechtfertigen, werden Sie dieser Spur selbstverständlich nachgehen.»

«Ich bin finanziell unabhängig», widersprach Appenzell. «Ich arbeite lediglich aus Interesse an der Sache und für …» Er schwieg verdrossen, weil er sich entgegen seiner Gewohnheit aus der Reserve hatte locken lassen.

«… und für eine bessere Welt – frei von bösen Buben, die senile und widerspenstige alte Professoren über die Klinge springen lassen.»

«Hatten Sie denn Probleme mit Ihren Dozenten, Bertolucci?»

«Welcher Student hat das nicht?»

«Würde es Ihnen etwas ausmachen, mir diese Schwierigkeiten genauer zu erläutern?»

«Ja, das würde mir etwas ausmachen», sagte er und schüttelte verächtlich den Kopf. «Warum sollte ich? Was gehen Sie meine Probleme an?»

«Ich bin Polizeibeamter.»

«Ist das ein offizielles Verhör?»

«Es steht mir frei, es jetzt zu einem zu erklären.»

«Aber ich kann die Aussage verweigern.»

«Weil Sie sich nicht selbst belasten wollen?»

«Nein, weil mir Ihre Verdächtigung zu sehr aus der Luft gegriffen ist. Man muß nicht auf jeden Unsinn reagieren. Sehen Sie die dralle Blonde mit der schiefen Strumpfnaht?» fragte er. «Sie war ebenfalls in allen Seminaren.»

«Das ist wohl schlecht möglich», widersprach Appenzell. «Es findet sich nur Ihr Name auf allen Listen.»

«Mag sein, ja. Vielleicht kam sie später, nachdem die Listen erstellt wurden. Vielleicht hat sie sich auch nicht eingetragen, weil sie noch nicht sicher war, ob sie an den Veranstaltungen teilnehmen wollte.»

«Hm … kennen Sie zufällig ihren Namen?»

«Es ist Pamela Anderson, eine Norwegerin. Und sie soll auf ältere Knaben stehen, falls Sie mir diesen diskreten Hinweis gestatten. Sie war gar nicht abgeneigt, als Sie sie so aufdringlich am Kaffeeautomaten taxierten …»

«Wollen Sie mich auf den Arm nehmen? Woher wollen Sie das denn wissen? Das Mädchen hat ja nicht mal den Kopf nach mir gedreht.»

«Aber sie hat Sie sehr interessiert im Spiegel des Kaffeeautomaten beobachtet. Von Rechts wegen müßten Sie Pamela genauso verhören wie mich.»

«Immer der Reihe nach, Bertolucci. Momentan bin ich noch mit Ihnen beschäftigt. Und Ihre Weigerung, mir Rede und Antwort über Ihre Probleme mit den Dozenten zu stehen, macht Sie nicht gerade unverdächtiger.»

«Nehmen wir einmal an, ich hätte diese ehrenwerten alten Herren tatsächlich umgebracht …»

«Wie Sie wissen müßten, wenn Sie ihre Seminare besucht haben, waren sie in den besten Mannesjahren.»

«… dann ständen Sie jetzt vor der unlösbaren Aufgabe», fuhr Bertolucci fort, «ein plausibles Motiv für meine Taten zu finden. Warum sollte ein Student seine Professoren umbringen? Schließlich habe ich ihre Seminare belegt, weil ich mir davon einen Nutzen für mein Studium versprach. Tot nützen sie mir wenig, oder?»

«Nun, es lassen sich viele Motive denken. Die Palette der menschlichen Verrücktheiten ist unermeßlich groß, wie die Erfahrung jedes Kriminalisten zeigt – Rache, Eifersucht, Habgier, Minderwertigkeitsgefühle, Haß, unerwiderte Liebe. Und nicht selten entzieht sich der letzte Grund für eine Tat sogar vollständig der plausiblen Erklärung.»

«Dann wünsche ich Ihnen viel Glück bei Ihrer Suche», sagte Bertolucci.

«Womit bestreiten Sie Ihren Lebensunterhalt, Pagnini? Ich darf Sie doch beim Vornamen nennen?»

«Von mir aus. Meine Familie ist sehr wohlhabend. Meine Großeltern sind schon zu Anfang des Jahrhunderts aus Italien weggegangen und haben in Brasilien große Ländereien erworben. Außerdem arbeite ich für verschiedene Magazine – als Kriminalautor», fügte er mit kaum merklichem Grinsen hinzu.

«Oh, dann sind wir ja fast so etwas wie Kollegen.»

«Eher Konkurrenten, würde ich meinen. In der Literaturwissenschaft, einem meiner Fächer, wie Sie sicher wissen, nennt man das den ewigen Gegensatz von Realität und Fiktion.»

«Hatten Sie einen Ihrer Dozenten wegen einer Promotion angesprochen?»

«Im Fach Philosophie, ja.»

«Und? Nahm er Ihre Bewerbung an?»

«Nein, er lehnte ab.»

«Weswegen?»

«Professor Alois hielt meine Theorie der Bewertung für ausgemachten Unsinn.»

«Ihre Theorie der …?»

«Die Lösung der klassischen philosophischen Frage, ob die Dinge an und für sich, unabhängig von unserem Urteil, gut und erstrebenswert sind und was dieses Gute genau ist, falls sich darüber etwas Sinnvolles sagen läßt.»

«Und wieso lehnte er ab?»

«Er behauptete, meine Theorie der Emotionen sei das Schwachsinnigste, was ihm je in seinem langen Universitätsleben begegnet ist.»

«Läßt sich für uns Normalsterbliche etwas genauer erläutern, was ihn daran so aufbrachte?» erkundigte sich Appenzell.

«Es handelte sich um eine sehr schlüssige philosophisch-psychologische Untersuchung, ob das, was in der Erfahrung letztlich als Wert bezeichnet werden kann, ausschließlich auf Gefühlen beruht.»

«Sie wollen sagen, die Dinge erhalten ihren Wert allein durch Gefühle?»

«Wir betrachten sie durch eine Art Gefühlsbrille. Eine Brille, die allerdings weitgehend unbewußt bleibt, weil Wertgefühle im Unterschied zu gröberen Emotionen sehr subtil sind. Das hat die Natur recht weise eingerichtet, weil sie uns zwar einerseits durch Gefühle steuert, uns andererseits aber glauben macht, es seien gerade nicht die Gefühle, sondern die Dinge selbst, die Wert haben und uns zum Handeln veranlassen. Gefühle sind die einzigen Entitäten im uns bekannten Universum, denen die Eigenschaft zukommt, hinsichtlich ihres Wertvollseins nicht mehr hinterfragt, das heißt, auf etwas anderes zurückgeführt werden zu müssen. Ausschließlich Gefühle vermitteln uns etwas, das negativ oder positiv ist, anziehend oder abstoßend, lustvoll oder unlustbetont. Dinge dagegen können für solche Gefühle immer nur Auslöser sein.» Bertolucci schwieg und grinste, als wollte er Appenzell zu verstehen geben, daß solche Überlegungen sein konventionell arbeitendes Beamtengehirn vermutlich hoffnungslos überforderten.

«Interessante Theorie», meinte Appenzell.

«Es ist weniger eine Theorie als ein bestimmter Bereich von Erfahrungen, der jedem Menschen bei sorgfältiger Introspektion zugänglich sein sollte.»

«Gab es noch weitere Ablehnungen?»

«Meine Magisterarbeiten in Literaturwissenschaft und Theologie.»

«Und wo lag da der kritische Punkt? Weshalb wurden sie abgelehnt?»

«Aus denselben Gründen. Die Theorie der Bewertung läßt sich auf alle Wissensgebiete anwenden. In der Ästhetik und der Interpretation von literarischen Texten ebenso wie in der Frage nach den letzten religiösen und moralischen Werten.»

«Hm, verstehe», sagte Appenzell nachdenklich. «Sie haben sich also mit demselben gedanklichen Ansatz in verschiedenen Disziplinen beworben.»

Appenzell ließ sich in den Sekretariaten Bertoluccis Prüfungsunterlagen geben. Offensichtlich war der Italiener nicht zum erstenmal mit seinen Promotions- und Magisterarbeiten gescheitert. Und was ihn daran besonders mißtrauisch machte: Es handelte sich um dieselben Dozenten. Bertolucci hatte sogar auf dem Klageweg versucht, seine Überzeugung durchzusetzen. Allerdings war es damals um andere und unterschiedliche Themen gegangen.

Pamela Anderson dagegen war ein eher unbeschriebenes Blatt. Sie absolvierte ein Lehrerstudium, und das Fach Philosophie schien nur eine Verlegenheitswahl zu sein. Dafür wiesen sie ihre Noten als exzellente Kennerin der alten und neuen Literatur aus. Appenzell versuchte sich vergeblich vorzustellen, wie Pamela Anderson die drei Dozenten nacheinander über die Brüstung des Balkons von GA/B 8 geworfen hatte. Vermutlich war sie körperlich viel zu schwach dafür. Es wäre nur mit Hilfe eines Betäubungsmittels möglich gewesen. Aber die Obduktion der Leichen hatte keinerlei Hinweise auf derartige Mittel oder andere Drogen ergeben.

Außerdem war sie Mitbegründerin und zweite Vorsitzende eines studentischen Zirkels für Menschenrechte, Sektion Bochum, und das paßte schlecht zum Bild einer skrupellosen

Mörderin. Trotzdem beschloß Appenzell, keine Möglichkeit außer acht zu lassen und auch dieser Spur nachzugehen.

Daß Bertolucci nebenher als Kriminalautor arbeitete, machte ihn in seinen Augen nicht unverdächtiger. Ganz im Gegenteil, zusammen mit der Weltanschauung, die er in seinen Prüfungsthemen vertrat, ergab sich eine äußerst brisante Mischung, die höchste Wachsamkeit erforderte.

Bertoluccis Ausführungen hatten Appenzell mehr beeindruckt, als er sich eingestehen wollte. Wenn er sich nicht irrte, waren sie ein gefährlicher Nährboden für eine nihilistische und egoistische Haltung, die den Studenten in letzter Konsequenz möglicherweise dazu verführte, bei gegebenem Anlaß ohne jeden Skrupel bis zum Äußersten zu gehen. Denn falls die Werte, wie Bertolucci behauptete, ausschließlich auf Gefühlen beruhten, konnte es auch keine vorgegebene moralische Ordnung geben. Dann wurde die Moral oder das, was von ihr übrigblieb, nicht durch Einsicht in die Richtigkeit ihrer Werturteile, sondern durch bloße Lust und Unlust begründet!

Appenzell war klar, daß er zu wenig von diesen Problemen verstand, um ein abschließendes Urteil zu fällen. Doch vor Gericht würde ein Mordmotiv, das ausschließlich aus Rache wegen der Ablehnung von Prüfungsthemen bestand, vermutlich weniger schwer wiegen als eine Verhaltensweise, die durch eine skrupellose, amoralische Weltanschauung unterstützt wurde.

Nachmittags ging er mit seinen Unterlagen in die Bibliothek des Philosophischen Instituts, um sich in Bertoluccis Thema einzuarbeiten. Da gab es zunächst einmal die griechischen Altmeister der philosophischen «Lust-Forschung», Aristippos und Epikur, die den Gefühlen in etwa bereits jenen Stellenwert zuschrieben, wie Bertolucci ihn vertrat. Auch Freud schien dem Lustprinzip große Bedeutung beizumessen. Dagegen hatten andere Theoretiker wie Platon, Aristoteles, Descartes und Kant zwar die herausragende Rolle der Gefühle für die menschlichen Motivationen und Bewertungen gesehen, waren aber letztlich vor der Konsequenz zurückgeschreckt, daraus die Moral abzuleiten.

Man hatte den Menschen in der Vergangenheit schon mehrfach entthront. Die Erde war nicht mehr Mittelpunkt des Universums. Der Mensch stammte aus dem Tierreich ab und war das Ergebnis einer langen Evolution. Das Unbewußte regierte viele seiner Entscheidungen und brachte ihn durch permanentes, aber uneingestandenes Luststreben dazu, die abenteuerlichsten Rationalisierungen für seine Motive zu erfinden. Und nun sollten sich auch noch seine hehren Werte wie Tapferkeit und Würde, Selbstlosigkeit, Liebe und Ehrfurcht vor dem Leben als bloße Mittel zu positiven Gefühlen entpuppen?

Appenzell breitete Bertoluccis Manuskripte auf dem Tisch aus und las in seinen Vorstudien zur Promotion:

«Wenn das Leben einen Wert haben soll, dann muß er in etwas anderem liegen als der bloßen Tatsache, daß es sich um Leben handelt.»

«Ausschließlich im Angenehmen oder Unangenehmen des Gefühls zeigt sich ein evidenter Endwert.»

«Um den Wert eines Dings zu begründen, müssen wir irgendwann an ein Ende kommen, bedarf es aus logischen Gründen eines Wertmoments, das hinsichtlich seines Wertvollseins selbst nicht weiter hinterfragt werden muß, bei dem das Wertvollsein evident ist. Jede andere Art der Wertbegründung führte zum unendlichen Regreß.»

Das waren interessante Thesen, fand Appenzell. Wieso war er eigentlich noch nicht selbst darauf gekommen? Zugleich fühlte er sich durch Bertoluccis Gedanken aufs äußerste verunsichert. Bedeuteten sie nicht, daß seine Arbeit der vergangenen Jahre auf naiven Illusionen beruhte – auf der *Illusion*, für eine gerechte Sache zu kämpfen? Auf der fixen Idee, das Böse im Zaume zu halten und der Gerechtigkeit zum Sieg zu verhelfen?

Und wie hatten eigentlich Bertoluccis Professoren auf derart provokante Thesen reagiert?

Schon nach flüchtiger Durchsicht ihrer eigenen Publikationen auf den Gebieten der Moral, der Ästhetik und Theologie fand er heraus, daß sie, sogar sehr explizit, einen völlig entgegengesetzten Standpunkt vertraten: nämlich den der absoluten und objektiven Werte. Ihnen mußte jeder Wertrelativismus schon deswegen ein Greuel sein, weil sich mit bloßen Gefühlen keine Moral vertreten ließ.

Wie sollten sich sonst Recht und Gesetz begründen lassen? Wie ließ es sich noch rechtfertigen, einen Mörder zu verurteilen? Wenn Gefühle weder «wahr» noch «falsch» waren, konnte sich jeder Verbrecher auf seine zufälligen Launen und Stimmungen berufen. Würde dann nicht das moralische Chaos ausbrechen? Und war nicht der gewalttätige und kriminelle Charakter der Welt schon Beweis genug dafür, wohin solche Ansichten führten?

Professor Alois hatte sogar eine eigene «Theorie allgemeingültiger Werte» verfaßt. Als Appenzell den Band nach einer Stunde angestrengten Studiums ungeschickt und geistesabwesend ins Regal zurückstellte, stieß seine Hand auf eine weibliche Hand, die sich ebenfalls dem Regal genähert hatte.

«Oh, Verzeihung …»

«Verzeihung …»

Er blickte erstaunt in Pamela Andersons Gesicht. Seine Hand ruhte immer noch auf der ihren, als wollte sie sie nicht mehr loslassen. Er spürte die wohltuende Wärme ihrer Haut. Dann zog er seine Hand verlegen zurück.

«Sie sind der Polizist, der nach dem Mörder unserer Professoren sucht, nicht wahr?» fragte Pamela. «Pagnini Bertolucci hat mir davon berichtet.»

«Glauben Sie auch, daß es sich um Mord handelt?»

«Selbstmord wäre sehr unwahrscheinlich, finde ich. Es waren gestandene Leute, die in ihren Berufen Erfolg hatten. Warum sollten sie sich das Leben nehmen?»

Appenzell nickte und sah auf seine Armbanduhr. «Was halten Sie davon, wenn wir heute abend zusammen essen gehen?»

«Warum tauchst du eigentlich auf keiner Seminarliste auf?» fragte er, als er aufwachte und im Dunkeln nach ihrem Körper tastete. Es war, als habe ihn diese Frage während des Schlafs beschäftigt und schließlich sogar geweckt.

Eine Zeitlang hörte er nur Pamelas gleichmäßige, ruhige Atemzüge. Dann sagte sie: «Woher weißt du überhaupt, daß ich schon wach bin?»

«Oh, ich habe ein Gespür dafür.»

«Anstatt zu schlafen, denkst du darüber nach, ob neben dir eine Mörderin liegt?»

«Großer Gott, nein ...»

«Ist das ein Verhör? Bin ich deine zweite Verdächtige?»

«Nein, aber ich muß jeder Spur nachgehen.»

Pamela richtete sich auf und schaltete die Nachttischlampe ein. «Deine Antwort macht mich traurig, Xaver. Ich dachte, wir seien uns in dieser Nacht ein wenig nähergekommen.»

«Sind wir das denn nicht?»

«Obwohl du mir mißtraust?»

«Es war nur eine harmlose Frage.»

Doch sein Beschwichtigungsversuch war wirkungslos, denn nun brach Pamela in Tränen aus. Er beugte sich erschrocken über sie und küßte sie sanft auf den Hals. Darauf wandte sie ihm theatralisch ihr verweintes Gesicht zu.

«Du hältst mich wirklich eines solchen Verbrechens für fähig? Hast du jemals darüber nachgedacht, wie ich diese fetten alten Kerle über das hohe Balkongeländer hätte heben sollen?»

Nein, dachte er, er hatte keine Ahnung. Vielleicht mit irgendeinem verdammten Komplizen, der auf einen der Lehrstühle scharf war? Vielleicht wollte Pamela auf diese Weise Frau des künftigen Universitätskanzlers werden?

«Dein Schweigen ist Antwort genug», schluchzte sie und warf ihm den kleinen silbernen Ring hin, den er in einem Juwelierladen an der türkischen Riviera erstanden hatte. «Unsere Wege müssen sich wieder trennen, Xaver. Ich könnte niemals mit einem Mann zusammenleben, der mich eines dreifachen Mordes für fähig hält.»

Es war die kürzeste Affäre, die er je gehabt hatte. One-nightstands lagen ihm nicht. Während sie ihre Sachen zusammenpackte, hörte er sie flüstern: «Geh zum Teufel, Xaver Appenzell ... geh dahin, wo du hingehörst!»

Sie blieb ihm die Antwort auf seine Frage schuldig, als sie seine Wohnung verließ. Während der kommenden Tage hatte er Zeit, darüber nachzugrübeln, was sie bewogen haben könnte, sich in keine Seminarliste einzutragen. Er fand heraus, daß Pamela Anderson als Achtzehnjährige auf den Strich gegangen war, um ihren Aufenthalt in einem Center des indischen Sektenführers Bhagwan Shree Rajneesh zu finanzieren. Das deutete auf eine gewisse Skrupellosigkeit bei der Erfüllung ihrer Wünsche hin. Aber in welchem Zusammenhang sollte es mit ihrem fehlenden Namen auf den Listen und dem Tod der Dozenten stehen?

Am nächsten Tag befragte er einige Studenten, die auf den Seminarlisten der drei Toten standen, ob sich außer Bertolucci noch jemand an Pamela erinnern konnte. Lediglich einer von ihnen glaubte, sie schon einmal gesehen zu haben, aber er war nicht sicher, ob in diesem oder einem anderen Seminar. Beim großen Andrang auf das Lehrerstudium war das wohl auch nicht weiter verwunderlich. Man sah sich bei dieser und jener Veranstaltung und mittags in der Mensa. Wer erinnerte sich schon an jedes einzelne Gesicht?

Hätte sie nicht, wie Bertolucci behauptete, an den Seminaren der drei Dozenten teilgenommen, wäre sein Verdacht gegen sie sofort in sich zusammengefallen.

Als Appenzell am nächsten Tag in die Zentralbibliothek der Universität ging, um sich weiter in die Theorie der Bewertung einzuarbeiten, entdeckte er Pagnini Bertolucci an einem Tisch beim Fenster. Von seinem Platz aus konnte man die Balkonbrüstung des Hochhausturms von GA/B sehen. Trotz des nahenden Frühlings war der Tag wolkenverhangen. Das Zwischendach mit dem Übergang zur Mensa, auf dem die Dozenten ihren Tod gefunden hatten, schimmerte regenfeucht, und während er sich Bertoluccis Tisch unauffällig von der Seite näherte, schien es Appenzell, als schimmerten auch die Augen des Italieners feucht ... allerdings nicht, wie er seinem selbstzufriedenen Gesichtsausdruck anzusehen glaubte, aus Mitgefühl oder stiller Trauer, sondern aus heimlicher Genugtuung.

Doch als erfahrener Kriminalist wußte er nur zu genau, wie wenig man solchen Beobachtungen vertrauen konnte. Was er brauchte, waren handfeste Beweise.

Bertolucci las in einem Buch mit dem Titel *Unbekannte brasilianische Pflanzenwelt*. Daneben lagen der zweite Band von Groß/Geerds *Handbuch der Kriminalistik* und ein Heft der *Internationalen kriminalpolizeilichen Revue*.

«Sie recherchieren für eine neue Kriminalerzählung?» erkundigte sich Appenzell.

Bertolucci blickte überrascht auf. Er klappte das Buch zu, schob es mit den anderen zu einem Stapel zusammen und stand auf. Irgendwie, fand Appenzell, wirkte er dabei wie ein ertappter Sünder.

«Warum haben Sie's denn plötzlich so eilig?»

«Offenbar spionieren Sie mir noch immer nach», sagte Bertolucci ärgerlich.

«Nein, ich sah Sie nur zufällig hier am Tisch sitzen. Sie interessieren sich für die brasilianische Pflanzenwelt?»

«Ich glaube, ich sagte schon, daß meine Familie umfangreiche Ländereien am Amazonas besitzt. Da liegt es nahe, mein Wissen beim Schreiben einzusetzen.»

«Ja, natürlich. Interessanter Ausblick, nicht wahr?» sagte Appenzell und deutete auf GA/B.

Bertolucci griff schulterzuckend nach seinem Bücherstapel und machte sich in Richtung Ausgang davon. Als er ging, fiel vom Tisch ein Zettel zu Boden, der unter dem Handbuch gelegen hatte.

Appenzell hob ihn auf. Es war die Ankündigung eines außerplanmäßigen Vortrags, den der Philosoph Berthold Hungerlob einige Zeit nach Bertoluccis Prüfungsthesen und etwa eine Woche vor dem Selbstmord der Dozenten in der Aula der Universität gehalten hatte. Thema: «Zur Theorie der Bewertung», Appenzell hatte den Namen Hungerlob zwar noch nie gehört, aber dem Begleittext nach gehörte er zu den bedeutendsten Gelehrten der Gegenwart. Die Rückseite des Zettels war Bertoluccis Exzerpt der Hauptthesen des Vortrags mit dem handschriftlichen Vermerk: «Nichts Neues!» Appenzell glaubte seinen Augen nicht zu trauen, als er Hungerlobs Thesen las. Das alles kam ihm nur allzu bekannt vor:

«Um den Wert eines Dings zu begründen, müssen wir irgendwann an ein Ende kommen – bedarf es aus logischen Gründen eines Wertmoments, das hinsichtlich seines Wertvollseins selbst nicht weiter hinterfragt werden muß, bei dem das Wertvollsein evident ist. Jede andere Art der Wertbegründung führte zum unendlichen Regreß.»

«Wenn das Leben einen Wert haben soll, dann muß er in etwas anderem liegen als der bloßen Tatsache, daß es sich um Leben handelt.»

«Ausschließlich im Angenehmen oder Unangenehmen des Gefühls zeigt sich ein evidenter Endwert.»

Offensichtlich hatte Bertolucci seinen Professoren nach der ersten Ablehnung seiner Prüfungsthemen die Arbeiten eines der bedeutendsten Philosophen der Gegenwart als seine eigenen untergeschoben, ohne daß sie es gemerkt hatten. Diese Erkenntnis mußte mehr als ernüchternd für sie gewesen sein …

Aber wenn sie Spezialisten auf dem Gebiet waren, wieso hatten sie das nicht sofort erkannt? Dafür mußte es irgendeine plausible Erklärung geben. Und wozu überhaupt das ganze Manöver? Um sie lächerlich zu machen? Um sie wissenschaftlich bloßzustellen? Um der Öffentlichkeit vor Augen zu führen, daß sie nicht mit dem neuesten Stand ihrer eigenen Wissenschaften vertraut waren? Um sie als unfähige Scharlatane zu entlarven? War das der Grund, warum sie das Handtuch geworfen hatten? Aber deswegen gleich Selbstmord begehen?

Wie im Jagdfieber lief er die Treppe in den Zeitungsraum der Bibliothek hinunter. In der Uni-Zeitung jener Wochen würde es sicher einen Kommentar über den Gastvortrag Hungerlobs geben. Er mußte nicht lange danach suchen, die Zeitung hing noch im Ständer.

Auf dem Foto, das den Artikel illustrierte, entdeckte er in der ersten Reihe der Zuhörer mehrere Dozenten, darunter auch seine drei «Selbstmordkandidaten»: Professor Walter Alois (Philosophie), Professor Ernst Schmal (Allgemeine und vergleichende Literaturwissenschaft) und Dozent Rupert Meinhardt (Katholische Theologie).

Ein weiterer Artikel informierte darüber, daß ein vom Bundesministerium an die drei Dozenten vergebenes Forschungsprojekt zum Thema «Ist der Werteverfall in den modernen westlichen Gesellschaften noch aufzuhalten?» wegen der durch Hungerlob neu entfachten Diskussion ernstlich in Frage gestellt sei. Offensichtlich wurde Hungerlob wegen seiner brillanten Analysen in der Fachwelt schon als neuer Aufklärer gefeiert. Das Thema «objektive Werte» schien nach Meinung der Verantwortlichen im Ministerium durch Hungerlobs Thesen zu sehr in Mißkredit geraten zu sein, als daß man es jetzt noch problemlos mit Millionen aus dem Staatssäckel unterstützen könnte.

Das also war es! dachte Appenzell. Vermutlich hatte Bertolucci ihnen zu allem Überfluß noch damit gedroht, ihre schmähliche Blamage in der Prüfungsfrage an die große

Glocke zu hängen und dem Ministerium und der Presse einen «diskreten Hinweis» zukommen zu lassen. Es hätte ihre Kompetenz öffentlich in Frage gestellt.

Er ließ sich in der Bibliothek eine Liste der Werke Hungerlobs zusammenstellen, verglich sie sorgfältig mit den Aufzeichnungen Bertoluccis und kam zu dem Schluß, daß es keinerlei Zweifel daran geben konnte, wer der wirkliche Urheber der Prüfungsthesen war. Die Erklärung dafür, warum keiner seiner Dozenten bemerkt hatte, welches wissenschaftliche Kuckucksei er ihnen mit seinen Prüfungsthesen ins Nest legte, bewies Bertoluccis Geschick. Er hatte eine Arbeit ausgewählt, die bereits aus dem Jahre 1973 stammte und kaum beachtet worden war, weil Hungerlob damals noch keinen so großen Namen in der wissenschaftlichen Welt besaß. Sie war erst mit seinem Vortrag in die Diskussion geraten und einige Zeit später in die neue Gesamtausgabe seiner Werke übernommen worden.

Doch was Appenzell noch mehr verblüffte, war ein Artikel unter dem Titel «Institutspleite? Baustopp wegen Ausfall von Förderungsmitteln?», den er in einer Tageszeitung jener Wochen fand. Offenbar hatten seine drei Selbstmordkandidaten bereits erhebliche persönliche Geldmittel in den Ausbau ihres neuen Instituts gesteckt, als das Ministerium seine Zusage für die Förderungsmittel in Frage stellte …

Er hatte den Italiener zu einem offiziellen Termin ins Präsidium geladen.

Bertolucci wirkte mürrisch, mit einem arroganten Zug um die Mundwinkel, der auszudrücken schien: Nun glauben Sie also, endlich Ihren Mörder gefunden zu haben? Aber was auch immer Sie sich in Ihrem gottverdammten Schädel zurechtgelegt haben sollten: Es ist mir so gleichgültig wie kalter Espresso!

«Sie ahnen, warum ich Sie zu mir kommen lasse, Bertolucci?»

«Nein …»

Appenzell hob die Universitätszeitung hoch. «Ihre Prüfungsthesen stammen aus dem Werk von Berthold Hungerlob. Sie sind dort wortwörtlich abgeschrieben. Eine ältere Arbeit aus dem Jahre 1973, die Ihre Professoren damals dummerweise nicht zur Kenntnis genommen hatten, weil sie in der Kritik kaum rezipiert wurde.»

«Na und? Ändert das etwas an ihrem Wahrheitsgehalt?»

«Sie haben Ihre Professoren hinters Licht geführt, um sie in der wissenschaftlichen Welt unmöglich zu machen.»

«Das ist eine unbewiesene Behauptung», widersprach Bertolucci. «Ich habe sie lediglich auf die Probe stellen wollen, nachdem sie meine Arbeiten schon einmal abgelehnt hatten. Ich habe nur versucht, mir ein Bild von ihrer wissenschaftlichen Kompetenz zu machen.»

«Vermutlich existiert irgendwo ein Brief, der Ihren Dozenten androht, sich mit dem Vorfall an das Bildungsministerium zu wenden, und falls er existiert, werden wir ihn auch finden. Es stand eine größere Summe von Forschungsgeldern auf dem Spiel, die durch die neu entbrannte Diskussion in der Fachwelt ohnehin gefährdet war.»

«Das bringt wohl keinen vom Schlage dieser Ellenbogenkarrieristen dazu, sich gleich das Leben zu nehmen, oder?» erklärte Bertolucci grinsend. «Und falls doch, dann wollen Sie mir doch nicht die Verantwortung für ihre Kurzschlußhandlungen in die Schuhe schieben. Damit kämen Sie vor keinem Gericht der Welt durch.»

«Mag sein, daß niemand Sie deswegen zur Verantwortung ziehen kann. Trotzdem bin ich davon überzeugt, daß Sie die Dozenten in den Selbstmord getrieben haben. Die drei hatten vor dem drohenden Skandal und Einfrieren der Forschungsgelder bereits erhebliche persönliche Summen in ein Institut investiert, das sich mit dem geförderten Thema befassen sollte.»

«So? Davon wußte ich nichts.»

«Sie wollen mir weismachen, Sie hätten nichts von ihren finanziellen Schwierigkeiten erfahren?»

«Ich bin Geisteswissenschaftler, kein Wirtschaftsfachmann.»

«Was Sie getan haben, hat wenig mit Geisteswissenschaften zu tun. Gewöhnlich bezeichnet man es als Hochstapelei oder Scharlatanerie.»

«Ich habe überhaupt keine Probleme damit, mich der wissenschaftlichen Meinung eines der größten Köpfe der Gegenwart anzuschließen.»

«Und sind Sie auch einer seiner ersten Adepten, der praktische Schlüsse daraus gezogen hat, Bertolucci?»

«Praktische Schlüsse – wie soll ich das verstehen?»

«Nun, nach Ihrer Überzeugung ist es vermutlich eine moralische Theorie, die alles rechtfertigt – die die moralischen Spielregeln unserer Gesellschaft als bloße Gefühlssache betrachtet.»

«In der Tat, ja, so verstehe ich meinen Lehrer Hungerlob.»

«Und genau an diesem Punkt sind Sie einem entscheidenden Mißverständnis aufgesessen, Bertolucci. Ich habe mir die Mühe gemacht, eine ganze Nacht lang Hungerlobs Werke zu studieren. Im Entwurf Ihrer Doktorarbeit ist das, was den Wert zu einem Wert macht, nur zufällig – ein zufälliges Gefühl, das sich jeder beliebigen Sache zugesellen kann. Aber Sie haben Hungerlob nicht zu Ende gelesen», sagte Appenzell und schlug Hungerlobs Hauptwerk *Wert und Gefühl* auf:

«‹So wie der Hedonismus eine falsche Reduzierung auf bloße Lust darstellt, so unangebracht wäre die Befürchtung, die Begründung der Werte durch Gefühle führe zu grenzenlosem Individualismus und Egoismus. Vielmehr ist unser emotionales System eindeutig auf unsere eigene und die Evolution der Gemeinschaft ausgerichtet, auch wenn unsere Handlungen dem aus Unkenntnis und mangelnder Introspektion oft zuwiderlaufen. Die Natur hat es glücklicherweise so eingerichtet, daß nur die wahrhaft positiven Gefühle, jene Gefühle, die keine negative Kehrseite zeigen, am Ende die Gesamtsumme des Positiven im Leben erhöhen.›

Das ist ein Zitat Ihres eigenen Lehrmeisters, Bertolucci! Sie haben ihn offensichtlich falsch verstanden und ein paar Menschen in unnötiges Unglück gestürzt. Niemand wird Sie deswegen richten können, wie Sie ganz zutreffend bemerken – außer Ihrem eigenen Gewissen.»

Appenzell verfaßte seinen Abschlußbericht am Nachmittag des nächsten Tages, bevor er in den wohlverdienten Urlaub ging. In der Innentasche seines Jacketts steckte bereits das Flugticket an die türkische Riviera, und als Reiselektüre hatte er einen Stapel Lyrikbände und die neueste Ausgabe der *Internationalen kriminalpolizeilichen Revue* eingepackt. In weniger als sechsunddreißig Stunden würde er auf dem Deck der Yacht eines guten alten Freundes liegen und den Blick in eine blaue, von Strandkiefern und malerischen Felsen gesäumte Bucht genießen.

Blieb nur noch ein bitterer Nachgeschmack angesichts der Tatsache, daß drei gestandene Geisteswissenschaftler nicht genug Nerven besessen hatten, um diese – zugegebenermaßen ein wenig peinliche – Affäre lebend zu überstehen. Ein bitterer Nachgeschmack – oder doch beträchtliche *Zweifel*?

In früheren Zeiten hatte man sich zwar schon wegen geringerer Ehrverluste die Pistole an den Kopf gesetzt. Und das finanzielle Desaster, das mit der Ablehnung des Ministeriums drohte, hatte sie die Zukunft sicher nicht allzu rosig sehen lassen. Aber deswegen gleich auf diese erbärmliche, ja unappetitliche Weise Selbstmord zu begehen?

Als er über den Vorhof zur Bibliothek ging, um seine Unterlagen zurückzubringen, sah er Pamela Anderson und Bertolucci durch die Scheiben der Cafeteria eng umschlungen am Tisch sitzen. Bertolucci küßte Pamela lang und innig auf den Mund. Das alles sah nicht so aus, als hätten sie sich gerade erst kennengelernt …

Dieser räudige Hund! durchfuhr es ihn. Er ahnte plötzlich, daß der Italiener ihn an der Nase herumgeführt hatte. Bertolucci hatte ihm einfach Pamela Anderson als fingierte zweite Verdächtige untergeschoben. Vermutlich, um ihn auszuhorchen, um seine Kräfte zu binden und ihn von eigenen Machenschaften abzulenken. Jede Wette, daß Pamela keines der Seminare besucht hatte!

Appenzell starrte mißmutig durch die Scheibe, bis sie ihn bemerkten. Dann ging er entschlossen hinein und pflanzte sich mit verschränkten Armen vor ihrem Tisch auf.

«Es war nur ein schäbiges kleines Ablenkungsmanöver, nicht wahr, Bertolucci?» sagte er. «Pamela hat gar nicht an den Seminaren teilgenommen.»

«Ein Ablenkungsmanöver – wovon?» erkundigte sich Bertolucci grinsend.

«Haben Sie dafür irgendwelche Zeugen?» fragte Pamela mit unschuldigem Augenaufschlag.

Appenzell lag behaglich auf den Schiffsplanken ausgestreckt, den Kopf im Schatten des Mastes, während die warme Frühlingssonne seine Gliedmaßen umspielte. Die Meeresbucht, in der die Yacht ankerte, war von noch tieferem, ins Türkisfarbene spielenden Blau, als er sich ausgemalt hatte, und zwischen den Strandkiefern und malerischen Felsen war keine Menschenseele zu entdecken – als sei der Platz noch völlig jungfräulich und niemals von irgendeinem Menschen betreten worden.

Seine Hand tastete nach der Kühltasche mit den Bierdosen – und stieß dabei auf die letzte Ausgabe der *Internationalen kriminalpolizeilichen Revue*.

Er blätterte lustlos ein wenig darin herum. Eigentlich hatte er sie nur eingesteckt, um auf dem laufenden zu bleiben. Im Urlaub zog er es vor, keinen Gedanken an all die Meuchelmörder, Bauernfänger, Falschspieler, Scharlatane, Hochstapler, Betrüger, Erpresser, Fälscher, Falschmünzer und Kurpfuscher zu verschwenden, die das Leben in einer unaufhörlichen und niemals abreißenden Kette hervorbrachte. Im Urlaub zählte nur der blaue Himmel.

Plötzlich richtete er sich wie elektrisiert auf. Sein Kopf rutschte aus dem Schatten des Großbaums, und die warme Mittagssonne traf ihn direkt ins Gesicht. Wie schon oft veröffentlichte die *Revue* auch diesmal eine Kriminalstory, gewissermaßen als Kontrast zu all den nüchternen kriminalistischen Fakten über Spurensicherung oder Genanalyse und den Statistiken von steigenden Gewaltraten und den neuesten Tricks, ein Küchenfenster von außen zu öffnen.

Der Titel der Story war «Das Dozentenvirus», der Autor schrieb unter einem Pseudonym, doch nachdem Appenzell die ersten Sätze gelesen hatte, wußte er, daß es sich um niemand anders als Pagnini Bertolucci handelte. Mit zunehmender Bestürzung las Appenzell seine eigene Geschichte: Ein cleverer Philosophiestudent, der mit seinen Prüfungsarbeiten abgewiesen worden war, hatte einen diabolischen Plan ersonnen, um sich an seinen Dozenten zu rächen. Bei seinem nächsten Versuch schob er ihnen die frühen, unbekannten Arbeiten eines berühmten Kollegen unter. Da sie die Fälschung nicht erkannten, gelang es ihm, sie in der wissenschaftlichen Welt derart lächerlich zu machen, daß sie scheinbar keinen anderen Ausweg mehr sahen, als Selbstmord zu begehen.

Doch das war lediglich die halbe Wahrheit! Denn bei seinem Manöver handelte es sich nur um eine weitere Täuschung, eine Finte, um die Mordkommission glauben zu machen, sie hätten tatsächlich ein halbwegs hinreichendes Motiv für ihren Selbstmord besessen.

In Wirklichkeit hatte unser cleverer Student sie während ihrer Sprechstunden nacheinander mit einem Tee aus den Blättern des brasilianischen Yombimstrauchs betäubt, einer giftigen Substanz, die sich bei der Obduktion nicht mehr nachweisen ließ, und alle drei Dozenten aus Rache in der Dunkelheit über die Brüstung des Gebäudes gestürzt.

Die *Internationale kriminalpolizeiliche Revue* widmete dieser keineswegs erfundenen Wirkung des Yombimstrauchs denn auch mit Bezug auf Bertoluccis Kriminalerzählung einen eigenen wissenschaftlichen Artikel.

Das Buch *Unbekannte brasilianische Pflanzenwelt*, dachte Appenzell betroffen. Bertoluccis Eltern lebten in Brasilien. Sicher war es auf diese Weise leicht gewesen, sich ein paar Blätter des Yombimstrauchs zu besorgen. Es war ihm immer unwahrscheinlich vorgekommen, daß die Dozenten wegen des drohenden Skandals Selbstmord begangen haben sollten. Aber da er keine anderen Indizien fand, hatte er bereitwillig nach der einzigen halbwegs plausiblen Erklärung gegriffen.

Und Pamela Anderson? Sie tauchte in der Erzählung als «die Norwegerin» auf, ein Mädchen, das mit dem Italiener ins Bett ging und das er dazu angestiftet hatte, die Polizei ein wenig an der Nase herumzuführen …

Pagnini Bertolucci hatte die ganze Zeit über mit ihm gespielt! Doch was Appenzell am meisten traf, war die Tatsache, daß niemand ihm jemals seine Tat würde nachweisen können: der «ewige Gegensatz von Realität und Fiktion», wie Bertolucci es ironisch selbst genannt hatte. Und nun besaß er auch noch die Dreistigkeit, seine Tat der Öffentlichkeit als literarische Fiktion zu präsentieren …

Spätfolgen

 Morgen mußt du vor die Evaluierungskommission. Es beunruhigt dich. Wie man hört, sollst du deinen Lehrstuhl behalten dürfen, die paar Jahre noch.

Du hast zu arbeiten. Vor fünfhundert Jahren fand Cristobal Colón auf dem Seeweg nach Indien ein bedeutendes Stück Land. Du bist eingeladen, im Herbst auf einer internationalen Konferenz in Barcelona über literarische Spätfolgen dieser Entdeckung zu sprechen. Du suchst nach einem Anfang, deine Gedanken aber fangen an, um einen Tag zu kreisen, nach dem die Evaluierungskommission nicht fragen sollte, aber fragen wird. Er liegt dreizehn Jahre zurück, seine Vorgeschichte ist älter.

Dir war klar, du wirst sie töten, sobald sich eine Möglichkeit ergibt, den Mord zu vertuschen. Sicher, du hast sie einmal geliebt. Sie war das hübsche, blonde, etwas pummelige Mädchen aus gutem Hause, wohlerzogen und dämlich, Katharina von Gehrka, alter sächsischer Adel, der in sozialistischen Zeiten nichts galt und ihr ein Makel schien. Sie hat dich gern geheiratet und deinen auf polnische Herkunft verweisenden Namen angenommen. Später, als Frau Professor Stanislawski, stand sie nur noch überall im Weg.

An der Universität nahm sie dir und den anderen die Luft zum Atmen, verdarb euch jeden Spaß und mischte sich ungefragt in alles ein. Sie hatte mit dir am Romanischen Institut in der Gletschersteinstraße studiert, aber du bist zum Assistenten aufgerückt und hast beim alten Krauss promoviert. Sie

wurde deine Assistentin. Zu Hause ließ sie nichts aus und un-
versucht, sich dafür zu rächen. Sie zwang dich zu einer kalo-
rienbewußten Diät, weil sie wußte, wie gern du gut ißt, und
obwohl du für deine stattlichen ein Meter fünfundachtzig nie
übergewichtig warst. Sie ließ in einer selbstherrlichen Entscheidung euer gemeinsames Kind abtreiben, weil Schwanger-
schaft und Mutterjahre ihre akademische Karriere unterbrochen hätten, an die sie, dank deiner Position, unbeirrt glaubte.
Sie duldete die kreative Unordnung in deinem Arbeitszimmer
nicht, sondern räumte deine Sachen weg, die du dir mühsam
wieder zusammensuchen mußtest. Du durftest keinen alten
Ledersessel und keinen dicken Teppich beim Antiquitäten-
händler hinterm Thomaskirchhof kaufen, sondern mußtest
dein Professorengehalt schön auf die Seite legen, bis es für ein
Auto reichte, für einen häßlichen Lada 1500.

Sie blieb dämlich. 1974 hat sie promoviert, aber selbst beim
besten Willen und dir zuliebe konnte Professor Senftleben in
Rostock ihr nicht mehr als ein *cum laude* geben. Sie wußte in
der Verteidigung nicht zu erklären, was du ihr über Rubén
Darío als Dichter des Modernismo in die Dissertation geschrieben hattest. Sie durfte sich fortan Frau Dr. phil. Katharina Stanislawski nennen, Vorlesungen halten und Diplomar-
beiten betreuen. Auf heimtückische Weise sorgte sie als mieser
kleiner Stasispitzel dafür, daß ihr im Fachbereich keine Konkurrenz entstand.

Die langersehnte Möglichkeit bescherte dir ein Kommilitone aus alten Zeiten am Romanischen Institut. Ein Kolum-
bianer, der nach der Promotion in seine Heimat zurückgekehrt
war, schickte im Januar 1979 eine Einladung nach Bogotá zu
einem internationalen Kongreß über die Rezeption der latein-
amerikanischen Literatur in Europa unter besonderer Berück-
sichtigung der institutionalisierten Forschung.

Nie hast du so gern auf eine der wenigen Auslandsreisen
verzichtet. Jedem, auch dem, der es nicht hören wollte, hast du
erklärt, daß deine Frau Katharina viel besser geeignet sei, die-

ses Thema im Namen der Leipziger Karl-Marx-Universität zu vertreten. Außerdem sei sie noch nie im Ausland gewesen, und ihre erfolgreiche Promotion rechtfertige eine Dienstreise. Du hast dafür gesorgt, daß sie Paß und Visum bekam, hast ertragen, daß sie wochenlang mit wichtigtuerisch geschwellter Brust über den Flur der sechzehnten Etage des Hochhauses stolzierte, hast ihr in deinem besten Spanisch das Referat für die Konferenz geschrieben, hast ihr sogar beim Packen geholfen und bist am Abend des dritten März 1979 losgefahren, um sie zum Zug nach Berlin zu bringen, wo sie an der Friedrichstraße die Grenze zu passieren hatte, um von Tempelhof über Frankfurt am Main und Madrid nach Bogotá zu fliegen.

Sie war so aufgeregt, daß sie das Schlafmittel im obligatorischen Kamillentee zum Abendessen nicht schmeckte. Du warst noch nicht am Hauptbahnhof, als sie schon schlief. Du bist ein Stück auf die sogenannte Autobahn gefahren, um hinterm Schkeuditzer Kreuz bei Wiedemar in den Wald abzubiegen. Der Kopf war ihr zur Seite gefallen, und sie schnarchte, als du ihr das Abschleppseil um den Hals legtest. Du mußtest fest zuziehen und ziemlich lange warten, bis sie blau anlief und ihr Körper nicht mehr zuckte, sondern auf dem Beifahrersitz zusammensackte.

Du fuhrst nach Leipzig zurück, nachdem du die Leiche im Kofferraum verstaut hattest. Du stelltest das Auto in der Ritterstraße ab, neben der Baugrube für das Fundament des neuen Verwaltungsgebäudes der SED-Kreisleitung.

Du gingst ins Café am Hochhaus. Es war halb elf. Du hofftest, einen Bekannten zu treffen, dem du erzählen könntest, daß du deine Frau in den Abendzug nach Berlin gesetzt hattest. Die einzigen Bekannten waren die beiden Kellnerinnen. Du trankst Gin-Tonic, der damals Mode war, einen zweiten und einen dritten, bis es zwölf wurde und das Café schloß.

«Herr Professor, was machen Sie denn heute so lange hier?» fragte zum Glück die Dicke mit dem Watschelgang beim Kassieren.

«Strohwitwer. Ich habe gerade meine reizende Gattin zum Bahnhof gebracht. Sie ist für drei Wochen ins Ausland, nach Kolumbien.»

Die Kellnerin lächelte anerkennend.

Du kehrtest zum Auto zurück. Hinter einigen Fenstern in der Ritterstraße brannte Licht. Du mußtest warten, setztest dich auf die Stufen am Seiteneingang der Nicolaikirche. Eine halbe Stunde später war bis auf das Licht der wenigen funktionierenden Straßenlaternen alles finster.

Du kanntest dich auf der Baustelle aus. Du hattest sie in den letzten Wochen und Tagen oft und gründlich für deine Zwecke begutachtet. Das Fundament war noch nicht gegossen. In der gut anderthalb Meter tiefen Baugrube lagen Eisengeflechte auf Steinen, so daß sie den Boden nicht berührten, sondern – hoffentlich am nächsten Tag – dem dickflüssigen Beton den nötigen Halt gaben. Du wußtest, daß es einzelne Gitterteile waren, und hofftest sehr, in der Dunkelheit auf ein kleines zu stoßen. Du hattest Pech und Mühe, ein Eisengitter weit genug beiseite zu schieben, um mit einer Schippe, die achtlos herumlag wie alles andere, ein Loch zu graben, das für die Leiche deiner Frau groß genug war. Du bedecktest alles mit einer Schicht Sand, schobst das Eisengitter in seine ursprüngliche Lage zurück und warfst die Schippe beiseite.

Das einzig Gute an der sozialistischen Schlamperei war, daß man sich blind auf sie verlassen konnte. War das Fundament gelegt, würde es für alle sozialistische Ewigkeit liegenbleiben. Die Partei schlug nie ihre Zelte auf, denn sie hatte keine.

Unausgeschlafen sitzt du am nächsten Tag in der Straßenbahn. Die 4 rumpelt noch immer auf denselben Gleisen von Knautkleeberg über Hauptbahnhof nach Stötteritz. Manche Straßen heißen jetzt anders. Du fährst nicht mehr gern mit dem Auto, seit jeder Student mit seiner abgewrackten Karre, jede halbwegs gut situierte Hausfrau mit ihrem Kleinwagen und jeder neureiche Lackaffe mit seinem Statussymbol die Straßen verstopfen. Nein, du bist statt dessen auf eine alte Gewohnheit aus Studienzeiten verfallen: Du nimmst die Straßenbahn, hast aber keinen Fahrschein, auf daß die Angst vor der Blamage bei einer Kontrolle deinen Adrenalinspiegel steigen läßt und dich wachhält. Schwarzfahren ist zwar erheblich teurer geworden, aber es rechnet sich. Nie gibst du mehr Geld für Strafe aus, als du fürs Fahren ausgeben müßtest.

Du verzichtest auf deine morgendliche Lektüre der *Leipziger Volkszeitung*, die zwar ihren Namen behalten hat, mittlerweile jedoch – sogar in der Lokalredaktion – aufstrebende Journalistentalente aus dem Altreich beschäftigt, die Wannsdrammeln für eine besondere Fortpflanzungstechnik der Kaninchen halten und die Bauchschmerzen nicht verstehen, die jeder Eingeborene unweigerlich dabei bekommen muß.

Es wundert dich, wie rasch und arglos sich die Leipziger äußerlich den neuen Zeiten anpassen, nachdem sie tatsächlich dazu beigetragen haben, daß es neue Zeiten gibt, was dich erst recht wundert. Das bombastische Bronzerelief am Hauptgebäude der Karl-Marx-Universität verschwand im Handumdrehen. Klassischer Fall von Bilderstürmerei infolge sozialer Neuordnung. Im Hochhaus jedoch herrscht das Beharrungsvermögen der Männer deiner Generation, die mit unverhohlen sächsischer Gemütlichkeit so tun, als sei nicht viel geschehen. Dennoch, die Romanistik war mit der ebenso schwachsinnigen wie folgenschweren Hochschulreform unter Ulbricht in Sprach- und Literaturwissenschaft zerrissen. Die Sprachausbildung besorgte seither die TAS, nicht die russische Nachrichtenagentur, die hat zwei S, sondern die Sektion Theoretische und Angewandte Sprachwissenschaft, an der sich ein glattrasierter Hallenser Emporkömmling zum Statthalter der Romanistik aufschwang. Deine Literaturwissenschaft war vor gut zwanzig Jahren zu einem Appendix der Germanistik geschrumpft worden.

Die unerwartete Aussicht, auf deine alten Tage ein neues

Romanisches Institut zu bekommen, macht dich zum egoisti-
schen Befürworter neuer, alter Strukturen. Sollte die Evaluierungskommission diesen Opportunismus honorieren, um
so besser.

Die ausdruckslose Lautsprecherstimme verkündet: «Nächste Haltestelle Hauptbahnhof. Umsteigemöglichkeiten zu den
Straßenbahnen Linie 2, 6, 10, 11, 15, 16, 17, 20, 27, 28, 29, zu
den Stadtbahnlinien A und B und zur Fernbahn.» Du steigst
aus, läufst die Goethestraße rauf, am Café am Hochhaus vorbei und stehst pünktlich um zehn vor dem Konferenzraum des
Rektors.

Anfangs hast du dir die Evaluierungskommission wie den
McCarthy-Ausschuß vorgestellt. Inzwischen, da du einer der
letzten Professoren der geisteswissenschaftlichen Fakultät
bist, die hierher gebeten werden, weißt du, daß Borges wieder
einmal recht behalten hat und die Geschichte zweimal stattfin-
det, einmal als Tragödie und einmal als Farce.

Du kennst nur den Vorsitzenden. Nach uferlosen Debatten
in extra dafür geschaffenen Gremien verständigte man sich im
Herbst letzten Jahres auf die von vornherein einzig mögliche
Lösung, auf Ibrahim Rosenberg, den emeritierten Professor
der Archäologie, dessen diplomatisches Geschick nur von seinem enzyklopädischen Wissen übertroffen wurde. Dank seiner jüdischen Herkunft und einer späteren Behinderung
thronte Rosenberg jahrzehntelang unanfechtbar und erhaben
über allen Unsäglichkeiten sozialistischer Hochschulpolitik.

Die anderen vier wirst du kennenlernen.

Freundliche Begrüßung, gegenseitige Vorstellung, recht-
eckiger Tisch, kein Kaffee, kein Aschenbecher, dafür jede
Menge Papier und wenigstens Mineralwasser, kohlensäurehal-
tig natürlich.

«Herr Professor Gustav Stanislawski, Sie wissen, daß Sie
hier sind, um einige Fragen zu Ihrer Vergangenheit und Ihrer
Tätigkeit an der Karl-Marx-Universität zu Leipzig persönlich
zu beantworten. Die Kommission ist nach eingehender Über-

prüfung aller ihr zur Verfügung stehenden Unterlagen zu der Auffassung gelangt, daß Sie den Lehrstuhl für Romanistik behalten sollen.» Rosenberg hat die umständliche Eröffnung der Quotenfrau überlassen, einer gestrengen Dame von gut fünfzig Jahren, die sich vorhin als Gesine Kaleta, Doktor der Jurisprudenz, vorgestellt hat. «Sie lehren hier als Professor seit 1970.»

«Viele sind auserwählt, aber nur wenige sind berufen», versuchst du deinen alten Witz. Die Gesichter heitern sich auf. Der letzte Rest deines Lampenfiebers schwindet.

«Sie waren seit 1966 Mitglied der SED und haben erst mit den Massenaustritten im November 1989 Ihr Parteibuch abgegeben. Soviel wir wissen, haben Sie in all den Jahren keine Parteifunktion ausgeübt, obwohl Sie Professor waren. Wie haben Sie das gemacht, und wie erklären Sie heute Ihre Haltung zur Parteidiktatur?»

Langsam und nur für einen kurzen Moment zieht Rosenberg die buschigen Augenbrauen zusammen. Sicher bemerken es die anderen auch, oder bist du der einzige, der das Zeichen gelangweilter Unwilligkeit erkennt? Denkbar, daß Rosenberg dem freundlichen Herrn vom Physikalischen Institut der Universität Heidelberg die Zusammenhänge von akademischer Laufbahn und Parteimitgliedschaft in der DDR längst erklärt hat. Vorstellbar, daß Dr. Peter Lechner nichtsdestoweniger jeden wieder danach fragt, und sonnenklar, daß jeder fast dasselbe antwortet.

Literarische Bezüge kannst du mit Rücksicht auf die Fachrichtungen der Kommissionsmitglieder nicht setzen. Du entscheidest dich für historische. «Schauen Sie», sagst du und bedauerst, daß du Lechners Pfälzer Dialekt nicht nachahmen kannst, «ich bin ein klassischer Mitläufer. Zu allen Zeiten der überlieferten Geschichte hat es unter Diktaturen verschiedener Prägungen Menschen gegeben, die – ohne mit Herz und Seele die jeweilige Sache zu vertreten – sich auf die Seite der Stärkeren schlugen, sei es um des bloßen Überlebens willen, sei es, um elementare menschliche Bedürfnisse wie die Sicherung des Eigentums, den Schutz der Familie oder die ungestörte Ausübung des Berufes befriedigen zu können, sei es, um kleine oder große persönliche Vorteile zu erlangen. Ohne in die SED einzutreten, hätte ich auf dem für den Sozialismus unbrauchbaren Gebiet der französischen Aufklärung nie und nimmer promovieren können. In den ersten beiden Jahren meiner Parteimitgliedschaft war ich Schriftführer der Parteigruppe des Romanischen Instituts, das heißt, ich hatte die ehrenvolle Aufgabe, die allmontäglichen Versammlungen, auf denen nichts anderes bewegt wurde als die Luft beim Sprechen, zu protokollieren. Diese Funktion konnte ich dazu nutzen, mich an politischen Diskussionen kaum beteiligen zu müssen. Als ich den Lehrstuhl bekam, schützte ich erfolgreich meine neuen Aufgaben in Forschung und Lehre vor. Ich überließ die Parteifunktionen meiner Frau, die im selben Fachbereich wie ich tätig war.»

«Wie es scheint, haben Sie auch die Spitzeltätigkeit Ihrer Frau überlassen.» Das ist richtig böse und kommt natürlich von dem Typen, der dir ganz unsympathisch ist: Professor Siegfried Merten, Nuklearmediziner mit wissenschaftlicher Heimat Hannover, kantiges Gesicht, stechende blaue Augen, für die Jahreszeit zu braungebrannt, Machoparfüm.

Du atmest hörbar ein, schaust ihm in die Augen und fragst mit einem Zynismus, den er sowieso nicht versteht: «Hätte ich ihr lieber den Fachbereich überlassen sollen?»

«Meine Herren Professoren», tönt es aus Rosenbergs Richtung.

«Katharina Stanislawski, geborene von Gehrka», beginnst du nun sachlich, «hat, wie Sie alle wissen, unter dem Decknamen Saskia von 1967 bis 1979 als Inoffizieller Mitarbeiter des Staatssicherheitsdienstes regelmäßig Berichte an ihren Führungsoffizier, Karl Henkel, seinerzeit ordentlicher Professor für Slawistik an der Sektion Germanistik und Literaturwissenschaften, geliefert. Ich ahnte von dieser Tätigkeit, weil die

Folgen spürbar waren. Wie wir heute wissen, bezogen sich diese Berichte, von denen naturgemäß nur die schriftlichen überliefert sind, im wesentlichen auf die politischen und privaten Ansichten der Studenten und der Mitarbeiter des Fachbereichs, bei denen sie allerdings auch die fachliche Kompetenz beurteilen zu müssen glaubte. Das hat bedauerlicherweise dazu geführt, daß Frau Dr. Spitzer nach Rostock versetzt, Dr. Brockstein frühzeitig pensioniert wurde und kein Nachwuchswissenschaftler mit einer besseren Note als *cum laude* promovieren konnte. Daß sie dem Ansehen des Fachbereichs nur geschadet hat, ist ihr vermutlich nicht in den Sinn gekommen.»

«Unabhängig von Ihrer Frau sind Sie selbst als sogenannter gesellschaftlicher Mitarbeiter bei der Stasi geführt worden. Wie erklären Sie das?» Merten dehnt die Silben und betont die Vokale ziemlich merkwürdig.

«Ab einer bestimmten Stufe der akademischen Ochsentour, ich glaube», und du schaust fragend auf Rosenberg, «ab Promotion A und mit einer beliebigen administrativen Funktion beauftragt», und Rosenberg nickt, «war man au-to-ma-tisch», und bei diesem Wort dehnst du die Silben und betonst die Vokale wie Merten, «als gesellschaftlicher Mitarbeiter registriert. Das heißt, von jedem Papier, das ich als Leiter des Fachbereichs zu verfassen hatte – Studienplan, Vorlesungskonzept, Forschungsbericht, jährliche Einschätzung einzelner wissenschaftlicher Mitarbeiter, Reisebericht, Konferenzprotokoll, Abschlußbeurteilung von Studenten, Protokoll der wöchentlichen Fachbereichssitzung et cetera –, gelangte eine Kopie in die Hände des Staatssicherheitsdienstes. Für gewöhnlich handelte es sich um die Kopie, die man offiziell der Sektionsparteileitung zu übergeben hatte.»

«Da Sie das wußten, konnten Sie auf diesem Wege Ihren Studenten und Ihren Mitarbeitern sehr wohl schaden.»

«Oder Gutes tun», relativiert Rosenberg wohlwissend Mertens Unterstellung.

«Ja», sagst du dankbar, «manchmal schon. 1981 zum Beispiel, als die Kleine aus Berlin ihre Dissertation über das *Journal des savants d'Italie* vorgelegt hatte und auf gar keinen Fall an der Universität und in dieser Stadt bleiben wollte. Ihre Chancen, hier wegzukommen, standen schlecht, denn sie hatte promovieren dürfen, weil sie italienische Literatur lehren sollte. Allein hätte sie es nicht geschafft. Über die Protokolle der Fachbereichssitzungen begann ich zu signalisieren, daß ich sie für nicht geeignet halte, Studenten zu unterrichten. Sie sei, schrieb ich in verschiedenen Varianten über Monate hinweg, eine begabte Theoretikerin, aber außerstande, ihr Wissen zu vermitteln – was den Tatsachen widersprach. Ich riet dem Sektionsdirektor, sie an die Akademie der Wissenschaften nach Berlin abzuschieben.»

«Was ist aus ihr geworden?» fragt die Quotenfrau neugierig.

«Verlagslektorin. Zu ihrem Glück hatte die Akademie keine Planstelle für sie.»

«Sie haben vorhin etwas Interessantes angedeutet», beginnt der gutaussehende junge Mann, der kaum älter als dreißig sein kann. Mit Abstand der Jüngste in dieser Runde, tadelloser Anzug, vermutlich von Vicente, makellose Frisur, eine kleine weiße Perle im linken Ohrläppchen, schmale Hände, auffallend gerade Schultern. Du hast ihn auf den ersten Blick für einen schwulen Tänzer gehalten, aber Dr. Jürgen Seyffert ist Mathematiker, Spezialgebiet Chaostheorie. «Sie nannten die französische Aufklärung ein im Sozialismus unbrauchbares Gebiet. Wie und wen konnten Sie in all den Jahren Romanistik lehren?»

Rosenberg nickte beifällig. Du hältst eine lange Rede, erzählst von der Degradierung der Romanistik zur Hilfswissenschaft für die Sprachlehrer- und Dolmetscherausbildung, von den polytechnisch, aber nicht humanistisch gebildeten Abiturienten, die an die Universität kamen und Bauklötzer staunten, wenn du sagtest, sie müßten bibelfest sein, um das 18.

Jahrhundert zu verstehen, vom fünfjährigen Studiengang Diplom-Romanistik, den du 1973 durchsetzen konntest und für den du ganze sechs Studenten bekamst, die neben Französisch als erstes Rumänisch lernen mußten, weil es die einzige romanische Sprache in den sozialistischen Bruderländern war, vom Studienplan, der Geschichte tendenziös zu betrachten hatte und Literatur bis zum Ende des 19. Jahrhunderts ausführlich berücksichtigte, um alles, was danach kam, zu ignorieren, von der Abschaffung des Studiengangs nach seinem Probelauf und vom Glück der wenigen, die damals bei dir zur französischen, spanischen oder italienischen Aufklärung promovierten und heute, im Gegensatz zu den vielen aus anderen geisteswissenschaftlichen Fächern, ihre Dissertationen noch vorzeigen können, weil sie höchstens den *18. Brumaire des Louis Bonaparte* von Karl Marx zitieren und nicht die richtungsweisenden Beschlüsse des soundsovielten Parteitages der SED, weil zweihundert Jahre vor Ulbricht und Honecker andere Dinge wichtig waren.

Sie haben dich reden lassen, ohne dich zu unterbrechen. Du wartest auf die nichtgestellten Zwischenfragen, es kommen keine. Du schaust auf die Uhr, fast zwölf. Vielleicht ist deine Zeit um, und die Kommission will Mittagspause machen, Rosenberg oder die Quotenfrau müßte jetzt das *Ego te absolvo* sprechen.

Irrtum. Merten räuspert sich.

«Wie erklären Sie denn heute das Verschwinden Ihrer Frau im Frühjahr 1979?»

Lechner hakt ein: «Haben Sie denn nie nach ihr gesucht?»

Frau Kaleta schüttelt den Kopf: «Ich verstehe nicht, daß sie sich nicht gemeldet hat, wenigstens nach '89.»

Seyffert lächelt ein wenig nachdenklich: «Sie haben immer gesagt, Ihre Frau sei von ihrer ersten Dienstreise nach Kolumbien nicht zurückgekehrt.»

«Hmmhmm», brummst du und senkst ehrlich bekümmert den Kopf. War doch klar, daß sie danach fragen. Du schaust wieder auf, schaust auf Rosenberg, der dich mit unnachahmlich hochgezogenen Augenbrauen wortlos zum Reden auffordert.

«Ich bin», sagst du und bist ja wirklich, «am fünfundzwanzigsten März 1979 nach Berlin gefahren. Wir hatten verabredet, daß ich sie am Grenzübergang Friedrichstraße abhole, denn sie würde, wie wir alle damals, mit Koffern voller Bücher ankommen. Deshalb bin ich mit dem Auto gefahren, wiewohl mir die lange Strecke auf der holprigen Autobahn von Leipzig nach Berlin nicht sonderlich vertraut war und ich mich in Berlin erst recht nicht auskannte. Viel zu früh stand ich im – damals heimlich und heute offiziell so genannten – Tränenpalast vor der ersten Barriere, die mich und die anderen siebzehn Millionen – von den vergleichsweise wenigen Ausnahmen abgesehen, zu denen ich bis dato fünfmal gehörte – vom freien Rest der Welt trennte. Katharina Stanislawski sollte, aus Frankfurt am Main kommend, wohin sie von Bogotá über Madrid geflogen wäre, um vierzehn Uhr siebenunddreißig in Tempelhof landen. Ab vier Uhr war demzufolge mit ihr zu rechnen. Ich wartete, aber sie kam nicht. Ich wartete, immer in der Hoffnung, sie habe auf der Rückreise irgendein Flugzeug verpaßt, bis mich gegen dreiundzwanzig Uhr der diensttuende Grenzpolizist ansprach, dem ich zweifelsohne längst verdächtig geworden war. Ich wies mich ordnungsgemäß aus, setzte ihm Sinn und Zweck meiner Anwesenheit auseinander und stieß unverhofft auf menschliches Verständnis. Seinem Vorschlag, der unter gegebenen Umständen durchaus einer Anordnung gleichkam, folgend, begab ich mich ins Christliche Hospiz in der Albrechtstraße, um dort zu übernachten, nachdem er ihren Namen notiert und ein Foto behalten hatte, um sie bei ihrer Einreise unverzüglich auf meinen Aufenthaltsort hinweisen zu können. Ich schlief kaum, wartete den nächsten Tag wieder vergebens, und nachmittags fiel mir zum erstenmal ein, sie könnte vielleicht nicht zurückkehren. So etwas kam vor, wiewohl die Geisteswissenschaft stolz darauf war, daß aus ihren Reihen – im Gegensatz zu den Naturwissenschaften – weniger als fünf Prozent der Dienstreisenden im kapitalistischen Ausland blieben. Ich hielt es für meine Pflicht, die Genossen in Leipzig von meinem vergeblichen Warten in Kenntnis zu setzen, zumal ich nicht wußte, wie ich mich in dieser Situation zu verhalten hatte. Ich erhielt die Anweisung, bis vierundzwanzig Uhr zu warten und dann nach Leipzig zurückzukommen, was ich tat.

Katharina Stanislawski habe ich nie wiedergesehen. Sie ist von ihrer ersten Dienstreise nach Kolumbien nicht zurückgekehrt. Eine andere Erklärung für ihr Verschwinden», sagst du jetzt deutlich in Richtung Merten, «gibt es auch heute nicht. Die Tatsache, daß sie sich nicht gemeldet hat, wunderte mich in den ersten Wochen und Monaten wohl, später nicht mehr. Nach dem November 1989 habe ich kurzzeitig gedacht, sie könnte zurückkehren, da ihre Flucht aus der DDR ihrer weiteren akademischen Laufbahn durchaus hätte dienlich sein können. Sie hat sich aber nie gemeldet, und ich weiß nicht, warum. Es kann soviel passiert sein. Ich habe sie nach '89 nicht gesucht, weil ich mich, das muß ich Ihnen wohl oder übel gestehen, zehn Jahre nach ihrem Verschwinden auch nicht mehr für sie interessiert habe, so wie sie sich in all den Jahren für mich nicht interessiert hat.»

«Ist Ihnen nie der Gedanke gekommen, daß hinter dem Verschwinden Ihrer Frau ein Stasikomplott stecken könnte?» Merten entwickelt eine blühende Phantasie.

«Oft und immer wieder kam mir dieser Gedanke, aber glauben Sie wirklich, ich hätte die Stasi fragen können? Oder wen, denken Sie, hätte ich fragen sollen?»

«Hat man Ihnen denn Schwierigkeiten bereitet, nachdem Ihre Frau nicht wiederkam? Wie man weiß, haben Sie ihr doch die Reise erst ermöglicht.» Lechner ist gar nicht so dumm, wie er tut.

«Zweifellos wurde ich verdächtigt. Bei strenger Auslegung der geltenden Gesetze hätte man mich der Beihilfe zur Republikflucht anklagen können, aber augenscheinlich ließ man Gnade vor Recht ergehen. Allerdings durfte ich nie wieder ins Ausland reisen, weder dienstlich noch privat.»

Allgemeines Nicken. So, jetzt können wir ja langsam zum Schluß kommen, denkst du und schaust mit dem entsprechenden Gesichtsausdruck in die Runde.

«Ich bitte um Entschuldigung.» Die sanfte Stimme des Mathematikers. «Ich habe noch eine Frage. Da ist etwas, das ich nicht verstehe. Es gibt annähernd zweihundert Seiten beschriebenes Papier zu diesem Fall, aber an keiner Stelle einen Hinweis darauf, daß Katharina Stanislawski nach Kolumbien geflogen ist. Ist Ihre Frau wirklich ausgereist? Sie haben sie doch nur bis zum Leipziger Hauptbahnhof gebracht.» Da siehst du, wie weit du es nicht gebracht hast. Beschäftigst dich ein halbes Leben lang mit dem Kampf der Aufklärung gegen die Vorurteile, und wenn es darauf ankommt, hältst du Inspektor Colombo für einen Tänzer.

«Junger Mann», Rosenberg legt die Unterarme auf die Tischplatte und neigt den Kopf väterlich zur Seite. «Junger Mann, das können Sie nicht verstehen. Sie sind in einem Land aufgewachsen, in dem ein Reisepaß zu den gewöhnlichen, persönlichen Dokumenten jedes einzelnen Menschen gehört. Anno Domini 1979 in diesem Lande jedoch galt der einmal erworbene Besitz eines Reisepasses mit einem Visum für die Ausreise ins nichtsozialistische Währungsgebiet als höchstes Gut. Ihre Frage, Dr. Seyffert, stellte sich nicht, und deshalb stellte sich niemand diese Frage.»

Rosenberg lehnt sich zurück. Seyffert lächelt unschuldig und legt mit leicht ausgebreiteten Armen die Hände mit den Handflächen nach oben auf den Tisch.

Endlich darf Frau Kaleta ihr salbungsvolles Schlußwort halten, und du darfst endlich wieder rauchen.

Im Café am Hochhaus triffst du zwei deiner Studenten, echte Fans. Sie winken dich an ihren Tisch, verwickeln dich ohne Vorwarnung in ein Gespräch über die Literaturgeschichte als geschichtlichen Auftrag. Du trinkst Milchkaffee, der jetzt Mode ist, und erzählst ihnen zur Entspannung ein paar berühmte Anekdoten über Werner Krauss. Du verabschiedest dich, nicht ohne deine ständige Ermahnung an jede neue Studentengeneration, bei aller Achtung vor dem geschriebenen Wort nie zu glauben, etwas sei wahr, nur weil es geschrieben steht.

«Jeder Text», sagst du, «von welcher Autorität auch immer, bedarf der kritischen Lektüre.»

Du setzt dich in die 4, um nach Hause zu fahren, wirfst wenigstens einen Blick in die *Leipziger Volkszeitung*, die du heute morgen ungelesen in die Tasche gesteckt hast. «Vorläufiger Baustopp an der Ritterstraße» verkündet die Schlagzeile auf der Lokalseite. Ausgerechnet der Bank ist das Geld ausgegangen, denkst du schadenfroh. Du wirst immer ungehalten, wenn du von den Investitionssummen eines gewissen Jürgen Schneider liest und dir vorstellst, was man damit in ganz Leipzig sanieren, rekonstruieren und bauen könnte, statt im Zentrum ein Prestigeobjekt neben das andere Machtsymbol zu setzen.

Du willst schon weiterblättern, als dein flüchtiger Blick auf die Unterzeile fällt: «Rätselhafte Knochenfunde auf dem Baugelände der Commerzbank».

Alles, nur das nicht. Aber da steht:

Leipzig, 29. April. Bauarbeiter fanden gestern bei den Abrißarbeiten des ehemaligen SED-Kreisleitungsgebäudes ein menschliches Skelett. Erste Annahmen, wonach es sich bei dem vollständig erhaltenen Skelett um einen archäologisch bedeutsamen Fund handeln könnte, wurden gestern nicht bestätigt. Der vorläufige Baustopp wurde vom Leiter des Landesamtes für Denkmalschutz, Heinrich Marchlewitz, verfügt. Er erklärte, daß der Fundort abgesperrt sei und die Suche nach weiteren Überresten begonne habe. Über das vermutliche Alter des Skeletts könne er in Anbetracht der ausstehenden labortechnischen Untersuchungen keine An-

*gaben machen. Die Nähe des Fundortes zur Nicolaikirche,
so Marchlewitz, ließe jedoch die Vermutung zu, daß es sich
um einen bislang unbekannten, ehemaligen Friedhof der
Nicolaigemeinde aus dem 19. Jahrhundert handeln könnte.*

*Auf eine entsprechende Anfrage sagte Marchlewitz, das
Skelett sei in das Leipziger Archäologische Institut gebracht
worden, und man werde einen solch interessanten Fund sicher auch Professor Rosenberg vorlegen.*

*Prof. em. Ibrahim Rosenberg (70), der berühmte Nestor
der Leipziger Archäologie, leitet seit November 1991 die
unabhängige Evaluierungskommission der Karl-Marx-
Universität und war gestern für eine erste Stellungnahme
nicht zu sprechen.*

*Ein Sprecher der Commerzbank, die auf dem Gelände
Ritterstraße 14–24 ihre Landeszentrale Sachsen errichtet
(wir berichteten), erklärte die uneingeschränkte Zustimmung zum amtlich verfügten Baustopp. In einer am Abend
verbreiteten Pressemitteilung heißt es, die Commerzbank
sei von den Knochenfunden auf ihrem Baugelände überrascht worden und werde die Bauarbeiten so lange ein-
stellen, bis das gesamte Areal archäologisch untersucht sei.
Die Möglichkeit, die Commerzbank habe, ohne ihr Wissen,
ein für die Leipziger Stadtgeschichte historisch relevantes
Gelände erworben, müsse hinreichend geprüft werden.*

Touché. Für dich hat der Sozialismus nicht ewig genug gedau-
ert. Schon siehst du dich in Untersuchungshaft, fragst dich, ob
Frau Dr. Kaleta als Anwältin arbeiten würde, und zu Hause
angekommen, fällt dir nichts Besseres ein, als dich besin-
nungslos zu betrinken.

In den nächsten Tagen und Wochen erwartest und fürchtest
du bei jedem Läuten an der Haustür und bei jedem Klingeln
des Telefons die Kriminalpolizei. Du nimmst den Hörer nicht
mehr ab, sondern läßt den Anrufbeantworter laufen. Du liest
keine Zeitung mehr, meidest die Regionalsender im Radio

und Fernsehen, hältst dich nur die allernötigste Zeit in der Uni auf, gehst nicht ins Café am Hochhaus und entschuldigst deine Abwesenheit am Professorenstammtisch mit deinem Referat zum fünfhundertsten Jahrestag der Entdeckung Amerikas.

Es bleibt gespenstisch ruhig. Du verstehst wieder einmal die Welt nicht, aber das passiert dir neuerdings ja öfter.

Das Semester geht zu Ende. Du hast deine letzte Vorlesung in der Reihe «Französische Literatur des Mittelalters» gehalten und freust dich auf einen Milchkaffee.

«Herr Professor, Herr Professor», tönt es dir aus der linken hinteren Ecke entgegen.

Was denn, Rosenberg im Café am Hochhaus, um diese Jahreszeit? Er müßte doch längst auf seinen geliebten Galapagosinseln sein.

«Kommen Sie, Gustav, trinken Sie einen Whisky mit mir.»

«Welch ein Glanz in dieser Hütte», sagst du und setzt dich gern zu dem Alten.

Die Dicke mit dem Watschelgang, die die Tochter von der Dicken mit dem Watschelgang ist, bringt zwei Whisky.

Du trinkst einen Schluck, schüttelst dich und sagst: «Das ist kein Jim Beam.»

«Nein», lacht Rosenberg, holt einen goldenen Ring aus der Tasche, legt ihn auf den Tisch und sagte leise: «Und das ist auch kein antikes Stück aus dem 19. Jahrhundert, sondern frühsozialistische Massenware, ganz schlecht graviert.»

Du erstarrst zur Salzsäule.

Rosenberg redet wie zu sich selbst. «Ach, all diese jungen Menschen, die sich heute am Archäologischen Institut tummeln, weil es für die Paläontologie nicht gereicht hat. Und alle träumen immerzu, das vollständige Skelett eines Procomsocnatus triasicus zu finden, und wenn sie einen menschlichen Knochen vor sich haben, der in die Gerichtsmedizin gehört, dann sehen sie es nicht. Sie trauen ihren Augen nicht mehr. Sie glauben nur an die Daten, die ihnen der Computer liefert.

Nein, sie rechnen auch nicht, sie können die Ziffern von Null bis Neun eintippen, das schon. Und dann: eine falsche Taste, und aus dreizehn Jahren werden einhundertdreißig. Wieviel eine Null ausmacht, wenn sie nur an der richtigen Stelle steht. Ich muß bei Gelegenheit unseren lieben Dr. Seyffert fragen, ob die Chaostheoretiker eine Erklärung dafür haben, daß etwas, das an sich nichts bedeutet, unter bestimmten Umständen zur entscheidenden Bedeutung wird. Übrigens», und nun schaut er dich mit aufrichtiger Neugier an, «grabungstechnisch eine effektive Arbeit. Kompliment, Herr Kollege, woher wußten Sie eigentlich, daß so wenig Erde über der Leiche genügen würde?»

Du hast deine Fassung wiedergefunden, trinkst den Rest Whisky aus deinem Glas und sagst die Wahrheit: «Spätfolgen einer proletarischen Herkunft, Euer Ehren. Mein Vater war Tagelöhner auf dem Bau. Er hat sein Leben lang Fundamente ausgeschachtet.»

FRED BREINERSDORFER

Kai§erwetter

Ich bin als zivilrechtlich orientierter Anwalt keinesfalls Spezialist für Strafverteidigungen, aber bisweilen übernehme ich einen interessanten Fall auf diesem Gebiet, um fit zu bleiben. Genauso wie ich meinen Körper trainiere, verfahre ich auch mit meinem Gedächtnis. Strafrecht hat zwar eher etwas Handwerkliches, aber um so mehr kommt es auf ein fundiertes Fallrepertoire an, das man vergißt, wenn man es nicht benutzt. Völlig zu Unrecht übrigens belächeln Zivilisten die Strafrechtler wegen der in diesem Metier üblichen robusteren Argumentationstechniken und Beweisführungen. Zugegeben, große Juristenpersönlichkeiten sind eher selten im Strafrecht, aber manchmal gelingt auch hier eine verblüffende, ja geradezu elegante Lösung eines Falles – zugunsten des Mandanten, wovon auch der Anwalt profitiert.

Und gelegentlich macht auch Haß erfinderisch.

So ging es einem Kommilitonen, dessen Namen ich aus Gründen beruflicher Verschwiegenheit nicht nennen kann. Wie Sie, verehrte Leserin, lieber Leser, am Ende dieses kurzen Berichts sicher einräumen werden, kann ich mich persönlich einer klammheimlichen Verbundenheit mit dem Kommilitonen nicht erwehren, so daß Sie mir sogar persönliche Motive unterstellen dürfen, wenn ich den entscheidenden Namen in diesem eigentümlichen Fall nicht preisgebe.

Der Vorgang als solcher hat mit meiner Alma mater zu tun, einer alten deutschen Universität in einer Kleinstadt am Neckar, und einem ihrer Lehrer, einem gewissen Franz Kordell. Schon seit Jahrhunderten wird in den Seminaren und Hörsälen die-

ser Universität Jurisprudenz gelehrt. Sie gehört neben Philosophie, Religion, Medizin u. a. zu den klassischen Wissenschaften, während Fächer wie Ökonomie oder Naturwissenschaften erst später dazukamen. Die Beschaulichkeit der
kleinen Stadt ist heute geradezu puppenstubenhaft restauriert
und herausgeputzt. Die Kriege haben gottlob weniger Schäden hinterlassen. Große und kleine Geister sind durch die
Hallen meiner Universität gewandelt, haben hier gelehrt und
gepaukt, gestritten und geschrieben, und sie haben die unter-
schiedlichsten Spuren hinterlassen. Die Studenten waren, je
nach Lauf der Zeiten, mal angeberisch und aggressiv, wovon
beispielsweise der alte Karzer erzählt, mal politisiert und auf-
müpfig, wie man in den Annalen und Journalen lesen kann,
mal unauffällig, angepaßt und streberhaft, wovon naturgemäß
weniger überliefert wird.

Zwischen 1966 und 1970 wehte mal wieder ein frischerer
Wind durch die alten Mauern. Sie kennen die Parolen von damals, die heute in die Jahre gekommen sind, aber – verzeihen
Sie mir die Renitenz der Bemerkung – nicht alle ohne Witz
und tieferen Sinn waren. Der Muff der Talare war allgegen-
wärtig in dieser Zeit. Auch ich, ein Bürgersöhnchen und ohne
jeden proletarischen Ariernachweis, war links außen; und
zwar so weit, daß links von mir nur noch die Wand war. Wie
bekannt ist, gab es von meiner Sorte eine ganze Menge und
deswegen in der beschaulichen Neckarstadt auch eine Menge
Unruhe. Heute herrscht in ihren Mauern eine verhockte grün-
alternative Studentenschaft, durchsetzt mit Yuppies aus Stuttgart, Ulm oder Mannheim oder Winsen an der Luhe, wenn sie
der Numerus clausus hierher verschlagen hat. Wahrlich keine
Poltergeister; die einen sind stolz auf ihre Ellenbogen, die anderen auf ihre doktrinäre Haltung. Doktrinär waren wir auch,
aber wir kämpften nicht für den Regenbogenpfeiffer in den
Neckarauen und raucherfreie Zonen in der Innenstadt. Wir
hatten immerhin die Weltrevolution im Kopf – und wenn es
noch so theoretisch und anmaßend war.

Damals gab es eine Landesregierung, die von einem noch nicht enttarnten Ex-Marinerichter geleitet wurde, auch Jurist, dessen Unterschrift unter Todesurteilen stand. Überflüssig zu erwähnen, daß es sich um eine konservative Landesregierung handelte. Konservative Landesregierungen vertragen frischen Geisteswind und Revolutionsgedanken, so theoretisch sie auch sein mögen, nur schwer. Der für Kultus, Unterricht, Wissenschaft und Sport zuständige Zweig der Ministerialverwaltung ließ sich viel einfallen, um dem linken Spuk kurzfristig ein Ende zu setzen, was nicht so richtig gelingen wollte. Konservative, das muß man ihnen lassen, planen aber auch langfristig. Und sie planen verläßlich.

Deswegen wurden seit den ersten Unruhen konsequent nur verläßliche konservative Gelehrte an meine Juristische Fakultät berufen, wenn ein Lehrstuhl frei wurde. Kreative Denker, kritische Geister sind selten konservativ und noch seltener verläßlich, weil ihnen oft Neues einfällt, das bestehenden Plänen zuwiderläuft. Wenn sie auf die Berufungslisten kamen, dann höchstens auf die zweite oder dritte Stelle. Und die konservativen Wissenschaftler, die an Platz eins gesetzt waren, nahmen den Ruf ausnahmslos an. Viele von ihnen schliefen ohnehin schon seit Jahren bei offenem Fenster, damit sie den Ruf nicht überhörten, wie Spötter verbreiteten. In anderen Gegenden der damaligen Republik hatten sie nicht die geringsten Aussichten auf einen Lehrstuhl; die Chancen für Langweiler waren damals rar. Einer der ersten von der Wissenschaftsverwaltung an die Fakultät Berufenen war Franz Kordell. Jahre später traf ich ihn unerwartet beim Skifahren in Arosa wieder.

An diesem Tag ragten die Alpen wie gemeißelt in den dunkelblauen Himmel. Der Schnee auf den weiten, baumlosen Hängen war im Glast der Frühlingssonne naß und weich geworden. Hier und da plätscherten und rieselten weiter unten schon die Bäche durch Kluften und Sprünge im Gelände und fraßen die Flanken der Eisplatten an. Oben auf den Pisten sah man an jenen frühen Nachmittagen Anfang April nur wenige Skiläufer. Um die Hütten aber lagerten die Menschen in dichten fröhlichen Haufen in der Sonne, tranken Wein, aßen Apfelstrudel und ließen sich braun brennen.

Mit einem Wort: es herrschte Kaiserwetter.

Auch ich wollte gerade zu einer dieser Hütten hinunterfahren, als ich wieder den weißen Mann sah. Er war mir schon häufiger aufgefallen, weil er so kurios angezogen war und weil die Pisten verlassen dalagen und unten an die Lifte nur selten jemand kam, um sich wieder hinaufziehen zu lassen. Der Weiße fuhr gut. Auch an steilen und buckeligen Hängen und dort, wo die Sonne die Steine aus dem Schnee geschmolzen hatte, spielte er mit seinen Skiern im knöcheltiefen Sulzschnee. Unter denen, die an einem solchen Nachmittag noch die Hänge hinunterschwangen, war das eigentlich nicht auffällig, denn das waren die Unverbesserlichen. Doch die meisten fuhren schnell oder zumindest zügig. Der Mann in Weiß dagegen machte viele Pausen, meist in Mulden oder Tobeln, die von unten nicht einzusehen waren; dann setzte er sich wieder in Bewegung und fuhr mit weichen, kurzen Schwüngen zielstrebig und schnell zu seinem nächsten Rastplatz.

Der Mann trug zu einem weißen Thermoanzug aus Kunststoff weiße Skistiefel aus Plastik, ein amerikanisches Fabrikat, das in allen Regenbogenfarben auf dem Markt war. Lediglich auf seinen Skiern waren auf weißem Grund in blauer Farbe einige stromlinienförmige Streifen zu sehen, die beim Fahren oft unter einer dichten Schneekruste verborgen blieben. Auf dem Kopf hatte er eine weiße Wollmütze, die bis zum Hals hinunterreichte und nur einen schmalen Schlitz für die Augen offenließ. Aber auch seine Augen versteckte er hinter einer Sonnenbrille mit weißem Rand und spiegelnden Gläsern. Die Vermummung des Kopfes war nicht verwunderlich. Denn bei diesem Wetter, wie es nun schon seit drei Tagen herrschte, hatte fast jeder einen kräftigen Sonnenbrand. Und Weiß schützt vor der Sonne. Es war wohl alles zusammen, was den Mann bei genauerem Hinsehen auffällig machte, die Vermummung, die weißen Kleider und die vielen Pausen, die nicht zu dem Fahrstil paßten. Ich beschloß, noch nicht einzukehren und den Weißen zu beobachten. Dabei genoß ich das Wetter und fuhr auf der inneren Piste am Hörnli, die bereits in wohltuendem Schatten lag. Der nun wieder körnige Schnee rieselte und zischte unter den Skiern. Ich fuhr an, ließ mich nach einigen Schwüngen über einen Buckel hinaustragen, schwebte kurz in der glitzernden, klaren Luft, fing den Sprung ab und tanzte weiter auf den zwei Brettern hinunter zu Tal. Der Weiße stand mit abgewandtem Kopf abseits hinter einer Bodenwelle. Ich fuhr vorüber, um ein Stück weiter unten zu warten, bis er mich überholen würde. Ich stoppte und tat, als starrte ich hinauf zum Himmel. Außer uns waren kaum mehr als zehn Skifahrer unterwegs. Es war ruhig, nur die Bergdohlen riefen heiser.

Unten überholte ich den Weißen wieder und kam mit großem Vorsprung an dem Lifthäuschen an, was bei den Pausen des Weißen kein Kunststück war, auch wenn er besser fuhr als ich. Ich setzte mich auf eine Zaunlatte, nachdem ich die Skier von den Füßen geschleudert hatte, und begann, meine Zigaretten herauszukramen.

«Nüt d'Luft verpäschte», sagte der Mann von der Aufsicht und nahm dann doch die Zigarette, die ich ihm anbot.

«'s Wättr blibt, od'r?» sagte er und schnippte die Asche von sich.

«Ja», antwortete ich und drehte mich so, daß die Sonne in mein Gesicht schien. Nach zwei oder drei Minuten hörte ich einen Skifahrer herankommen. Ich drehte mich um. Franz Kordell! Wo kam der denn her?

Er hatte mich auch erkannt, kein Zweifel, doch er tat, als existiere ich nicht, sein Blick wanderte über mich hinweg und schlich gleichgültig an der langen Spur des Schlepplifts hinauf.

Und hätte *ich* ihn grüßen sollen?

Ich genoß den Rest meiner Zigarette und starrte ihm nach. Kordell war keinesfalls ein dummer Mensch. Er hatte nach seiner überraschenden Berufung schnell kapiert, daß von ihm nichts Neues in der Jurisprudenz erwartet wurde. Deshalb wandte er sich konsequent lukrativen Nebentätigkeiten zu oder trieb sich den lieben langen Tag auf den Fakultätsgängen herum und tratschte, während er sich mit der Hand an den Säulen abstützte, so daß böse Mäuler behaupteten, es gehöre zu seinen vertraglichen Pflichten, die Säulen vor dem Umkippen zu bewahren. Durch Studenten fühlte er sich belästigt; so ist es zu erklären, daß er ein schlechter und gefürchteter Prüfer war. Seine Benotungen konnten vernichtend ausfallen, wenngleich er die Korrekturen oft nur schlampig begründete. In mündlichen Prüfungen mußten die Kandidaten stets mit einem übellaunigen Gesprächspartner kämpfen. Sein Vortrag in den Vorlesungen war flach, unsystematisch und unkonzentriert.

Wir kämpften in den Gremien gegen ihn. Keiner seiner Kollegen war bereit, ihn zu verteidigen. Aber es war auch keiner bereit, eine Petition an die Landesregierung zu unterzeichnen.

Ich hatte ganz persönlich schlechte Erfahrungen mit Franz Kordell gemacht. Meine Dissertation über Probleme der Haftung des Konkursverwalters betreute er anfangs nur nachlässig und zeigte schließlich überhaupt kein Interesse mehr. Dennoch schrieb ich die Arbeit fertig und reichte sie bei der Fakultät ein. Diese bestimmte Kordell zum Erstberichterstatter, mit der einleuchtenden Begründung, Kordell dürfe nicht dadurch, daß er seine Doktoranden vergraule, Kollegen mit Mehrarbeit belasten, wenn die Doktoranden genügend Stehvermögen besäßen, um die Arbeit allein abzuschließen. Kordell nahm die Anspielungen im Anschreiben des Dekans gelassen hin, legte meine Arbeit auf den großen Haufen mit Unerledigtem und ging Kaffee trinken und Säulen stützen.

Die Korrektur war ein Jahr und dann noch ein zweites Jahr

überfällig, bis ich schließlich die erste Beschwerde an die Fakultät richtete. Nach drei weiteren Beschwerden gab er endlich sein Gutachten ab. Prädikat: ungenügend, Begründung: völlig veraltet.

Als ich das Schreiben der Fakultät erhielt, fuhr ich meinen Wagen aus der Garage und raste los. Ich hatte nur einen Wunsch: diesen Mann in meine Hände zu bekommen, ihn zu packen und eine Treppe hinunterzuwerfen oder an eine seiner Säulen zu knallen. Ich glaube, ich hätte ihn damals in meiner Wut halb totgeschlagen, wäre ich nicht auf der Autobahn wieder zur Besinnung gekommen. Ich fuhr eine Raststätte an und trank einen Schnaps. Dann drehte ich bei Darmstadt wieder um und fuhr zurück. Zwei Jahre wissenschaftlicher Arbeit waren für die Katz. Zwei Sommer und zwei Winter, in denen in den Alpen Kaiserwetter herrschte, während ich in der nebligen Kleinstadt im Seminar saß.

Alle Eingaben und Prozesse gegen das Votum von Kordell waren erfolglos, alles, was ich unternahm, um diesem Mann auf juristischem Wege beizukommen, scheiterte. Zwar hatte jeder Verständnis für meine Situation, alle, eingeschlossen die Verwaltungsrichter, kannten die Hintergründe, dennoch unterlag ich, weil die Arbeit objektiv gesehen inzwischen veraltet war. Bei der Beurteilung kam es auf die Qualität der Dissertation an und nicht auf die Verzögerung der Korrektur.

Die Akten wurden geschlossen. Ich ließ mich als Rechtsanwalt nieder, ohne Doktortitel, von dem ich immer geträumt hatte.

All das ging mir durch den Kopf, als ich an jenem sonnigen Aprilnachmittag in Arosa auf den Planken des Zaunes saß und beobachtete, wie Kordell sein Ticket in den Automaten des Drehkreuzes schob und dann unbeholfen seinen dicken Bauch an mir vorbeiquetschte, um zur Liftspur zu kommen. Ich blieb regungslos sitzen und starrte ihm nach, während er tat, als fasziniere ihn das Panorama der Berge auf der anderen Seite. Er hakte in den Bügel des Schlepplifts ein und wurde langsam fortgezogen. Gegen die Sonne konnte ich nur noch die unförmige Silhouette seines Körpers erkennen und unter den fetten Hüften die vom Gewicht einwärts stehenden Beine.

Kaum war Kordell hinter der nächsten Kuppe verschwunden, stand plötzlich der Weiße da. Er war fast lautlos herangeglitten. Ich bemerkte ihn erst, als ich den Liftmann sagen hörte: «'s Wättr blibt, od'r?»

Ich hob den Kopf und blickte genau auf die Sonnenbrille des Mannes. Ich spiegelte mich in den Gläsern, so nah stand er vor mir. Es schien mir, als nickte er mir unmerklich zu, so als kenne er mich, doch es konnte auch nur eine knappe Antwort auf die Frage des Liftmanns sein. Auch der Weiße ging dicht an mir vorbei. Er blickte geradeaus, zog mit sicherer Hand einen Bügel des Lifts zu sich hinunter und fuhr davon.

Ich schnickte meine Kippe in einem weiten Bogen hinaus in den Schnee und folgte den beiden, sobald der Mann in Weiß ebenfalls hinter der ersten Kuppe verschwunden war.

Die nächsten Tage blieben klar und sonnig. Regelmäßig traf ich den Skifahrer mit den weißen Kleidern wieder – und Franz Kordell. Überall, wo der Professor ungelenk die Hänge hinunterstemmte, fand man in gemessener Entfernung auch den Weißen. Er blieb stets hinter Kordell, und er ließ ihn nicht aus den Augen.

Am folgenden Tag kehrte ich kurz nach zwölf in die Carmenna-Hütte ein, um zu Mittag zu essen. Die Hütte liegt unterhalb des Weißhornsattels in einer breiten Mulde, in der die Sonnenstrahlen von den Bergflanken wie in einem Brennspiegel reflektiert werden. Auf einer breiten Fläche stehen Liegestühle, in denen sich die Menschen um diese Jahreszeit braun brennen lassen.

Vor der Hütte gibt es eine Schneebar mit Grill, grob zusammengezimmerte Tische und Bänke, auf denen die Skifahrer zu Tagessuppe und Kotelett das erste Glas Wein trinken.

Mitten in einer bunten Menge jüngerer Leute im Skidreß bemerkte ich Frank Kordell, wie er mit rotem Gesicht eifrig Wienerli mit Rösti hinunterschlang und dazu aus einem Humpen Bier trank. Er sah mich nicht und kaute hastig, als wolle ihm einer sein Essen wegnehmen. Ich setzte mich mit dem Rücken zur Hüttenwand auf ein Brett in die Sonne. Von hier aus konnte ich gut beobachten, wie er mit seinem kleinen Kopf über dem speckigen Nacken unablässig nickte und Essen in sich hineinschlang.

Erst nach etwa zehn Minuten sah ich den Weißen. Er hockte mit angezogenen Beinen ganz hinten an einer Schneewächte auf den Laufflächen seiner Ski. Er trank mit einem Strohhalm aus einer Colaflasche. Die Nase und ein kleines Stück der Oberlippe waren nun sichtbar; nicht genug Anhaltspunkte, um daraus ein Gesicht zu konstruieren. Seinen übrigen Mummenschanz hatte er nicht abgelegt. Sogar seine Handschuhe hatte er anbehalten. So saß er da, bewegungslos vor sich hin starrend, von keinem der lärmenden Leute beachtet.

Als Kordell fertig war, rauchte er noch eine Zigarette. Von dem Zwang, seinem Körper Nahrung zuzuführen, für kurze Zeit befreit, schien er sich besonders für eine Frau zu interessieren, die er fortwährend anstarrte, ohne sie aber anzusprechen. Dann stand er plötzlich auf und ging federnd mit eingezogenem Bauch und vorgereckter Brust davon. Ich sah zu dem Mann in den weißen Kleidern hinüber. Er blieb ruhig sitzen, doch er trank jetzt in kürzeren Abständen. Als er beim Aufstehen den Strohhalm aus der Flasche zog, ihn zerknitterte und in die Tasche steckte, wußte ich, daß der Mann nicht die geringste Spur hinterlassen wollte. Ich befürchtete, daß er einen Plan verfolgte, der auch für ihn selbst gefährliche Folgen haben könnte. Als der Weiße seine Skier anschnallte, brach auch ich auf.

Ich folgte dem Paar nun schon vier Tage, selten regelmäßig, weil mir die Nähe meines ehemaligen Doktorvaters nicht sonderlich behagte, aber die Neugier ... Stets traf ich beide auf der Hütte beim frühen Mittagessen, dann fuhren wir zusammen, freilich mit gewohntem Abstand, über die Pisten. Daß der Weiße inzwischen bemerkt hatte, daß ich ihm folgte, war klar und daran zu erkennen, daß er sich ein- oder zweimal am Tag herumdrehte, so als suchte er mich.

Außer der merkwürdigen Verfolgung in Etappen geschah in dieser Zeit nichts. Kordell fuhr mit verbissenem Ehrgeiz, so als wollte er sich beweisen, daß er noch jung und stark, schnell und beweglich sei. Er fuhr schnell, viel zu schnell für seine mangelhaften technischen Fähigkeiten. Da er zudem nicht trainiert war, mußte er, falls er nicht ohnehin stürzte, alle hundert Meter anhalten. Er verharrte dann oft mehrere Minuten atemlos nach vorne über seine Stöcke gebeugt, bis er wieder zu Luft kam. Der Mann in Weiß und ich beobachteten dieses Schauspiel immer wieder, jeder versteckt in einer Mulde oder einem Tobel stehend. Wenn er sich erholt hatte, nahm Kordell wieder Haltung an, staktse mit steifen Knien los und raste in halsbrecherischer Fahrt, mehr taumelnd als schwingend, weiter über die Hänge. Der Weiße und ich folgten nacheinander kurz darauf, während der Fahrt nach einer neuen Deckung Ausschau haltend.

Ich wußte nicht, was der Weiße von Kordell wollte. Nur meine ratlose Neugier ließ mich die beiden Männer von Zeit zu Zeit im Auge behalten. Doch nichts geschah. Der Weiße verfolgte Kordell unablässig in vorsichtigem Abstand, wie eine Hyäne ihr waidwundes Opfer.

Am fünften Tag schließlich gab es einen Wetterumschwung. Schon morgens wehten über dem Bergkamm, der das Tal abschließt, lange Schneefahnen in den blauen Himmel hinauf. Wind war aufgekommen, trieb den Firn in rieselnden Strömen über die Schneebuckel der Piste. Ich befürchtete schon, heute niemanden an der Carmenna-Hütte zu treffen, doch pünktlich wie immer erschien Kordell, dann der Mann in Weiß. Inzwischen zogen lange Wolkenschleier auf, die Sonne bekam einen Hof aus Regenbogenfarben und verlor an Kraft. Kordell indessen saß ungerührt auf der Bank und schlang sein Essen hinunter und trank Bier. Der Weiße hockte wie üblich mit angezogenen Knien auf seinen Skiern und suckelte an der Colaflasche. Ich weiß nicht, ob ich es mir nur einbildete, aber es schien so, als lauerte er jetzt. Vielleicht weil sein Rücken gespannter wirkte als sonst.

Kordell stand nach seinem Mahl auf und schnallte ächzend die Skier an; sein Speck war hinderlich. Dann richtete er sich auf und betrachtete mit rotem Kopf den Himmel. Schließlich fuhr er los und steuerte mit den üblichen Pausen zu Tal. Er passierte die Abzweigung zur Station des Plattenhornlifts, den er sonst regelmäßig benutzt hatte. Aha, er fährt ab ins Tal, dachte ich. Jetzt müßte der Weiße wieder auf der linken Strecke davonschießen, so wie er es sonst immer getan hatte, doch er fuhr nur ein kurzes Stück und blieb auf der Spur des Professors. Also folgte ich den beiden. Kordell nahm den Sessellift, der über die Westflanke des Tschuggen hinaufführt.

Das war der übliche Weg, um mit Skiern das Hotel zu erreichen, in dem Kordell wohnte. Von der Bergstation aus mußte er nur noch über den Prätschli einen Ziehweg hinunter zum Untersee. Der Mann in den weißen Kleidern blieb jetzt dichter bei Kordell. Er saß schon im übernächsten Sessel. Ich war später dran.

Inzwischen waren erste dunkle Wolken aufgezogen. Sie schoben sich breit über den Berghang im Süden und warfen lange Schatten über die Pisten am Hörnli. Hier bei uns schien noch die Sonne. Ich beobachtete die beiden, wie sie etwa hundert Meter vor mir hintereinander hinaufschwebten. Der Wind bekam Kraft. Kalt fegte er aus dem Westen durch das Tal und schob immer dichtere Schleier und Wolkenbüschel über den blassen Himmel. Drüben am Weißhorn blähten sich jetzt auch die Schneefahnen. Immer weniger Skiläufer standen an der Talstation. Gegen drei Uhr konnten wir schließlich durchgehen, ohne zu warten. Kordell fuhr unablässig weiter, so als berührte ihn der Wettersturz nicht.

Das Licht wurde diffus, als die Sonne von den Wolken schließlich verschlungen wurde. Auf den Pisten waren keine Konturen mehr zu erkennen. Die Sprünge und Löcher, die Kanten und Buckel trafen die Beinmuskeln unerwartet, alles erschien Weiß in Weiß. Die ersten Schneeflocken begannen ihren Tanz zwischen Himmel und unsichtbarem Boden. Der Weiße verschmolz immer mehr mit seiner Umgebung. Nebel zog auf. Nur noch durch die dunklen Gläser seiner Sonnenbrille konnte man die schemenhafte Gestalt des weißen Mannes orten. Er war jetzt dichter aufgerückt und versuchte nicht mehr, sich zu verbergen.

Obwohl alle anderen auf dem Weg hinunter ins Tal waren, bog Kordell in die Liftspur ein. Er stapfte auf das Drehkreuz zu. Im Vorbeifahren schnappte ich die Worte auf: «letzter Tag» und «ausnutzen». Er ließ sich in den Sessel fallen und zog den Beinschutz aus Plastik, der seitlich befestigt war, über die Knie. Der Weiße saß im übernächsten Sessel. Es hatte den Anschein, als wollte er nun auf keinen Fall den Kontakt zu Kordell verlieren. Ich schaffte den fünften Sessel hinter Kordell.

«Schluß isch», hörte ich den Mann am Lift hinter mir sagen. Eine Klappe fiel ins Schloß. Er ging ans Telefon, um die Bergstation anzurufen. Ich war der letzte für heute.

Wir schwebten hintereinander durch den dichter werdenden Nebel. Keiner bewegte sich. Als wir höher kamen, verschwand der verwaschene Fleck vor mir, der anzeigte, wo sich Kordell befand. Der Mann zwischen uns war schon lange nicht mehr zu erkennen. Bald spürte ich nicht mehr, ob wir fuhren oder standen; Himmel und Boden waren zu einer weißen, undurchdringlichen Kugel um mich herum zusammengeschmolzen. Nur hin und wieder schwebte schemenhaft eine Stütze vorbei. Das rhythmische Schlagen des Liftbügels über den Rollen zeigte als einziges an, daß wir noch in Bewegung waren. An der Bergstation glitt ich schnell aus dem Sitz und orientierte mich an dem wieder sichtbaren Schatten von Kordells dunkler Kleidung. Ich schloß fast zu dem weißen Verfolger auf. Hinter uns surrte der Lift aus.

Links an der Piste steht eine Schutzhütte. Man muß unmittelbar daran vorbei, wenn man abfährt. Ich war sicher, daß Kordell dort einkehren würde, um vor dem Wetter Schutz zu suchen. Doch er stocherte vorbei und begann in den ersten Steilhang hineinzukreuzen. Er fuhr jetzt ohne Unterbrechung. Erst nach einem längeren Stück pausierte er und ließ sich wie immer nach vorne auf die Stöcke fallen.

Der Schneesturm kam, während wir warteten. Eine harte Bö schob nagelnde weiße Kristalle wie eine Wand vor sich her. Wie kleine Perlen flogen die Flocken an meinen Overall. In meinem Kragen nisteten sie sich kalt ein. Ich schob mich näher an Kordell heran. Er erschrak offenbar über den Orkan, der jetzt tobte, und stieß sich ab, um breitbeinig und möglichst vorsichtig zu der nächsten Markierungsstange zu fahren. Da er sich nicht umsah, bemerkte er mich nicht, und der Weiße war fast unsichtbar. Das Fahrgeräusch der Skier wurde von dem heulenden Sturm übertönt.

Als Kordell wieder anhielt, waren wir vermutlich nicht mehr als fünfzig Meter weitergekommen. Wir befanden uns noch auf dem oberen Teil der Piste, weit über zweitausend Meter hoch. Der Sturm jaulte um die Markierungsstange, an der Kordell kauerte. Der Mann zwischen uns fuhr dicht zu ihm auf und hielt an seiner Seite. Ich näherte mich ebenfalls.

«Halten Sie sich dicht hinter mir!» hörte ich ihn Kordell zurufen.

«Ja», schrie Kordell. Er hatte Angst.

Der Weiße ließ ihm keine Zeit zum Ausruhen. Er fuhr langsam los, die Beine weit zum Schneepflug gespreizt. Kordell folgte mühsam. Ich blieb keine fünf Meter dahinter. Gerade als ich endgültig aufschließen wollte, weil ich glaubte, die vermeintliche Verfolgung sei nur ein Spuk meiner Phantasie, drehte der scheinbar selbstlose Führer und Retter von der Piste ab. Kordell, der das Gelände kannte, stoppte und rief etwas, doch der Weiße brüllte ihm zu: «Folgen Sie mir, da ist es windgeschützt, Mann!»

Kordell gehorchte.

Von Windschutz konnte keine Rede sein. Der Blizzard blies mich fast von den Beinen, aber die Neugier war stärker. Und ich kannte die Tiefschneeverhältnisse. Und ich war sicher, daß das kein Gelände für den Professor war. Er vertraute dem Weißen und kämpfte sich weiter, nun schon zweihundert Meter abseits der Piste. Und Kordell war zäher und stärker, als ich ihm zugetraut hatte.

Doch es half ihm nichts.

Ich konnte alles beobachten, weil ich weniger als fünf Meter oberhalb am Hang stand. Ich sah, wie der Mann plötzlich seine weiße Kapuze hinunterriß. Sein Gesicht war von mir abgewandt. Ich sah nur den Hinterkopf.

Kordell aber hatte ihn erkannt. Er prallte zurück und hob wie abwehrend einen Arm. Ich glitt mit meinen Skiern noch näher heran.

«Was wollen Sie von mir?» schrie Kordell. Wind und Schnee rissen ihm die Worte vom Mund. Angst und Entsetzen waren herauszuhören.

«Es ist Schluß, Kordell, aus, Herr Professor!» brüllte der Mann erregt und aggressiv zurück.

Ich stand schweigend hinter den Männern. Franz Kordell wollte sich herumwerfen, sich abstoßen, um in Nebel und Sturm zu entkommen. Er mußte wissen, daß das mit großer Wahrscheinlichkeit seinen Tod bedeutet hätte. Der Schock beim Anblick des anderen Mannes war größer als die Angst.

Zehn Meter hätte er gebraucht, vielleicht weniger. Er hätte sich möglicherweise nur auf den Boden zu kauern brauchen, um sich zu verbergen, wenn er außer Sichtweite gewesen wäre.

Aber der Weiße hatte sein Opfer im Griff. Als Kordell sich niederbeugte, um Schwung zu holen, griff der Mann in seinen Anorak und holte einen langen schwarzen Gegenstand heraus. Er zog mit dem Prügel durch, als Kordells Nacken gerade aus der Schwungbewegung hochkam. Der Schlag traf ihn mit einer ungeheuren Wucht am Hals, genau zwischen Kopf und Schultern. Ein schweres Zucken wie im Krampf bebte durch den Körper des Getroffenen. Er fiel nach vorne, die Skier glitten über die Kante hinaus, auf die ihn der Weiße gelockt hatte. Kordell rutschte ab, überschlug sich die steile Böschung hinunter und blieb dann regungslos liegen.

Franz Kordell war tot.

Der Mann hatte nicht mehr gewartet, sondern sich nach seinem Schlag mit einem kurzen Blick über die Schulter nach vorne geworfen und war schon nach einer Sekunde wegen seiner weißen Kleider nicht mehr zu sehen; der Blizzard sog ihn auf und verwischte die Konturen seines Körpers. Es war zwecklos, ihm in das weiße Irgendwo zu folgen.

Ich ließ mich an den Rand der Kante gleiten und sah Kordell in grotesker Verrenkung drei Meter unter mir am Fuße der kurzen felsigen Böschung in einem Schneeloch liegen: eine zufällige Körperhaltung, durch die physikalischen Gesetze des Sturzes hervorgerufen, nicht mehr vom Willen bestimmt. Die Konturen verschmolzen langsam, denn der Sturm hortete in dem Loch den Schnee, der sich in einer immer dickeren Schicht über den Leichnam legte.

Als schließlich nichts mehr zu erkennen war, fuhr ich weiter. Ich tastete mich Schwung für Schwung vorwärts, denn ich befand mich bei schwerem Schneesturm und einbrechender Dunkelheit auf freiem alpinen Gelände. Die Orientierung war sehr schwer, und ich hatte verdammtes Glück, daß ich schließlich an der Zwischenstation der Weißhornbahn eintraf und nicht selbst Opfer des Wettersturzes wurde.

Die Nacht brach herein, als ich mit der letzten Gondel hinunter ins Dorf fuhr. Wir waren zu dritt, zwei ältere Damen und ich, keine Spur von einem Mann in weißen Kleidern. Der Sturm war so stark, daß wir unten an der Talstation über eine halbe Stunde lang warten mußten, ehe die Gondel in ihre Einfahrbucht gezogen werden konnte. Nur durch ein waghalsiges Manöver konnte uns der Betriebsingenieur befreien.

Es war Ende April desselben Jahres, als ich noch einmal mit dem Fall Kordell zu tun bekam, ich erinnere mich noch gut daran. Die Forsythien und Magnolien blühten in den Gärten.

Die ersten warmen Tage verscheuchten endgültig die Erinnerungen an den Winter. Ich hatte in der vergangenen Nacht lange und tief geschlafen und kam ausgeruht und gut gelaunt in mein Büro. Ich schlug meinen Terminkalender auf und fand eine Eintragung für zehn Uhr dreißig. Ein Name, mit dem ich nichts anfangen konnte.

«Wer ist das?» fragte ich unsere Bürovorsteherin. «Keine Akte?»

«Nein», antwortete sie, «telefonische Voranmeldung für eine Strafsache.»

Ich nickte und nahm die Post an mich. Man würde sehen.

Pünktlich um halb elf erschien mein Mandant. Eines unserer Mädchen bat ihn herein. Wir gaben uns die Hand. Ein großer sportlicher Mann, braungebrannt. Er nannte seinen Namen und setzte sich.

Ich holte Notizpapier und Federhalter aus der Schreibtischschublade. Aus den Augenwinkeln betrachtete ich dabei sein Gesicht. Ich kannte ihn, freilich ohne ihn näher einordnen zu können. Er hatte ein offenes Gesicht mit eher weichen Zügen und blassen blauen Augen.

«Ich komme in einer Strafsache», sagte er mit angenehmer, sachlich klingender Stimme.

«Führerschein?» fragte ich. Das ist Standard.

«Nein, nein», er lächelte. «Mord, weil es heimtückisch war, wie ich ihn umgebracht habe.»

Ich war verblüfft, wie leicht er das sagte.

Dann fiel es mir ein: «Wir kennen uns», sagte ich, «dieselbe Alma mater.»

«Ja, ja», antwortete er. «Und nicht nur von da, auch vom Skifahren, und deshalb komme ich zu dir.»

Ich schwieg und betrachtete mit sprachlosem Erstaunen das offenherzige, freundliche Gesicht meines ehemaligen Kommilitonen. Er zündete sich eine Zigarette an und fuhr fort: «Man hat ihn noch nicht gefunden, den armen Kordell. Er gilt noch als abgängig, obwohl ihn keiner vermißt. Er hat sich das wohl anders vorgestellt, wenn er an seinen eigenen Tod gedacht hat.» Der Kommilitone schüttelte den Kopf. «Wenigstens die Genugtuung einer erfolgreichen öffentlichen Strafverfolgung hätte ihm zugute kommen können.»

«Du warst immer schon ein Zyniker», sagte ich.

«*Mon dieu*», sagte er, zog an seiner Zigarette, seufzte und hob die Schultern.

Ich durchschaute seinen Schachzug, weil er so verblüffend einfach und wirkungsvoll war. Man kann viel gegen unsere damalige Fakultät sagen, aber in diesen Dingen wurden wir von den Professoren, deren Lehrstühle wir hier und da besetzten, sehr ordentlich ausgebildet.

«Du spekulierst auf meine Schweigepflicht als Anwalt?»

«Und auf dein Zeugnisverweigerungsrecht.» Er zog einen Kuli aus dem Jackett und begann damit zu spielen und erläuterte, was er sich in den vergangenen Wochen zurechtgelegt hatte. Er referierte nüchtern wie ein gut präparierter cand. jur. in einem Seminar, diesmal im engsten Sinne des Wortes privatissime: «Du hast dich nicht strafbar gemacht. Du hattest vor dem tödlichen Schlag keine Chance, einzugreifen, weil du meine Absicht nicht kanntest. Unterlassene Hilfeleistung an Toten gibt es nicht, und zur Verfolgung des Täters bei diesen Witterungsbedingungen war keiner verpflichtet.» Er schwieg und knipste mit dem Kugelschreiber. «Ich gebe zu, es ist gut gelaufen», murmelte er dann. Erleichterung war ihm anzumerken. «Es hätte auch verdammt dumm laufen können, wenn man einen Zeugen unmittelbar an den Fersen hat.»

«Ich kann das Mandat ablehnen», sagte ich. Aber der Einwand war mehr theoretisch. Man hat ja gelernt zu argumentieren.

«Ja, aber du wirst es nicht ablehnen.» Er erhob sich. «Schade eigentlich, daß du auch nicht promoviert bist, genausowenig wie ich – eine Schande bei deinen wissenschaftlichen Fähigkeiten.» Er schüttelte betrübt den Kopf.

Ich erinnerte mich, daß er ein vorzüglicher Jurist war und seine Diss über eine längst überfällige Reform des Zivilprozesses geschrieben hatte, die dann vier Jahre später vom Bundestag beschlossen wurde, zur selben Zeit, als Kordell die Arbeit mit dem Vermerk «ungenügend, weil veraltet» an das Dekanat weiterreichte.

Wir gaben uns die Hand. Als er fast an der Tür war, sagte ich so beiläufig wie möglich: «Vergiß nicht, bei der Bürovorsteherin meine Vollmacht zu unterschreiben.»

In Dubio
Pro Reo

Frauke hatte die ganze Nacht kein Auge zugetan.
Im Geschäftszimmer standen Gulke und Förster.
Gulke durchwühlte die Studentenkartei, während
Förster noch schnell sein Postfach kontrollierte.

«Ach, Frau Engelmann, gut, daß ich Sie noch sehe. Mein
Sohn braucht wieder neue Computerspiele, er muß schließlich
am Wochenende auch mal ausspannen.»

Gulke tauchte zwischen den Karteikästen auf und blickte
zu Frauke herüber. Jeder wußte, daß Gulkes Frau im Krankenhaus lag und daß er bei der Suche nach weiblichen Hilfs-
kräften stets die Paßbilder der Kandidatinnen mit berücksichtigte.

Computerspiele, der Filius sollte sich lieber mit sinnvolle-
ren Dingen beschäftigen, schließlich stand das Physikum bevor. Frauke hatte die ganze Nacht Soundkarten installiert und
Homepages für die Sekretärinnen geschrieben. Jetzt wollte sie
schnell noch die Post für ihren Chef einwerfen, bevor sie in
den Computerraum ging. Ihr Schädel dröhnte, wenn sie an die
bevorstehenden Dienststunden dachte.

Sie nickte. «Geht in Ordnung, Herr Gulke.»

Gulke, Koryphäe für Mittelalter und Renaissance, war ihr
Nebenfachprüfer, und den Schein von ihm für die Shake-
speare-Hausarbeit hatte sie noch nicht in der Tasche.

Es war Freitag nachmittag, und im Block D der Phil-Fak
herrschte wohltuende Stille. Die letzten Studenten aus Försters Hauptseminar Amerikanische Postmoderne bummelten
noch in der Cafeteria herum. Frauke hätte das Seminar gerne
belegt. Zum einen war Förster ein charismatisch-attraktiver

Norddeutscher, zum anderen hatte Frauke schon immer ein Faible für die amerikanische Literatur gehabt. Leider hatte das Bafög-Amt sein Veto eingelegt. Sie würde ihre Examensarbeit in der Linguistik schreiben. Computergestützte Analyse von Tatmotiven im Kriminalroman oder so. Lindner, ihr Chef, war der neue Professor für Computerlinguistik. Gut fünfzehn Jahre jünger als der Durchschnitt der restlichen Professoren am Fachbereich, hatte er die selbstgefällige Ordinarienherrlichkeit ein bißchen aufgemischt, und ein Praktiker war er noch dazu. Frauke, ihrerseits technisch sehr versiert, hatte den Hilfskraftjob als Aufsicht im Computerraum bekommen. Ihr Stundenlohn war deutlich höher als bei den Literaturwissenschaftlern, und E-Mail, Internet und Multimedia würden ihr auch nach dem Examen von Nutzen sein.

Vor dem Computerraum angekommen, drang der Lärm von gut zwei Dutzend Studenten durch die geschlossene Tür. Hausarbeiten, Thesenpapiere und Examensarbeiten, alle waren ständig unter Zeitdruck.

«Frauke, kannst du mal schnell …»

Es war Ria Bauer, Gulkes Assistentin, die sich mit dem Index ihrer Habilschrift abquälte. Das konnte ewig dauern. Ria war eine Pedantin und hundertfünfzigprozentig, wenn es um Formalitäten ging. Vermutlich lag jedoch Shakespeare zur Vorkorrektur alphanumerisch sortiert auf ihrem Schreibtisch. Und Beisitzerin der Nebenfachprüfung war sie auch.

Rias Problem war wider Erwarten schnell gelöst. Danach spielten gleich mehrere Drucker verrückt. Frauke hatte alle Hände voll zu tun, um zumindest die Hälfte der Geräte wieder betriebsbereit zu machen. Sie atmete auf, als ihre Ablösung kam. Es war nach Ladenschluß, als Frauke den Steinweg hinauf an den renovierten Fachwerkfassaden entlang einem leeren Kühlschrank und der Einsamkeit ihres Einzimmerappartements zustrebte.

«Sie wünschen?»

Seine Lieblingsbedienung mit dem irischen Teint und den langen roten Locken war heute leider nicht da. Das Café Vetter war von jeher Rolfs Lieblingscafé gewesen. Mit seiner überladenen Dekoration, den Plüschsofas und dem liebevoll ausgewählten Nippes fühlte man sich wie in Omas guter Stube. Kaffee und Kuchen im Vetter waren daher ein Vergnügen, das Rolf sich trotz seines schmalen Doktorandengehalts regelmäßig gönnte. Sein Zimmer bei den Burschenschaftlern war billig und das Essen auf dem Haus günstiger als in der Mensa. Früher Wehrdienstverweigerer und grün, heute gesinnungslos und korrupt, hatte seine Mutter gesagt. Was sollte man tun? Die Mieten in einer kleinen Unistadt wie Marburg waren unbezahlbar. Das Biologiestudium zog sich hin, und die Doktorarbeit ging nun mal nicht husch-husch wie bei den Medizinern.

Er wurde aber auch wirklich vom Pech verfolgt. Sämtliche Experimente des letzten Jahres waren negativ. Wenn er Lutz dagegen sah, bei dem klappte einfach alles. Seine Literaturliste war bestimmt doppelt so lang wie Rolfs. Der Chef hatte Lutz die Landesstelle gegeben, und Rolf mußte sich mit der Drittmittelstelle zufriedengeben. Die Technischen Assistentinnen im Labor arbeiteten hauptsächlich für Lutz. Rolf hatte innerhalb der Arbeitsgruppe nur wenig Unterstützung. Dementsprechend spärlich fielen die Publikationen aus. An seine Impaktfaktoren, die Gütesiegel der Fachzeitschriften, durfte er gar nicht erst denken. Das Stimmungsbarometer des Chefs stieg und fiel jedoch mit der Höhe derselben. Wenigstens einmal einen Artikel in einer richtig guten Fachzeitschrift unterzubringen, davon träumte Rolf. Vielleicht kam ja bei der Proteingeschichte noch was Vernünftiges heraus.

Er hätte nach dem Diplom in die USA gehen sollen, so wie Lutz. Warum hatte er nur auf Silke gehört? Die hatte sich jetzt mit einem Zahnmediziner verlobt. Seit ihrer Trennung hatte sich Rolf zum Workaholic entwickelt. Am wohlsten fühlte er sich, wenn er am Wochenende, von TAs und Studenten ungestört, in der Zellkultur arbeitete. Das wohlwollende Nicken des Chefs, wenn er Samstag vormittags durch die Labors geisterte, entschädigte ihn für die Frustration, wenn mal wieder alle Assays verrückt spielten.

Rolfs Rechnung war einfach: Jedes Wochenende erhöhten sich seine Chancen, von Rauweiler einen Anschlußvertrag zu bekommen. Auf die C1-Stelle würde Rauweiler Lutz setzen, das war klar. Lutz war am Wochenende nie im Labor. Der segelte lieber auf dem Edersee, während Rolf die wöchentliche Ration bebrüteter Hühnereier in den Inkubator legte. Dafür waren Lutz' Impaktfaktoren gigantisch. Dennoch gab es für Rolf nur die Wissenschaft. Er brauchte nur an Axel zu denken, der nach der Promotion für einen Hamburger Pharmariesen arbeitete. Der klapperte von morgens bis abends alle Arztpraxen in Schleswig-Holstein ab. Dann schon lieber Überstunden in der Zellkultur.

Im Moment plagten Rolf jedoch andere Sorgen. Sein Computer spielte verrückt. Garantiert hatte er sich in der Bibliothek einen Virus eingefangen, als er die Literaturliste online aktualisiert hatte. Lutz hatte ihm Zerberus versprochen, ein neues Virencheck- und -bekämpfungsprogramm. Der absolute Renner, so Lutz. Hoffentlich hielt es, was der Name versprach.

Am Nebentisch saßen zwei gutaussehende Amerikanerinnen, ihre Sweater verrieten, daß sie von der Westküste kamen. Ein Auslandssemester in den USA war finanziell nie dringewesen. Als sportlicher Nichtraucher war Rolf von Camp America als Schwimmlehrer angeheuert worden. Für die Wissenschaft hatte es nichts gebracht, dafür rühmte er sich nun gern seiner kulturellen Kompetenz. Gerade hatte er sich dazu durchgerungen, seinen Tischnachbarinnen den Unterschied zwischen Germknödel und Buchteln zu erklären, da trat Lutz durch die Tür.

Frauke war kein Typ für eine WG. Sie hatten das Thema schon so oft in ihrer Spielegruppe erörtert. Ganz im Gegensatz zu Jule, die den Rekord an WG-Umzügen hielt, wollte Frauke ihre Ruhe haben. Nervenaufreibende Debatten über Putz- und Einkaufs- und Spülordnungen hätten sie in den Wahnsinn getrieben. Unvorstellbar auch die unvermeidliche Intimität des Zusammenlebens, die laut Jule im parallelen Menstruieren ihrer Frauen-WG resultierte. Noch dazu würden alle sie ständig mit ihren Computerproblemen belagern, schreckliche Vorstellung. Der Fachbereich genügte Frauke vollauf, da war sie schon PC-Mädchen für alles.

Der Gedanke an ihr zweites Dauerthema ließ Frauke lachen. Egal, was an ihren wöchentlichen Spieleabenden gespielt wurde, Therapie, Scotland Yard, Doppelkopf oder Scharade, irgendwann schwenkte das Gespräch von WG-Anekdötchen auf die Frage, wer jüngere und wer ältere Männer bevorzugte und warum. Frauke selbst konnte nie verstehen, daß Jule und Mara sich ständig nach diesen braungebrannten, athletischen Erstsemestern umdrehten, die mit leeren Gesichtern den Speiseplan der Mensa studierten. Frauke war sich mit Hanne einig. Reife, ältere Männer waren gefragt, vorausgesetzt sie waren Robert Redford, Gregory Peck oder Cary Grant aus dem Gesicht geschnitten.

Das Telefon klingelte. Es war Jule. Ihre Verabredung für den Abend war geplatzt, und nun wollte sie Frauke überreden, den sonntäglichen Spieleabend vorzuverlegen.

«Du hast doch garantiert nichts anderes vor. Warum treffen wir uns nicht einfach alle bei dir? Ich besorge den Wein, und du kochst, ja? Hanne und Mara wissen schon Bescheid. Bis später!»

Jule hatte Nerven. Natürlich trafen sie sich am liebsten bei ihr. Hanne, Försters Assistentin, war verheiratet, und ihren Mann, einen unsympathischen Chemielehrer, konnte keine von ihnen ausstehen. Mara war gerade von einem Stipendienaufenthalt aus Los Angeles zurückgekehrt. Sie logierte übergangsweise in Jules WG. Immer noch besser als ein einsamer Abend am Computer, dachte Frauke. Vielleicht hatte ja der Türke an der Ecke noch auf.

In der Zellkultur war es heiß und stickig. Rolf entnahm seine Zellen aus flüssigem Stickstoff, der ihm aus dem Container entgegendampfte. Die Zellen befanden sich in kleinen Plastikgefäßen mit hellblauen Deckelchen. Rolf drehte jedes Gefäß kurz auf, damit der Stickstoff entweichen konnte. Es zischte kurz wie bei einer zu stark geschüttelten Mineralwasserflasche. Er schloß die Augen, weil er schon wieder die Schutzbrille vergessen hatte. Er ärgerte sich über seine Nachlässigkeit.

Er gab die Zellen zum Auftauen ins Wasserbad. Das mußte schnell gehen, sonst gingen sie kaputt. Sobald alles Eis aufgetaut war, gab Rolf das Kulturmedium dazu. Er arbeitete schnell und konzentriert. Dann stellte er alles zusammen in die Zentrifuge.

Fünf Minuten später holte er das Gefäß wieder heraus. Er pipettierte den Überstand ab, im Bodensatz lagen seine Zellen. Sie wurden aufgespült und kamen dann in die Kulturflasche mit dunkelblauem Deckel und eingebautem Filter. Er legte die Flasche unter das Mikroskop. Die Zellen sahen gut aus. Zufrieden stellte Rolf die Flasche in den Inkubator. Die Zellen mußten nun wachsen, damit er sein neues Protein in größeren Mengen gewinnen konnte.

Die Tür ging auf, und Rauweiler kam herein. «Nun, wie weit sind Sie mit den transfizierten Zellen? Alles läuft nach Plan? Wunderbar. Dann haben wir das Schwerste hinter uns. Der Rest ist Fleißarbeit.»

So wie Rolf seinen Chef kannte, würde er ihm am liebsten gleich die passenden Fachzeitschriften aufzählen.

«Fangen Sie schon mal an zu schreiben. Sie kennen ja mein Motto: effizientes Arbeiten!»

Er klopfte Rolf auf die Schulter, und weg war er. Rolf fühlte sich von der Energie seines Chefs mitunter überrollt.

Momentan arbeitete er an einer wirklich heißen Sache. Wenn die Experimente weiterhin positiv verliefen, wäre sein Protein gleichermaßen für die Behandlung von Alzheimer wie von Parkinsonscher Krankheit relevant. Rolf wollte nur noch die Negativkontrollen abwarten, bevor er mit Schreiben anfing. Er war schließlich ein gewissenhafter Wissenschaftler.

Er ging ins Sekretariat. Kurz nach der Post schauen, bevor er nach Hause ging. Ein kopierter Sonderdruck lag in seinem Fach. «Gruß, Lutz», stand oben rechts.

Verdammt, wie machte er das? Das Paper war von einer guten Fachzeitschrift angenommen worden. *Trends in Cell Biology* hatte immerhin einen Impaktfaktor von 12.

Rolf hatte plötzlich Kopfschmerzen. Er hatte den Abend und die halbe Nacht erfolglos mit Lutz' Zerberus-Programm gekämpft. Einen Versuch wollte er noch starten. Im neu eingerichteten Computerraum der Phil-Fak sollten erfahrene Computerleute sitzen. Die Öffnungszeiten standen im Vorlesungsprogramm. Montag bis Freitag von 14 bis 22 Uhr, Samstag von 10 bis 12 Uhr. Anscheinend gab es doch hin und wieder auch Geisteswissenschaftler, die das Wochenende zum Arbeiten nutzten. Gleich morgen früh würde er hingehen.

«Hmm, schmeckt super.»

Jule nahm zum dritten Mal von der türkischen Pizza. Dick mit Hackfleisch belegt, mit Kreuzkümmel gewürzt und mit scharfen Peperoni und mildem Schafskäse abgerundet, war sie sehr gelungen.

«Du mußt mir unbedingt das Rezept geben.»

Frauke nickte. Sie konnte sich lebhaft an ein paar mißglückte Kochversuche in Jules WG erinnern. Sie zweifelte daran, daß Jule auch nur den Hefeteig für die Pizza hinkriegen würde.

«Habt ihr von diesem Virus gehört?» fragte Hanne. «Du mußt mir unbedingt dein Update von diesem Virencheck geben, Frauke. Förster legt doch gerade letzte Hand an seine

Jahrhundertbibliographie. Der reißt mir den Kopf ab und zerfetzt mein Exposé für die Diss mit der anderen Hand, wenn was schiefläuft.»

Mara schaute verständnislos in die Runde. Frauke seufzte. Womit sie beim altbewährten Thema wäre. Sie hatte gehofft, Mara würde ein bißchen von ihren Recherchen in der UCLA berichten. Frauke, die Maras Urteil und Treffsicherheit in literarischen Fragen sehr schätzte, hätte gerne ein paar Anregungen bekommen.

«Ja, genau.» Jule hatte ausgekaut. «Das brauche ich unbedingt auch. Ich will doch mit dem Schreiben anfangen. Ihr könnt euch echt nicht vorstellen, wie die einschlägige Literatur zum Postkolonialismus boomt. Das sind massenweise Literaturstellen. Nicht auszudenken, wenn mir in der Endphase so ein dämlicher Virus dazwischenkommt.»

Frauke war die einzige unter ihnen, die das Examen noch vor sich hatte. Die Ehre, im erlauchten Kreis des graduierten Mittelbaus aufgenommen zu werden, hatte sie ihren Computerkenntnissen zu verdanken. Sie gab sich keinen Illusionen hin.

«Keine Panik, Lindner ist bestens ausgerüstet. Ihr braucht nicht zur Schreibmaschine zurückzukehren, um eure Forschungsergebnisse zu sichern.»

«Warte nur, bis du an der Doktorarbeit sitzt», entgegnete Jule.

«Die Götter haben das Latinum vor den Doktor gestellt, oder gilt diese Regelung nicht für Linguisten?» spöttelte Mara.

Förster, Maras Doktorvater, war ein vehementer Verfechter des Latinums. Es hieß, er wolle sogar das große Latinum als Voraussetzung zur Promotion wieder einführen.

Jule öffnete die dritte Flasche Chianti, und sie diskutierten die geänderte Promotionsordnung, die neben dem Rigorosum die Wahl der Disputation offenließ. Frauke fielen fast die Augen zu, als die anderen endlich aufbrachen und sie mit dreckigem Geschirr und vollen Aschenbechern zurückließen.

Rolf wunderte sich, als er die große schlanke Frau mit den schwarzen Locken durch den Flur auf sich zukommen sah. Laut Plan hatte ein gewisser Michael Zimmermann Dienst. Es paßte ihm gar nicht, seine Inkompetenz in Sachen Computer einem weiblichen und noch dazu so attraktiven Computerfreak offenlegen zu müssen. Er fühlte sich dann noch machtloser, als er es ohnehin schon war.

«Na, wo drückt der Schuh?»

Rolf berichtete von seinem Problem. Frauke mußte ein Grinsen unterdrücken, viel Ahnung hatte der nicht gerade. Zerberus, Frauke hatte ihre Erfahrungen mit dem Programm. Es klang fast so, als ob der Typ am Öffnen der Zip-Datei gescheitert war. Das mußte sie ihrem Kollegen Michael erzählen, es würde ihn auf seinem Krankenbett erheitern.

«Es handelt sich bei diesen Programmen um geschrumpfte Dateien, sozusagen. Sie müssen erst geöffnet, *unzipped* werden.»

Frauke steckte die Diskette ins Laufwerk. Ihr Gegenüber sah gar nicht so übel aus. Naturwissenschaftler, sportlich nüchtern, Biologe vermutlich. Für einen Mediziner nicht selbstsicher genug. Vielleicht etwas zu wehleidig geschwungene Augenbrauen. Irgenwie wirkte er nervös und angespannt. Wahrscheinlich wieder einer von denen, die in Gegenwart technisch versierter Frauen völlig verkrampften. Frauke hatte die Nase voll von solchen Männern, das war beim letzten Mal schon schiefgegangen.

Rolfs Handflächen schwitzten. Er wußte ja, daß er kein Computerfachmann war, aber das hier war wirklich zu blamabel. Deshalb hatte das Kürzel ihn so irritiert. Es handelte sich bei dem Programm gar nicht um eine Textdatei, das Kürzel *txt* war ihm geläufig. Aber *zip*, er hatte einfach nichts damit anfangen können.

Frauke zeigte Rolf, wie er das Programm auf Festplatte laden mußte, um dann auf Virensuche zu gehen. Als sie abspeicherte, fiel Rolfs Blick auf einen Dateinamen. *Impact.zip*, das mußte Lutz' Publikationsliste sein. War die so lang, daß er sie schon schrumpfen mußte?

Wie ging das noch schnell mit dem Öffnen? Die Computertante war zum nächsten Tisch gegangen. Zum nächsten Ratsuchenden. Rolf öffnete die Datei. Es war keine Literaturliste. Daten, Tabellen und Ergebnisse waren fein säuberlich in zwei Spalten eingetragen. Die linke war mit einem großen F, die rechte mit einem großen T überschrieben. Wie *true* und *false* schoß es Rolf durch den Kopf. Auf seiner Stirn brach der Schweiß aus. Konnte es sein, daß Lutz …?

Unmöglich. Die Buchstaben waren wahrscheinlich Kürzel von Versuchsreihen. Er studierte die Zahlen genauer. Es war kein Zweifel möglich. Die linke Spalte zeigte die Ergebnisse, die Lutz in seinem letzten Paper diskutiert hatte. Rolf war sich ganz sicher, er hatte immerhin Korrektur gelesen. Die Ergebnisse der Publikation waren gefälscht!

Rolf verschlug es den Atem. Er mußte es Rauweiler sagen, Rauweiler würde Lutz zur Rechenschaft ziehen. Die Stelle würde er ihm, Rolf, anbieten. Vielleicht lehnte er gar Lutz' Doktorarbeit ab. Ungeahnte Perspektiven eröffneten sich.

Doch er mußte diplomatisch vorgehen. Auf gar keinen Fall durfte er zu selbstgerecht auftreten. Ethische Empörung ob dieser Anmaßung, er selbst als Vertreter der hehren Wissenschaft. Montag morgens fand das wöchentliche Arbeitsgruppenseminar statt. Anschließend würde er zu Rauweiler gehen, um ihm diese schockierende Entdeckung zu melden.

Rolf stand auf und wollte gehen, als ihn die Stimme der schwarzhaarigen Schönen aus seinen Gedanken riß: «Halt, Sie haben Ihre Diskette vergessen!»

«Herein!»

Rolf trat durch die angelehnte Tür in das Büro des Chefs. Rauweiler war lange Zeit in den USA gewesen, von verschlossenen Türen hielt er nicht viel. Während er telefonierte, blickte er kurz auf und deutete Rolf an, Platz zu nehmen.

Rolf schaute durchs Fenster. Der Chef hatte den schönsten Ausblick auf die Türme der Elisabethkirche. Die älteste gotische Kirche Deutschlands, immer wieder ein erhebender Anblick.

Rauweiler sprach englisch, es klang idiomatisch, nur die Aussprache ließ wie bei allen Leuten, die in fortgeschrittenem Alter eine Fremdsprache erlernen, sehr zu wünschen übrig. Vergeblich bemühte er sich um einen amerikanischen Idiolekt, wahrscheinlich war der Kollege aus La Jolla am Apparat.

Rolf ließ den Blick durchs Zimmer schweifen. Aus der geöffneten Schreibtischschublade quollen die leeren Aspirinpackungen heraus. Die Putzfrau erzählte immer, daß sie den Chef nach einer durcharbeiteten Nacht am Schreibtisch eingeschlafen vorfand. «Was, acht Uhr? So spät schon?» pflegte er zu sagen und zwei Aspirin zu frühstücken.

Rauweiler hatte aufgelegt und drehte sich gut gelaunt zu Rolf um. «Nun, Herr Behrens, was kann ich für Sie tun? Wie geht's unserem Protein?» Er rieb sich tatkräftig die Hände. «Steht das Paper schon?»

Rolf rutschte auf dem Stuhl ein Stück nach hinten. «Ähem, nein, da müssen noch mal Negativkontrollen gemacht werden. Ich bin der Meinung, man muß da sehr gründlich sein.» Rolf knetete das gebrauchte Tempo in seiner Hosentasche. «Es geht um etwas anderes. Es ist, wie soll ich sagen, eine etwas delikate Angelegenheit. Wie ich aus verläßlicher Quelle weiß, hat Kollege Landes in seiner letzten Publikation gefälschte Daten benutzt.»

So, nun war es heraus. Vielleicht hätte er Lutz ja doch vorwarnen sollen, bevor der Chef ihn gleich zur Schnecke machte.

Rauweiler hatte sich aus seinem Stuhl erhoben. Er rieb sich das Kinn. Schließlich trat er ans Fenster.

«Mein lieber Herr Behrens. Das sind sehr schwerwiegende Anschuldigungen, die Sie da vorbringen. Sie kennen doch den wissenschaftlichen Alltag. Eine gewisse Diskrepanz zwischen den publizierten Ergebnissen und den eigenen Experimenten, damit sieht sich doch jeder von uns täglich konfrontiert. Aber die Frage ist, glauben Sie an Ihre Ergebnisse oder nicht? Bei aller berechtigten Skepsis und bei allen Bedenken, die uns Wissenschaftler stets plagen, und dies ja auch zu Recht, dürfen wichtige Ergebnisse der Öffentlichkeit nicht vorenthalten werden! Unsere Arbeitsgruppe ist international akzeptiert. Ich bin bei verschiedenen Gremien zum Sondergutachter benannt worden. Davon profitieren auch Sie, mein Lieber. Für ein Habilstipendium brauchen Sie einen potenten Fürsprecher. Ich vertraue auf Sie, daß Sie sich weiterhin voll in die Gruppe integrieren. Nur mit gebündelten Kräften können wir unser Potential ausschöpfen. Selbstverständlich werde ich der Angelegenheit nachgehen. Ich bin jedoch davon überzeugt, daß alles seine Richtigkeit hat.»

Rauweiler trat auf ihn zu und streckte die Hand aus. «Denken Sie immer daran, Herr Behrens, ich brauche die Publikationen nicht. Ich habe schon wissenschaftliche Karriere gemacht, aber Sie ...»

Die letzten Worte konnte Rolf nicht mehr verstehen, da in diesem Moment die Glocken der Elisabethkirche zu Mittag zu läuten begannen.

«Der nächste!»

Mit lautem Klatschen landete der Linseneintopf in der weißen Suppenschüssel. Frauke ging am Eintopf vorbei und stellte sich in der Parallelschlange an, Hähnchenschenkel mit Pommes.

Ein Glück nur, daß sie früher aus dem Seminar gegangen war. Sie hatte einige Sachen für Lindner zu erledigen gehabt, und nach einem Plausch mit der Bibliothekarin war sie in die Mensa gegangen. Zehn Minuten später, und die Schlange hätte die Eingangstür erreicht.

Das Tablett ihres Hintermanns bohrte sich schmerzhaft in ihren Rücken. Frauke drehte sich um. Ein stiernackiger, untersetzter Typ grinste sie entschuldigend an. «Sorry, ist es die richtige Reihe für French Fries?»

Frauke nickte. Mittlerer Westen, dachte sie und fand sich einmal mehr in ihrer Theorie vom Phänotyp des Mittelklasse-Amerikaners bestätigt.

Sie stellte einen Gurkensalat, einmal Pommes und einen Joghurt auf ihr Tablett und trat in den großen Speisesaal. An der Fensterfront entlang schritt sie die Tische ab. Normalerweise saßen Jule und Mara an einem der Fensterplätze. Heute war niemand zu sehen. Frauke steuerte den letzten Tisch an, an dem erst ein Platz besetzt war. Vielleicht kamen die beiden ja noch.

Ihr Gegenüber rührte mißmutig Reis und Hähnchensoße zusammen. War das nicht der Naturwissenschaftler vom Wochenende?

«Na, was machen die Viren?»

Rolf blickte von seinem Tablett auf und schaute in die dunklen Augen der Computerexpertin. Sein Blick fiel auf das Tablett, das sie gerade abstellte. Typisch, jetzt gab's wieder Pommes. Heute ging aber auch alles schief.

«Wie bitte? Ach so, ja. Der Virus.» Rolf sah seiner Tischnachbarin nachdenklich zu, wie sie ihre Pommes nachsalzte. «Solche Viren», fragte er, «wo kommen die überhaupt her? Wer setzt die denn in Umlauf?»

Frauke lachte. «Wenn ich das so genau wüßte, würde ich mich nicht länger mit dem Examen herumquälen. Aber Spaß beiseite. Computerviren, das ist ein furchtbar kompliziertes Thema. Am besten, man arbeitet so wenig wie möglich an fremden PCs. Safer Computer halt.» Frauke wandte sich ihrem Gurkensalat zu. «Ach ja, was einem furchtbar viel Ärger bereiten kann, sind solche Kettenbriefe, wenn man sie via E-Mail und Internet erhält. Die zerstören nicht nur die Software, die greifen auch die Hardware an. Frau Bauer, eine Assistentin vom Fachbereich, hatte mal so eine Bombe in der Post. Irgendwas mit Brieffreundschaften. Man darf die

Datei auf gar keinen Fall öffnen, sonst ist es schon zu spät.»

Frauke hob ihre linke Hand und winkte über den Kopf ihres Nachbarn hinweg. Jule und Mara standen an der Essensausgabe. Rolf überlegte, ob seine Nachbarin einem Mann oder einer Frau zugewinkt hatte. Zu gerne hätte er sich noch länger über das Thema unterhalten. Dumm nur, daß er so wenig Ahnung von der Sache hatte. Er konnte schließlich nicht fragen, wo er einen Virus herbekommen könnte.

«Software und Hardware, das klingt ja nach einer enorm destruktiven Spezies.» Rolf versuchte, erneut die Aufmerksamkeit zu erlangen.

«Wie hast du es bloß bei dieser Megaschlange geschafft, schon fertig zu sein?» Jule schnaufte und taxierte Fraukes Gegenüber von oben bis unten. Sie hatte zwei Schälchen mit Pommes und schob Fraukes leeres Tablett zur Seite. «Die neue Aufsicht in der UB ist die reinste Schlaftablette. Nur gut, daß Mara sich schon angestellt hatte, sonst wäre ich bei dem Andrang glatt verhungert.»

Mara grinste Frauke zugleich vieldeutig und fragend an.

«Wir sprachen gerade über Computerviren.» Frauke nickte in Rolfs Richtung.

«Ach, auch ein Computerexperte?» Jule blickte von ihrem Essen auf.

«Eher Betroffener und Ratsuchender bei dieser kompetenten Fachfrau.» Rolf sah Frauke an und suchte ihren Blick.

«Galant, galant», murmelte Mara zwischen zwei Bissen.

«Ich hoffe, es ist nicht ansteckend», kicherte Jule und rückte näher zu Mara.

Frauke räusperte sich. «Ein Experte auf dem Gebiet ist Lindner, mein Chef. Leider vielbeschäftigt. Für den Fall, daß Sie noch Fragen haben, mein Kollege Zimmermann hat ebenfalls viel Erfahrung mit Viren.»

Mara grinste zu Jule hinüber, und Rolf beschloß, seinen Kaffee im Labor zu trinken.

«Tja, dann einen schönen Tag noch.» Er stand auf und hätte beinahe das Tablett fallen gelassen, als er über Jules Tasche stolperte.

«Wo hast du den denn aufgegabelt?» Mara legte ihr Besteck zusammen. «Wißt ihr, was sich Gulke heute im Seminar erlaubt hat?»

Auf dem Rückweg zum Labor malte Rolf sich aus, wie Lutz fluchend vor seinem Computer stand. Wie man sich das wohl vorzustellen hatte, wenn ein Virus die Hardware anknabberte? Rolf kicherte, er mußte an einen porösen Termitenhügel denken. Vielleicht sähe Lutz' schickes IBM-Notebook ähnlich löchrig aus. Auf jeden Fall würde ein solcher Virus Lutz' Zeitplan völlig über den Haufen werfen. Soweit Rolf wußte, hatte Lutz vor, seine Doktorarbeit im laufenden Sommersemester, spätestens Ende Juli abzugeben. Die Ergebnisse waren sowieso schon fast alle publiziert, das Zusammenschreiben würde sehr schnell gehen. Wie er Lutz kannte, würde der dann erst mal seinen jährlichen Surfurlaub in Südfrankreich anschließen, und im September würde er erholt und braungebrannt die C1-Stelle antreten. Ohne abgeschlossene Doktorarbeit würde die Verwaltung sich jedoch querstellen, selbst wenn Rauweiler irgendwelche Tricks versuchen sollte.

Gedankenverloren schloß Rolf seine Zimmertür auf. Unentschlossen schaltete er den Computer an. Er könnte jetzt an seiner Literaturliste weiterarbeiten. Eigentlich wartete auch im Labor eine Menge Arbeit auf ihn. Rolf konnte sich nicht entscheiden, mit welchen Versuchen er weitermachen sollte. Er mußte das Protein noch mal zentrifugieren, doch daran würde er Ende der Woche weiterarbeiten.

Fahrig und unkonzentriert ging er dazu über, einige Dias für das Arbeitsgruppenseminar der nächsten Woche zu ordnen. Einige Buchbestellungen waren ebenfalls noch zu erledigen. Gesprächsfetzen aus seiner Unterhaltung mit Rauweiler gingen ihm durch den Kopf. Der Chef würde nichts unternehmen, für ihn war die Sache erledigt. Er mußte sich schon selbst etwas einfallen lassen, wollte er nicht klein beigeben.

Rolf ging ins Sekretariat, vielleicht gab es gerade frischen Kaffee. Das Zimmer war leer. Er legte die Buchbestellungen auf den Karteikasten. Auf dem Schreibtisch lagen zwei große offene Briefumschläge. Jeweils ein gelber Notizzettel mit Lutz' Handschrift klebte auf ihnen.

Bestimmt seine Bewerbungen für Post-Doc-Stellen. In der *Zeit* hatte es letzte Woche einige Ausschreibungen gegeben. Wahrscheinlich eine Art Rückversicherung, Lutz würde eine gutdotierte Stelle nicht gegen einen unsicheren Zweijahresvertrag tauschen. Das eine Schreiben ging nach La Jolla, Kalifornien, das andere nach Ann Arbor, Michigan. Typisch Lutz, der war sogar zu faul, die Adressen selber auf die Umschläge zu tippen.

Rolf öffnete die Tür und schaute, ob jemand den Gang entlang kam. Schnell vertauschte er die Adressen-Aufkleber der Schreiben. Die würden sich wundern, der Bewerber verwechselte zwei konkurrierende Institute. Rolf rieb sich zufrieden die Hände. Fast schämte er sich seiner niederen Rachegelüste, aber irgendwie mußte man sich gegen diese Wissenschaftsscharlatane ja wehren.

Als er das Sekretariat verließ, kam die Sekretärin gerade die Treppe herauf. Rolf grüßte und ging den Gang entlang Richtung Zellkultur. Er wollte schnell noch mal nach seinen Zellen sehen, bevor er Feierabend machte.

Als er in sein Zimmer zurückkam, hatte sich der Bildschirmschoner eingeschaltet. Routinemäßig checkte er noch mal die E-Mail, bevor er ausschaltete. Er hatte Post bekommen. *Pen Pal Greetings*, leuchtete es ihm aus der Kopfzeile entgegen. Rolf stockte der Atem. Er traute seinen Augen nicht. Ein Kettenbrief, war das nicht genau das, wovon diese Computerexpertin erzählt hatte? Da warb jemand mit virenverseuchten Botschaften um Brieffreundschaften. Was hatte diese Frauke gesagt, man durfte die Post gar nicht erst öffnen, sonst waren die Viren schon aktiviert?

Rolf überlegte fieberhaft. Am besten, er löschte diese Nachricht sofort. Aber halt, wenn er sie nicht las, drohte ihm auch keine Gefahr. Was, wenn er sie einfach an Lutz weiterschickte? Es war ja nicht sicher, daß es sich bei diesen *Greetings* um tödliche Grüße handelte. Es konnte ja auch ein ganz harmloser Brief sein. Anderenfalls ... Er ging ein enormes Risiko ein. Wenn der Virus auf andere Geräte übergriff und es irgendwie herauskam, daß er derjenige war ...

Rolf saß wie gelähmt vor seinem Bildschirm. Mit angehaltenem Atem tippte er Lutz' E-Mail-Adresse in die obere Zeile und drückte die Bestätigungstaste.

Schweißgebadet erwachte Rolf aus einer alptraumgeplagten Nacht. Vorsichtig strich er mit der Hand über sein Gesicht. Alles fühlte sich an wie immer, wenn er auch das Kribbeln und Krabbeln der Ameisen, Würmer und sonstigen Insekten noch allzu deutlich fühlte und wie im Wachtraum seinen Körper von diesem Getier übervölkert glaubte. Er rasierte sich und kochte erst mal Kaffee.

Heute vormittag stand irgendeine Sitzung auf dem Programm. Rauweiler hatte Einladungen in die Fächer legen lassen, er mußte unbedingt pünktlich sein. Rolf reckte sich, er fühlte sich total zerschlagen. Worum ging es noch mal bei diesem Termin? Irgendwas mit Mittelzuteilungen. Er konnte sich nicht genau erinnern.

Im Institut angekommen, war die gesamte Arbeitsgruppe im kleinen Hörsaal versammelt. Rauweiler stand am Rednerpult und zählte auf, welche Sonderforschungsbereiche und Projekte weitergefördert wurden.

«Besondere Freude bereitet es mir, Herrn Lutz Landes zu beglückwünschen. Sein Antrag beim Fonds der Chemischen Industrie ist bewilligt worden. Der Förderungshöchstbetrag steht zur Anschaffung neuer Soft- und Hardware zur Verfügung. Ich erteile hiermit Herrn Landes das Wort.»

Ein anerkennendes Nicken ging durch die Reihen. Rolf sah, wie Lutz aufstand und an das Rednerpult ging. Er räusperte sich: «Selbstverständlich möchte ich, daß die ganze Arbeitsgruppe von den Neuanschaffungen profitiert. Im Anschluß möchte ich Sie alle ganz herzlich zu einer Demonstrationsveranstaltung der neuen Geräte in meinem Büro einladen. Für alle, die je Probleme mit Viren haben sollten», Lutz grinste gönnerhaft in Rolfs Richtung, «es ist mir gelungen, Frau Engelmann von den Computerlinguisten für einen Vortrag einzuladen. Sie wird die neueste Publikation ihres Chefs, Professor Lindner, zum Thema Computerviren kurz vorstellen.»

Als Rolf sich umdrehte, sah er Frauke im dunkelblauen Minirock mit hellblau-weiß gestreifter Bluse. Sie ging an Rolf vorbei auf Lutz zu, bei dem sie sich für die freundliche Einladung bedankte. Rolf sah, wie Lutz sich vorbeugte und ihr etwas zuflüsterte. Frauke lachte geschmeichelt, konzentrierte sich dann aber auf ihr Vortragsskript.

Lutz setzte sich auf den freien Platz neben Rolf. «Rate mal, was ich gestern abend in meiner Mailbox finde. Ein Prof aus Bethesda, Maryland, sucht deutsche Post-Docs, Finanzierung und Unterbringung garantiert. Und das alles, weil seine Kinder so nette deutsche Brieffreunde haben. Hast du so was schon gehört?» Lutz schlug die Beine übereinander und sah zu Frauke hin. «Also, du kannst sagen, was du willst. Bei den Geisteswissenschaftlern laufen einfach die besseren Frauen rum.»

DIETRICH SCHWANITZ

Die nackte Wahrheit

Christoph Sonnenfeld starrte fasziniert auf die feuchten Lippen des Kollegen Brinkmann. Sie sahen aus wie zwei lebendig gewordene Wiener Würstchen. Dabei preßten sie sich rhythmisch aufeinander und lösten sich wieder, als ob sie eine obszöne Kohabitation vollzögen, während sich an den Mundwinkeln labiale Speichelbläschen bildeten. Brinkmann blickte dabei angespannt in die blau eingebundene Doktorarbeit des Kandidaten Ferber. In ihr war in vielen, vielen Zeilen ein Text niedergelegt, der, durch das neuronale Netzwerk von Brinkmanns Hirn in hörbare Laute verwandelt, nun pausenlos über seine feuchte Lippen rollte:

«...Der Modus des modernen Detektivromans ist die Frage», sagten die Lippen, «es genügt, wenn es heißt: ‹Heute kam der Tierpfleger Richard Tibbitt etwas später zum Dienst›, um sofort die Frage aufzuwerfen: ‹Warum, was hat das zu bedeuten?› Die Erwartung, die wir mit dem Genre verbinden, wirkt wie ein Scanner, der alles auf Relevanz abtastet. Relevanz wofür? Für den Mord. Der Mord ist die Form, in der etwas Transzendentes, etwas Unbedingtes, nämlich der Tod, in etwas Innerweltliches verwandelt und dadurch behandelbar gemacht wird, behandelbar als detektivisches Rätsel.»

Brinkmann gönnte seinen Lippen ein Päuschen und verlieh seinen wäßrigen Augen den Ausdruck metaphysischer Bedeutung, als habe er gerade ein Testament eröffnet und erwarte nun die Reaktionen der Erben. Aber ihn trafen nur die verständnislosen Blicke der Mitglieder des Promotionsausschusses des Fachbereichs Sprachwissenschaften der Hamburger

Universität. Und der war nicht einmal vollzählig. Das Protokoll vermerkte als anwesend: Dr. Gerhard Brinkmann, Professor für Romanistik (Vorsitz), Dr. Arno Wundt, Professor für Germanistik, Dr. Klaus Uwe Walzel, Dozent für allgemeine Sprachwissenschaften, und der Amerikanist Professor Christoph Sonnenfeld, den seine Studentinnen hinter seinem Rücken liebevoll Chris nannten, schließlich war er noch Junggeselle. Es fehlten Renate Schill, die Studentenvertreterin, und Herr Kreuzer, der Vertreter des Technischen und Verwaltungspersonals.

Christoph hatte dafür durchaus Verständnis. Da sie in den seltensten Fällen begriffen, worum es eigentlich ging, mußten die Sitzungen für sie eine Tortur sein. Allerdings wußte auch er im Augenblick nicht, worum es ging.

Was bezweckte Brinkmann mit der Vorführung seiner Fähigkeit, halbwegs flüssig und sinngemäß zu lesen?

«Nun», sagten die Würstchenlippen, «fällt keinem von Ihnen an dem Text etwas auf?» Christoph haßte diese Art Fragerei. Ein Literaturwissenschaftler mußte eigentlich alle Texte der Welt kennen, und wenn er einen von ihnen nicht einordnen konnte, hatte er ein schlechtes Gewissen.

Aber Brinkmann wandte sich dem asketischen Antlitz von Professor Wundt zu, in dem die dunklen Augen um eine Schattierung finsterer wurden. «Herr Kollege Wundt?» fragte er, als ob Wundt schon wüßte, was er meinte.

Wundt räusperte sich. «Ja, Sie haben recht», krächzte er, «der Text kommt mir irgendwie bekannt vor.»

«Bekannt?» Der Vorsitzende wies anklagend auf die Doktorarbeit. «Bekannt kommt sie Ihnen vor? Warten Sie – hier, das müssen Sie doch wiedererkennen.» Und er las: «Schon Tyljanov hat festgestellt, daß der Kriminalroman nur in kapitalistischen Ländern verbreitet ist. Er tröstet über die allseitige Anomie und Kontingenz durch die Suggestion einer Ordnung hinweg, die letztlich aus dem Gegensatz Immanenz-Transzendenz gewonnen wird. Damit wird die kapitalistische Alltäglichkeit durch den Blick auf einen Fixpunkt, der absolute Geltung beansprucht, entbanalisiert. Das bedeutet Ästhetisierung aus dem Geist der Metaphysik, gemäß Marx' Diktum ‹Religion ist Opium für das Volk›.»

Brinkmann machte eine bedeutungsschwangere Pause, und als Wundt immer noch nichts sagte, fuhr er fort: «Das ist wörtlich aus Ihrer Dissertation: *Narrative Strategien und ästhetische Dimensionen des modernen Kriminalromans* aus dem Jahre 1973.»

Pause. Anklagende Blicke in die Runde. Ratlose Blicke zurück.

Wieder an Wundt gewandt: «Das haben Sie geschrieben. Dieser Text steht bei Ihnen auf Seite 256. Haben Sie das vergessen?»

Christoph konnte sich gut vorstellen, daß Wundt diesen Text vergessen hatte. Seit 1989, seit dem Zusammenbruch des real Existierenden, übte sich Wundt in der Kunst des Vergessens. So wie andere Gedächtniskünstler wurden, war Wundt ein Virtuose des Vergessens geworden, und Christoph konnte sich nie entscheiden, ob er sich freuen sollte, daß Wundt seine politischen Phantasmen verabschiedet hatte, oder ob er ihn verachten sollte, weil es dazu erst des real existierenden Zusammenbruchs bedurft hatte. Und so murmelte er leise: «Nicht vergessen, sondern verdrängt.»

Zu seinem Erstaunen belebte sich daraufhin Wundt. Es war geradezu, als habe er ihn mit dieser Bemerkung aus der Erstarrung gelöst. «Ganz recht, verdrängt. Ja, so könnte man es ausdrücken. Tatsächlich finde ich vieles von dem, was ich damals geschrieben habe, wie soll ich sagen, genierlich. Diese ideologiekritische Ratsche, dieses marxistische Überbau-/Unterbau-Schema. Was mir damals gar nicht auffiel, war, daß diese Entlarvungskritik genau dem Muster des Kriminalromans folgte, das sie zu kritisieren vorgab. Marx hatte eben den Kapitalismus als große Mystifikation beschrieben, und wir fühlten uns damals wie Detektive, die berufen waren, das

Rätsel zu lösen. Ja, Gott sei Dank habe ich das alles vergessen, geistig gelöscht.» Wundt schüttelte sich wie ein nasser Pudel und blickte jetzt vergnügt in die Runde, dann aber wurde er plötzlich wieder finster: «Wollen Sie sagen, daß dieser, wie heißt er, dieser Ferber, Passagen aus meiner Arbeit abgeschrieben hat, ohne sie zu zitieren?»

Brinkmann blickte wie Gott Vater beim Jüngsten Gericht, der vergeblich nach mildernden Umständen sucht: «Passagen! Passagen sagen Sie! Wenn es nur Passagen wären! Aber er hat Ihre ganze Arbeit von vorne bis hinten abgeschrieben.»

«Nein.»

«Doch.»

«Er hat nicht wenigstens ein bißchen variiert, nicht einen Satz oder ein Verb ausgetauscht, wenigstens ein Adjektiv?»

«Er hat der Bibliographie ein paar neue Titel hinzugefügt: Übrigens auch eine Arbeit von Ihnen», er wandte sich an Christoph. «Ah ja, hier: *Temporalität und Kontingenz im Kriminalroman*, arcadia 1986.»

«Ist auch schon eine Weile her», murmelte Christoph.

«Nun, es ist ja wohl klar, daß wir die Arbeit ablehnen müssen und einen Antrag auf ein Disziplinarverfahren einleiten», bestimmte Brinkmann.

Jetzt endlich wurde der wohlgenährte Dr. Walzel munter. Seine Körpersprache kündigte komplizierteste Einsprüche an, sein Mienenspiel signalisierte unendliche Komplexität, und seine flatternden Lider verhießen unendliche Reserven an nervöser Energie. Wie um Verzeihung bittend für das Chaos, das er anrichten würde, hob er zögernd die Hand, um seine Einwürfe anzukündigen, aber alle wußten, ab jetzt hatte er das Kommando: Wenn er geendet hatte, würde die Welt anders aussehen, denn Dr. Walzel war ein Gremienvirtuose. Weil er selbst die sogenannte Überleitung nicht geschafft hatte, in der die wissenschaftlichen Assistenten in einer Massentaufe zu Professoren ernannt worden waren, hatte er sich auf die

Hochschulpolitik verlegt und saß als einer der wenigen Dozentenvertreter, die es noch gab, in jedem Gremium, um sich an der Universität zu rächen.

«Darf man erfahren, wer der Doktorvater ist – oder Doktormutter?» fügte er um der politischen Korrektheit willen hinzu.

«Professor Breuer vom englischen Seminar», sagte der Vorsitzende.

«Dann hat ja wohl etwas mit der Beratung nicht gestimmt», fuhr Walzel fort. «Ich warne davor, gleich ohne weitere Überlegung ein Disziplinarverfahren zu eröffnen. Nicht wahr, wir alle werden demnächst evaluiert. Wie wir wissen, steht die Hamburger Universität nicht gut da. Und unser Fachbereich schon gar nicht.»

«Und was schlagen Sie statt dessen vor? Ihm eine Urkunde für vorzügliches Textkopieren zu verleihen?» Der Vorsitzende troff vor Sarkasmus.

Walzel blieb ungerührt. «Die Sache sieht mir nicht wie Betrug aus.»

«Ach nein? Wohl eher wie ein besonders raffinierter Fall von Dekonstruktion.» Der Vorsitzende war ein Feind der französischen Postmoderne.

Walzel lächelte verzeihend. «Nein, es kommt mir pathologisch vor. Eine Totalkopie, das ist doch als Betrugsversuch völlig aussichtslos. Ein Betrüger kopiert Passagen, montiert sie mit anderen Texten, mischt eigene Elaborate dazwischen, kurzum, er versucht seinen Betrug zu verstecken. Aber hier liegt ein Akt der Verzweiflung vor, eine Art Wahnsinn. Wenn man hier rein nach den Buchstaben des Disziplinarrechts verfährt, könnte man leicht eine Katastrophe auslösen. Wer weiß, vielleicht treiben wir ihn damit in den Selbstmord. Und könnten wir uns dann noch morgens mit reinem Gewissen im Spiegel ansehen?»

Walzel war ein Experte komplizierter Menschlichkeit, und jeder wußte, er konnte aus dem Stand imaginäre Biographien von Studenten entwerfen, in denen die mildesten Rückschläge ganze Kettenreaktionen von Katastrophen auslösten, an denen sie dann schuld waren. Christoph sah, wie der Vorsitzende unsicher wurde, deshalb war jetzt die Zeit für Kompromißvorschläge. Schließlich hatten sie noch sieben weitere Tagesordnungspunkte zu verhandeln.

Er meldete sich: «Mir scheint auch, wir sollten mit dem Disziplinarverfahren noch etwas warten. Wie wäre es, wenn wir Herrn Walzel beauftragten, mit dem Kandidaten Kontakt aufzunehmen, um einen Eindruck von ihm zu gewinnen? Wenn er wirklich psychisch derangiert ist, könnten wir ihn vielleicht veranlassen, seinen Promotionsantrag zurückzuziehen.»

Zum zweiten Mal durfte Christoph heute beobachten, daß seine Bemerkungen Professor Wundt sichtlich belebten. Dessen dunkle Augen nahmen die Tönung eines warmen Brauns an, als er das Wort ergriff: «Das scheint mir in der Tat die beste Lösung. Er sollte das Promotionsgesuch zurückziehen. Wir ersparen damit auch dem Kollegen Breuer eine Menge peinlicher Rückfragen. Kollege Walzel hatte ja angedeutet, daß es möglicherweise Probleme bei der Betreuung gegeben hat. Vielleicht könnte Herr Sonnenfeld mit Breuer sprechen.» Er wandte sich nun direkt an ihn: «Sie sind doch im selben Seminar und könnten das intern klären.»

«Tue ich gern», sagte Christoph, und das war nicht einmal gelogen, denn langsam begann ihn der Fall zu interessieren.

Für Walzel dagegen schien sich das Problem zu schnell aufzulösen. Er liebte Probleme und hätte noch viele Pfeile im Köcher gehabt, um sie auf den Vorsitzenden abzuschießen, und einen davon wollte er wenigstens noch loswerden: «Außerdem ist die Sache auch juristisch nicht ganz eindeutig. Im Falle von Frau Strecker haben wir schließlich auch von einem Disziplinarverfahren abgesehen und nur von einer eigenwilligen Zitierkultur gesprochen.»

Fast hätte er den Vorsitzenden damit noch einmal zum Widerstand gereizt. «Aber Herr Kollege, Frau Strecker hatte aus mehreren Arbeiten kopiert und auch eigene Texte verarbeitet.»

«Außerdem hat sich die Frauenbeauftragte eingemischt», entgegnete Walzel und verlieh dabei seinen fetten Zügen den verschmitzten Ausdruck geteilten Insider-Wissens.

Der Vorsitzende schien zu überlegen, ob er über Walzel herfallen sollte, aber entschied sich dann dagegen. «Also, ich stelle zur Abstimmung: Wer ist dafür, daß Herr Walzel im Auftrag der Kommission den Kandidaten aufsucht und ihn auffordert, seinen Promotionsantrag zurückzuziehen?» Alle Hände außer der des Vorsitzenden gingen in die Höhe. «Gegenprobe?» Alle Hände blieben unten. «Enthaltungen?» fragte der Vorsitzende und hob dabei gleichzeitig seine eigene Hand.

Welch ein absurdes Ritual, dachte Christoph. Aber laut sagte er: «Nächster Tagesordnungspunkt?»

Zwei Tage später versammelte sich das Englische Seminar im Übungsraum 452 zur Sitzung des Institutsrats. Es war ein trüber Mittwochmorgen – Gremientag an der Universität. Das fahle Sonnenlicht hatte Mühe, sich durch den Schmutz auf den großen Fensterscheiben zu kämpfen und bis zu den resopalbeschichteten Tischplatten vorzudringen, auf denen die Mitglieder des Institutsrats ihre Papiere ausgebreitet hatten. Christoph Sonnenfeld schaute sich vergeblich nach Professor Breuer um: Sein Stuhl war noch leer.

Er wandte sich an den Assistentenvertreter Detering, der neben ihm saß und kurzsichtig in den letzten Verordnungen der Verwaltung las: «Haben Sie Professor Breuer heute schon gesehen?»

Detering schien ihn gar nicht zu hören. Über der ganzen Versammlung brütete eine Atmosphäre bleierner Müdigkeit. Christoph erschien es, als ob die Anwesenden von einer geheimnisvollen Krankheit der Verlangsamung befallen worden seien. Sie schien sich durch Ansteckung auszubreiten, denn man brauchte die fahlen Gestalten bloß anzuschauen, um sich schon infiziert zu fühlen. In ihren grauen Anzügen nistete die Erinnerung an zahllose Sitzungen des Institutsrats, der jeden frischen Aufbruch, jede Idee, jede lebendige Regung zu Staub zermahlen hatte. Das hatte ihren Geist zerstört. Sie waren zu Insassen eines Schattenreiches geworden, zu Höhlenbewohnern, in denen das Bewußtsein dafür erloschen war, daß es außerhalb noch eine Welt gab. Ihr Blick war vom Vorübergehn der Tagesordnung so müd geworden, daß er nichts mehr wahrnahm.

Welche Gespenster, dachte Christoph und wartete auf Breuer. Schließlich hatte er ihn gestern nicht erreichen können, und so wollte er ihn unbedingt vor dem Institutsrat abfangen, um ihn über den Beschluß im Promotionsausschuß zu informieren.

Er hatte inzwischen herausgefunden, daß der Doktorand Ferber längere Zeit bei ihm im Englischen Seminar als Hilfskraft gearbeitet hatte. Tatsächlich erinnerte er sich vage an ihn. Eine unauffällige Erscheinung, blond und blaß, doch bei den Sekretärinnen erfreute er sich offenbar großer Beliebtheit.

«So ein netter Mann», hatte Frau Krause aus der linguistischen Abteilung geschwärmt, «immer vergnügt und hilfsbereit. Und so klug», hatte sie hinzugefügt. «Ich habe immer zu ihm gesagt, Herr Ferber, habe ich gesagt, Sie sollten im Fernsehen auftreten, bei dem, was Sie alles kennen. Sie sind ja ein wandelndes Lexikon. Wissen Sie, Frau Seidel aus dem Geschäftszimmer, die ist doch Zeugin Jehovas und bildet sich auf ihre Bibelfestigkeit eine Menge ein. Und sie hat ihn gefragt, wer Jephta ist. Und wissen Sie was, er hat es gewußt. Er hat gesagt, Jephta, das ist ein, ich weiß nicht mehr, was er gesagt hat, aber es hat gestimmt. Da war die Seidel aber platt. Kein Wort hat sie mehr gesagt, und seitdem, wenn sie wieder mit ihrer Bibelfestigkeit anfängt, sagen wir nur immer: Jephta. Und dann ist sie ruhig.» Danach hatte sich Frau Krause noch das schrille Gelächter eines kleinen satirischen Exzesses gegönnt.

Christoph wunderte sich, daß dieser Ferber zugleich dem untrüglichen Instinkt von Frau Krause als robuste Frohnatur erscheinen konnte und doch einen solchen pathologischen Irrsinn beging, wie die Doktorarbeit eines Professors der eigenen Universität komplett zu kopieren und als seine eigene einzureichen. Wie konnte er sich nur einbilden, damit durchzukommen? Er mußte völlig verrückt sein, oder er hatte sich tatsächlich in einem pathologischen Ausnahmezustand befunden. Christoph hatte schon einige Fälle erlebt und von noch mehr gehört, in denen Doktoranden oder Examenskandidaten sich durch eine Art Schreibblockade in den Zustand höchster Verzweiflung hineingesteigert hatten. Und nicht ohne ein leichtes Kitzeln seines Zwerchfells erinnerte er sich an jenen Kandidaten, der statt einer Doktorarbeit eine gut gebundene Kladde mit leeren Seiten abgegeben hatte, wobei auf dem Deckblatt die Botschaft eingetragen war. «Alles Kacke.»

Christophs Gedankenflucht wurde durch die Ankunft des Geschäftsführenden Direktors, Professor Walter, unterbrochen. Nur wenige der Mitglieder sahen, daß der GD irgendwie gesammelter aussah als sonst.

Er legte seine Akten auf den Tisch, zog den Stuhl heran und setzte sich. Dann machte er eine so lange Pause, daß alle ihre Konversation oder ihr Aktenstudium unterbrachen und ihn aufmerksam anschauten. Schließlich begann er: «Liebe Kollegen, bevor wir in die heutige Tagesordnung eintreten, möchte ich eine Mitteilung machen, die außerhalb des Protokolls bleibt.» Er blickte kurz zu der protokollführenden Frau Krause hinüber, und sie nickte.

«Ich möchte Professor Breuer für heute entschuldigen. Er wird augenblicklich von der Polizei vernommen. Er hat mich heute morgen benachrichtigt, daß sein Doktorand und langjähriger Mitarbeiter Klaus Ferber tot ist.»

Im Raum breitete sich schlagartig eine andere Atmosphäre aus. Alle Anwesenden schienen aus einer langen Müdigkeit zu erwachen. In ihren steifen Körpern erhob sich das Gefühl der

Lebendigkeit vom Krankenlager und durchdrang sie mit neuer Elastizität. Es war, als ob neue Bewohner in eine Reihe Häuser eingezogen wären, die lange leer gestanden hatten, und nun die Fenster aufstießen, um zu lüften. Der tote Ferber hatten ihnen das Leben zurückgegeben.

Alle Augen blickten jetzt wach auf den Vorsitzenden.

«Herr Ferber», fuhr dieser fort, «wurde heute morgen früh vom Reinigungspersonal im Innenhof dieses Gebäudes gefunden. Er hatte sich offenbar vom zwölften Stock ins Atrium gestürzt. Jedenfalls ist es das, was die Polizei annimmt. Er hat ganz augenscheinlich Selbstmord begangen. Herr Breuer hat mir ferner mitgeteilt, daß er seine Doktorarbeit über die ‹Narrativen Strukturen des modernen Kriminalromans› eingereicht hatte, daß aber die Kommission ihn aufgefordert hatte, den Promotionsantrag wieder zurückzuziehen; es habe da noch Klärungsbedarf gegeben. Ob es einen Zusammenhang gibt zwischen dieser Aufforderung und dem Freitod von Herrn Ferber, wissen wir nicht. Das werden sicher die Ermittlungen der Polizei klären. Es muß uns aber auch nicht unbedingt interessieren. Ich zähle auf Ihr Einverständnis, wenn ich der Familie die Betroffenheit des Englischen Seminars über den so tragischen Tod eines jungen Wissenschaftlers zum Ausdruck bringe. Schließlich hat er hier längere Zeit als Mitarbeiter gewirkt. Bei Frau Seidel im Geschäftszimmer wird eine Spendenliste für einen Kranz und eine Kondolenzliste ausliegen. Die Polizei hat mich darauf hingewiesen, daß sie noch einige von uns befragen möchte. Dabei hat sie ausdrücklich Kollegen Sonnenfeld erwähnt, weil er Mitglied im Promotionsausschuß ist. Herr Sonnenfeld, Sie werden sich zur Verfügung halten?» Er schaute zu Christoph herüber.

«Ich muß aber heute noch nach Potsdam, um über meinen Ruf zu verhandeln. Außerdem habe ich denen versprochen, an den Beratungen über die Umstrukturierung des Seminars teilzunehmen.»

«Wann sind Sie wieder da?»

«Übermorgen.»

«Dann werde ich die Polizei entsprechend informieren.»

Und während der Geschäftsführende Direktor nun die Sitzung eröffnete und seine geschäftlichen Mitteilungen herunterleierte, stellte Christoph sich vor, wie der Doktorand Ferber zerschmettert auf dem Fußboden des Atriums lag, den Kopf zerplatzt, die Gelenke zertrümmert, inmitten einer Blutlache. Ob er bereits am Abend vorher gesprungen war?

Christoph hatte noch bis elf Uhr nachts über den Papieren der Potsdamer Evaluierungskommission gebrütet, und vielleicht waren die Schallwellen vom Aufschlag des Körpers, umhüllt von tausend kleinen Geräuschen der Nacht, an sein Ohr gedrungen, ohne daß er es bemerkte, und hatte leise die Härchen im Labyrinth seines Ohres bewegt. Vielleicht war er der einzige, der außer Ferber noch im Gebäude gewesen war. Und wäre er zufällig auf den Gang getreten, hätte er ihm begegnen können, den Blick bereits ins Jenseits gerichtet. Ob er ihn wohl hätte zurückholen können?

«Hallo, Herr Ferber, Sie haben da offenbar die Arbeit des Kollegen Wundt kopiert. Machen Sie sich nichts draus, das kann jedem mal passieren. Im Grunde kopieren wir doch alle. Sehen Sie doch Ihren Doktorvater, in allen seinen Arbeiten kein einziger Gedanke, der nicht irgendwo geklaut wäre. Alles zusammengestohlen. Im ganzen Englischen Seminar gibt es nicht eine eigenständige Idee. Und die wenigen, die mal eine originelle Idee von weitem sehen, sind doch nur Zwerge auf den Schultern von Riesen. Diese endlosen Arbeiten über Narrativik und das Absurde und die Ironie und das Begehren des Textes und die Rezeption des Romans sind doch nichts als Berge von leerem Stroh. Und deshalb wollen Sie sich in die Tiefe stürzen? Solch ein Entschluß ist viel kühner als die tiefsinnigste Arbeit. Lassen Sie es dabei, daß Sie es gewollt haben. Kommen Sie zurück auf die Erde, und gehen Sie mit mir einen trinken. Und dabei erzählen Sie mir, wie man sich fühlt, nachdem man sich dazu entschlossen hat zu springen.»

Ob das gereicht hätte, ihn zurückzuholen? Es wäre so leicht gewesen, ihm das zu sagen. Ferber war nur wenige Türen entfernt über das Geländer gesprungen. Aber gleichzeitig wirkte es genauso unmöglich, wie wenn er mitten in der Institutsratssitzung plötzlich zu singen begonnen hätte.

Eine Fahrt über die alte innerdeutsche Grenze kam Christoph immer vor wie eine Zeitreise zurück in die Vergangenheit. Wie durch Geisterhand erschienen wieder die alten Alleen seiner Kindheit aus den sechziger Jahren, die grauen Häuser mit den zerschossenen Fassaden, die Baulücken mit den Trümmerresten, die alte verblichene Schrift über Ladentüren und Benennungen wie *Papierhandel* oder *Kurzwaren*. Und erst die Potsdamer Universität in der Vorstadt Golm!

Er fuhr an endlosen Kasernen vorbei über eine Straße, deren Schlaglöcher der Rollbahn von Brest-Litowsk nach Minsk alle Ehre gemacht hätten. Im Geiste konnte er die Kolonnen von Kübelwagen vorbeiholpern sehen, wie er sie aus alten Kriegsfilmen kannte. Und das Universitätsgelände wie ein Haufen von Flughafenhangars am Rande eines verfallenen Rollfeldes. Die Parkplätze endlose Betonwüsten im märkischen Sand. Mit Markierungen, die, einst für Trabis entworfen, für die Westwagen viel zu klein waren. Aber Kenner hatten ihn sowieso gewarnt, sein Auto dort abzustellen, es würde unweigerlich aufgebrochen. Überhaupt mache er sich Illusionen über die Ex-DDR. Von Neuanfang sei keine Rede. Wenn er Hamburg schon öde fände, würde ihm Potsdam tödlich erscheinen. Und bis jetzt wirkte die Sitzung des Instituts rats des anglistischen Seminars nicht viel anders als zu Hause. Und doch war sie ganz anders.

Christoph versuchte noch herauszukriegen, worin der Unterschied bestand, da vollzog sich plötzlich unter seinen Augen mit dem Vorsitzenden eine merkliche Verwandlung. Aus dem müden, entrückt wirkenden Graukopf wurde plötzlich ein straffer, selbstsicherer Mann, der mit entschiedener Stimme sprach: «Bevor wir in die Geschäftsordnung eintreten, gibt es noch etwas Erfreuliches. Ich habe das Vergnügen, eine Promotionsurkunde zu überreichen.»

Christoph blickte sich um. Hinter ihnen erhob sich ein junger Mann. Was war das, das ihn unverkennbar östlich wirken ließ? War es die brutale Sonntäglichkeit des Anzugs, der so wirkte, als habe sich der Palast der Republik in ein Textil verwandelt? Oder war es die entschlossene Form, mit der er sein volles braunes Haar der Disziplin eines breitzinkigen Kamms unterworfen hatte, so daß die straffen Strähnen so parallel lagen wie die Saatreihen auf der Luftaufnahme einer LPG?

Christoph hatte Mühe, diese Qualität zu bestimmen. Es war etwas Subtiles, kaum Wahrnehmbares, etwas, das wie Mehltau auf dem ganzen Gesicht lag und ihm jene physiognomische Verschüttetheit verlieh, die überall in der sozialistischen Welt die mittleren Kader ausgezeichnet hatte. Es war diese Qualität des frischgebackenen Doktors, die in dem Vorsitzenden des Institutsrats die plötzliche Verjüngung bewirkt hatte und ihn so reden ließ, als hätte die Wende nicht stattgefunden.

Und für einen Moment hatte Christoph das Gefühl, daß sich die um ihn herumfliegenden Eindruckstrümmer wieder zur gelebten Realität der DDR zusammensetzten. Ihn schwindelte, als ob er wieder seine Zeitmaschine bestiegen hätte. Nach dem Kollaps der DDR waren die alten Rollen- und Identitätsmuster in tausend Stücke zersprungen, und die Fragmente drifteten wie schwerelos nun um ihn herum. Aber plötzlich trafen sich zwei zusammengehörige Teile wie der junge Doktorand und der Institutsdirektor. Und dann erwachten sie ruckartig zu ihrem alten Leben, wie die Dornröschengesellschaft nach der Erlösung, um sich anschließend wieder zu trennen und in ihren somnambulen Zustand zurückzufallen.

Und so senkte sich wieder jene gespenstische Qualität der Unwirklichkeit auf den Institutsrat, wäre da nicht diese Frau gewesen. Auch sie gehörte einer anderen Zeit an, aber es war eine Zeit vor der DDR. Die Zeit, in der man sich deutsche Frauen wie das Niederwald-Denkmal vorstellte. Wie Kriemhild, bevor sie zur Furie wurde. Ihre Augen waren so blau wie der Himmel und ihre Haare so blond wie Weizenfelder. Christophs Blick kehrte immer wieder zu ihr zurück, und jedesmal hielt sie ihre blauen Augen groß und direkt auf ihn gerichtet.

Unter der unbeirrbaren Konstanz dieses Blickes verschwammen alle anderen Teilnehmer des Institutsrats im Nebel. Der Professor für Linguistik verlor ebenso seine Konturen wie die frisch berufene Professorin für Amerikanistik aus Düsseldorf. Ganz zu schweigen von der Truppe von einheimischen Sprachpraktikern, Mittelbauern, Kustoden und Inhabern von Funktionsstellen.

Derweil redete der große Vorsitzende über die Dienstgeschäfte, und dabei ging es um den Bericht über die Hochschulstrukturkommission, die Evaluierung der Forschung, die Überleitung des Mittelbaus und die neuen Strukturen. Der Vorsitzende redete pausenlos und gnadenlos und monoton. Und die Zuhörer hörten versteinert zu. Niemand machte einen Einwurf, keiner stellte eine Frage. Sie saßen da wie zum Tode Verurteilte.

Je länger Christoph zuhörte, desto mehr hatte er das Gefühl von *double speak*, und unter der Oberfläche wurde der gedämpfte Ton eines unterirdischen Bedeutungsflusses hörbar – ein Ton der Renitenz und des latenten Grolls. Zwischendurch schielte der Vorsitzende mit toten Augen zu ihm herüber, um zu prüfen, wie er reagierte. Da spürte er, daß er sich bereits dieselbe bleierne und ausdruckslose Miene zu geben versuchte, die er bei dem Doktoranden beobachtet hatte.

Mein Gott, dachte er, wie schnell wäre es mir gelungen, mich in den Sozialismus zu integrieren. Die Panik beginnender Schizophrenie überflutete ihn. Er fühlte sich plötzlich unsichtbar und sehnte sich nach der vertrauten Ödnis seines Hamburger Institutsrats zurück. Der Vorsitzende redete weiter wie der steinerne Gast. Die Teilnehmer an der Sitzung wirkten wie Lemuren. Ihr Leben war nach innen geschlagen, und äußerlich wirkten sie wie abgestorben.

Plötzlich, wie es einem wie Schuppen von den Augen fällt, verstand Christoph, was vorging. Er selbst war die Ursache dieser Verschüttetheit. Er war der neue Politruk, er repräsentierte die neue Ordnung, die aus dem Westen kam. Darauf reagierten die DDRler mit der Spaltung in eine äußere tote Maske und einen inneren lebendigen Kern. Sie behandelten ihn, den Wessie, genau so, wie sie ihre alten Oberen aus der DDR-Zeit behandelt hatten. Die Freiheit kam als neue Parteilinie.

Der Vorsitzende war inzwischen zu untergründigen Beschwerden übergegangen. Er beklagte einen unklaren Mißstand über mangelnden Informationsfluß. Offenbar war etwas Wichtiges abhanden gekommen. Und er hatte erst jetzt davon erfahren, so daß die Polizei zu spät kam.

Die Gesichter der Teilnehmerrunde wurden um einen Grad bleierner. Früher mußten diese unklaren Anklagen das Vorspiel zu einer großen Denunziation gewesen sein, der Vorbote einer größeren beruflichen Katastrophe. Offenbar galten die Beschwerden einer mausigen Fachdidaktikerin, denn sie war plötzlich aufgewacht und starrte mit erschreckten Augen den grauen Vorsitzenden an.

Schließlich hielt sie es nicht mehr aus: «Das ist jetzt ungerecht, Emil. Wir haben den Diebstahl an die Leitungskader weitergemeldet, und daß die Information nicht mehr durchkommt, liegt an der neuen Ordnung. Da kannst du uns nicht für verantwortlich machen.»

Der Vorsitzende fuhr unbeeindruckt fort, sich in unklaren Anklagen und Beschwerden zu ergehen.

Da platzte Kriemhild plötzlich los: «Weißt du, Emil, ich habe mir das bis jetzt alles angehört, aber ich verstehe kein Wort von dem, was du sagst! Könntest du nicht ein bißchen deutlicher werden?»

Alle drehten sich nach ihr um. Die Maus riß die Augen auf.

Der Professor für Linguistik sagte laut: «Ha!», und die Mittelbauern steckten die Köpfe zusammen und tuschelten.

Der große Vorsitzende aber lächelte dünn. Ja, der Himmel stürzte nicht ein, und kein Blitz schlug in Kriemhilds blondes Haupt, sondern der Vorsitzende lächelte.

«Deutlicher werden», sagte er vorsichtig. «Du hast recht, Genossin, will sagen, Kollegin, hier muß vieles deutlicher werden. Ich finde das eine produktive Bemerkung.» Er schaute vorwurfsvoll in die Runde. «Wir brauchen solche produktiven Einstellungen», womit er zu verstehen gab, daß die anderen Kollegen es daran hatten fehlen lassen. «Ich finde die Bemerkung von Sabine äußerst produktiv. Wir müssen das schöpferisch weiterentwickeln. Worum es uns gehen muß, ist Deutlichkeit.»

War das ein bedingter Reflex? Brauchte er einen zentralen Begriff, auf den er eine imaginäre Parteilinie bringen konnte, so wie Antifaschismus, Friedensoffensive, Volksfront, Zusammenschluß aller fortschrittlichen Kräfte, sozialistische Wachsamkeit? War Deutlichkeit jetzt das neue Programm, so wie Ernteschlacht oder Planerfüllung? Oder hatte Kriemhild eine geheimnisvolle Macht über den alten Vorsitzenden? Eine Macht, die aus mythischer Vorzeit stammte und deshalb unheimlich war? Täuschte er sich, oder war der Vorsitzende wirklich zusammengezuckt, als Kriemhild ihre Stimme erhob?

Wovor hatte er Angst? Vor der Rache der Nibelungen?

Inzwischen hatte der Vorsitzende von seinen vagen Anklagen abgelassen und sich dem Programm der neuen Deutlichkeit zugewandt. «Ich nehme die Gelegenheit zum Anlaß, Kollegen Sonnenfeld aus dem Westen zu begrüßen. Möge sein Wirken bei uns ein schöpferisches und harmonisches sein. Wir werden alles uns Mögliche tun, um ihn bei seinen Bemühungen zu unterstützen, denn wir alle können von seinen Erfahrungen lernen», fügte er, an Christoph gewandt, mit einem dünnen Lächeln hinzu, und Christoph fühlte wieder diesen scheußlichen Zwang, genauso dünn zurückzulächeln.

Christoph übernachtete im Gästehaus der Universität gegenüber dem großen kaiserlichen Schloß, das den Sanssouci-Park abschloß. Es besaß den spartanischen Charme einer gehobenen Jugendherberge, denn hier hatte die Stasi früher ihre Gäste untergebracht. Gestählte Führungsoffiziere, allzeit wachsame Tschekisten, treue Jünger von Dscherdschinskij, Jagoda und Jeschow, das Schild und das Schwert der Partei.

Jetzt wirkte das Haus wie ausgestorben. Still lag es am Waldrand, während sich langsam die Dämmerung herabsenkte. Von seinem Zimmer im Erdgeschoß aus konnte Christoph die Kaninchen auf der Wiese hinter dem Haus sehen. Er hatte in der Gemeinschaftsküche eine Dose mit Pulverkaffee gefunden, die ein durchreisender Professor dort zurückgelassen hatte, und saß nun, den Becher mit Kaffee in der Hand, auf seinem Bett, während er die Erlebnisse des Tages in seinem Inneren wieder aufbrühte.

Der große Vorsitzende hatte ihn nach der Sitzung noch in sein Büro geschleppt und ihm allerhand anspielungsreiche Mitteilungen gemacht, mit denen er ihn in eine Konspiration der Vertraulichkeit ziehen wollte. Schließlich würde er ja vielleicht einmal ein Kollege werden, der hier den Ton angab.

Die wenigsten von all diesen Andeutungen hatte Christoph verstanden, aber er hatte keine Fragen gestellt, um nicht noch mehr unverständliche Andeutungen zu provozieren. Nur bei der Verabschiedung, als er die Klinke schon sicher in der Hand hielt, hatte er sich rundheraus nach der blonden Kriemhild erkundigt.

«Frau Dr. Volkelt, eine sehr verdiente Genossin – ich meine, Mitarbeiterin – will sagen, Wissenschaftlerin, von Haus aus Amerikanistin. Hatte schon vor der Wende ausgezeichnete Westkontakte, war zum Studium in Philadelphia und Boston. Unseren kleinen Dissens dürfen Sie nicht ernst nehmen, wir arbeiten sehr gut zusammen. Eine hübsche Frau, finden Sie nicht?» fügte er etwas sprunghaft hinzu. «Und sie war sehr aufgebracht, weil bei uns ins Magazin eingebrochen worden war und die zuständige Kraft das nicht weitergemeldet hatte. Die Kriminalität hat seit der Wende erschreckende Ausmaße angenommen. Was halten Sie von der These, daß deshalb der Kriminalroman eine typische Literaturgattung des Kapitalismus ist?» Der Vorsitzende ließ wieder sein dünnes Lächeln sehen.

Ob denn etwas Wertvolles gestohlen worden sei, wollte Christoph wissen.

«Nur ein paar alte Dissertationen, nicht der Rede wert. Deshalb verstehe ich gar nicht, warum Sabine – also Frau Volkelt – so aufgebracht war. Aber die Menschen sind wegen dieser ständigen Überfälle und Einbrüche stark verunsichert, besonders Genossinnen, will sagen, die Frauen. Und dafür muß man als Mann Verständnis haben, finden Sie nicht?»

Als Christoph jetzt aufblickte, bekam er einen Schock. Vor dem Fenster in der Dämmerung draußen stand Kriemhild, in der Hand eine Flasche, und winkte ihm zu. Als er das Fenster öffnete, setzte sie sich auf den niedrigen Sims, schwang die Beine herüber und stand im Zimmer. «Ich dachte, Sie brauchen nach diesem Kulturschock etwas Wiederbelebung», sie wedelte mit der Flasche. «Es ist russischer Wodka.» Sie setzte die Flasche auf den Tisch in der Sitzecke. «Kommen Sie, holen Sie uns zwei Gläser, wir machen uns eine russische Nacht. Und ich bringe Ihnen alles über unser sozialistisches Vaterland bei.» Dabei lachte sie das Lachen der Siegesgewissen.

Als Christoph mit den Gläsern zurückkam, hatte Kriemhild das Deckenlicht ausgeknipst, die Nachttischlampe angeschaltet und die Haare gelöst. Sie nahm ihm die Gläser ab, stellte sie auf den Sitzeckentisch und schubste ihn mit leichter Bewegung in den Sessel.

«Ich habe alle Ihre Arbeiten gelesen und wollte Sie gerne kennenlernen.»

Christoph lockerte den Kragen. Die Atmosphäre hatte sich mit elektrischer Spannung aufgeladen. Die Dämmerung draußen war jetzt der schwarzen Nacht gewichen, und hier drinnen sandte die spießige Nachttischlampe mit ihrem staubigen Stoffschirm ein goldenes Licht aus, das sich als einziges Ziel Kriemhilds gelöstes Haar ausgesucht hatte.

«Sie haben mal einen Artikel über den Topos der nackten Wahrheit geschrieben.» Während sie das sagte, legte sie die Hände auf die Hüften, und zu Christophs Erstaunen ließ sie die Andeutung einer Welle durch ihren Körper laufen. Sie hatte sich nach der Sitzung umgezogen und trug nun ein enganliegendes Kleid.

Ohne den Blick von ihr zu wenden, goß er zwei Gläser ein, stand auf, reichte ihr eins, und sie kippten den Wodka zugleich.

«Also, russische Nacht nennen Sie das», sagte er.

Sie lächelte und schubste ihn zurück in den Sessel. Ganz leise begann sie zu summen, und wieder ließ sie einen kleinen Schauer durch ihren Körper laufen. Er schien bei den Knien zu beginnen und stieg dann langsam über die Schenkel und Hüften nach oben. Aber kaum hatte er ihren Hals erreicht, wurde er von einem größeren Bruder verfolgt und dieser von einem noch größeren, bis der Rhythmus ihren ganzen Körper beherrschte. Dann preßte sie beide Hände flach gegen die Hüften und begann, langsam, mit einem Finger nach dem anderen, den Stoff des Kleides zusammenzuziehen. Zentimeter für Zentimeter wanderte der Saum des Kleides nach oben und enthüllte das cremefarbene Fleisch ihrer Schenkel. Christoph starrte sie an, wie hypnotisiert. Die Selbstverständlichkeit, mit der sie einen regelrechten Striptease vorführte, hatte ihm die Sprache verschlagen. Er saß da wie in Trance und wartete auf den Moment, in dem der immer weiter steigende Saum des Kleides den Rand des Slips erreichen und den Blick auf den Ursprung der Menschheit freigeben würde.

Christoph fühlte, wie er zitterte. Unter der Anspannung war sein Ego in zwei Teile zersprungen, und die eine Hälfte hatte in seinen Augen und die andere in seiner Erektion Wohnsitz genommen. Den Zwischenraum füllte er mit Wodka aus.

Aber kurz bevor Kriemhild ihren Äquator überquerte, ließ sie plötzlich ihr Kleid wieder fallen und drehte sich um. Sie versetzte nun ihren Hintern in kreisende Bewegung, indem sie im Rhythmus der Ondulation ihr Körpergewicht von einem Bein auf das andere und wieder zurück verlagerte und so ihre beiden glorreichen Hinterbacken ständig gegeneinander verschob. Gleichzeitig öffnete sie mit einem zielsicheren Griff das Kleid auf dem Rücken und begann, langsam die Ärmel und Schultern abzustreifen, bis sie den schlaffen Stoff vor ihrer Brust versammelte und keusch in ihren Armen hielt.

In dieser Haltung drehte sie sich einmal um sich selbst, und Christoph konnte sehen, daß sie keinen BH trug. Die Kreisbewegungen ihres Hinterns wurden heftiger und hemmungsloser. Sie trat einen Ausfallschritt zur Seite, so daß sie nun so breitbeinig dastand, wie das Kleid es zuließ. Dann rollte sie es von oben nach unten über ihre Hüften, drehte sich um, ließ es auf ihre Schuhe fallen und schleuderte es mit der Spitze ihres Schuhs durch den Raum.

Mit nichts als ihrem Slip bekleidet, wölbte sie die Schultern nach vorn und kreuzte die Arme vor der Brust, um die unglaublich weichen und vollen Brüste vor der Profanierung seines Blicks zu beschützen: Vergeblich, sie quollen immer wieder zwischen ihren Armen hervor – wie zwei Puddings, die lebendig geworden waren.

In komischer Verzweiflung blickte ihn Kriemhild an, als ob er ihr dabei helfen könnte, die beiden ungezogenen, lieblichen Lümmel einzufangen, um schließlich mit einer desperaten Geste den Kampf aufzugeben, als wollte sie sagen: Ich habe alles versucht, aber sie sind einfach zu ungebärdig. Mach mit ihnen, was du willst.

Und zum erstenmal sah Christoph an den beiden Schwerpunkten dieses Gravitationsfeldes die untertassengroßen Brustwarzen, deren schierer Umfang ihm den Atem nahm. Unterdessen waren ihre Hände zu ihrem Slip gewandert. Mit den Daumen fuhr sie sanft unter den Rand, zog den Stoff vom weichen Fleisch ihres Bauches unter dem Nabel weg und ließ ihn wieder zurückschnellen. Dann vollführten ihre Finger nacheinander dasselbe Spiel an der Stelle, wo der Venushügel sich unter dem Stoff wölbte. Schließlich massierte sie den Venushügel selbst. Dabei wurde sie immer ekstatischer, die Massagebewegungen wurden immer ausgreifender, bis sie mit einer Hand zwischen ihre Beine griff, während die andere Hand ihr Brust malträtierte.

Schließlich krümmte sie sich konvulsivisch, schleppte sich zum Bett, ließ sich auf den Rücken fallen, rollte den Slip langsam über die erhobenen Beine und eröffnete dann den Blick auf den Ursprung der Welt, so daß Christophs Bewußtsein mit seinem Unterbewußtsein verschmolz und sich die beiden Hälften seines Egos in seiner Erektion wiedervereinigten, während er sich mit Kriemhild vereinigte und zusammenwuchs, was zusammengehörte.

Als er aufwachte, spürte er schon im Halbschlaf die Gewißheit, daß sein Leben sich verändert hatte. In dieser Nacht war er auf ein erotisches Terrain vorgestoßen, von dem er gar nicht gewußt hatte, daß es existierte. Er hatte etwas erlebt, das so unbedingt war wie der Tod.

Neben ihm lag die schlafende Kriemhild auf dem Bauch, und er konnte sehen, wie ihr linker Nasenflügel beim Ausatmen leicht zitterte. Diese Frau durfte er nie wieder aufgeben. Gleichgültig, was sie geplant hatte oder ob sie liiert oder verheiratet war. Es bedeutete nichts neben der evolutionären und historischen Notwendigkeit, daß er diese Frau behalten mußte, koste es, was es wolle.

Als er sich darüber klargeworden war, schlief er wieder ein.

Aus diesem Nirwana wurde er von einem Geräusch geweckt. Kriemhild saß in seinem Oberhemd auf einem Stuhl und hatte einen Pappkarton aufgerissen, aus dem sie ein Buch herausfischte.

«Ich wußte, daß er sie hier versteckt haben mußte», murmelte sie zu sich selbst.

Christoph stützte sich auf den Ellbogen und sah ihr zu. Sein Oberhemd reichte ihr gerade zu den Schenkeln, und er mußte an sich halten, um nicht aus dem Bett zu springen und sie zu umarmen. Er dachte an den Raub der Sabinerinnen.

«Sabine – du heißt doch Sabine?»

Sie reagierte nicht. «Hier ist sogar die Liste.»

«Ich liebe dich.»

Sie blätterte in der Liste. «Aber nicht mehr lange.»

«Mein ganzes Leben lang.»

«Keine fünf Minuten.»

«Wenn ich es länger schaffe, gibst du mir dann eine Chance?»

Sie drehte sich kurz zu ihm um. «Na gut, ich habe nur mit dir geschlafen, weil ich das hier gesucht habe. Anders wäre ich nicht hier hereingekommen. Und ich wußte, daß er sie hier versteckt hatte.»

«Wer?»

«Dein Kollege Klaus Uwe Walzel.»

Christoph war verblüfft. Was hatte Walzel hier verloren?

«Er hat in diesem Zimmer gewohnt, als er bei uns die Linguistik-Stelle vertreten hat. Von euch kommen jetzt all die gescheiterten Wissenschaftler zu uns, die hoffen, sie könnten in den Kolonien noch etwas werden.» Sie wühlte in der Kiste mit den Büchern.

«Walzel ist eine Niete», entgegnete Christoph.

«Eben. Und deshalb hat er versucht, bei uns im trüben zu fischen. Er hat sich an diese Fachdidaktikerin rangemacht, die Genosse Halfmann gestern in der Sitzung aufs Korn genommen hat, und die hat ihm dann von unserem Giftschrank erzählt.»

«Giftschrank?»

«Na ja, da waren all die West-Dissertationen drin, die früher nur ausgesuchte Leute lesen durften», sie wies auf das Paket, das sie aufgerissen hatte. «Und nach der Wende hat der

Genosse Vorsitzende der Fachdidaktikerin den Auftrag erteilt, die Deckblätter unkenntlich zu machen, so wie bei der hier.» Sie warf ihm eine Arbeit aufs Bett. «Offenbar wollte er sich für seine Vorlesung heimlich daraus bedienen, weil doch jetzt West-Wissenschaft gefordert ist.»

Christoph blätterte in der Arbeit, die da halb aufgeschlagen auf dem Bett lag.

«Und dein Kollege Walzel hat das Konvolut geklaut.»

Plötzlich hielt Christoph beim Blättern inne und pfiff durch die Zähne. «Das ist doch …», entfuhr es ihm. «Hör dir mal das an», und er las: «Schon Tyljanov hat festgestellt, daß der Kriminalroman nur in kapitalistischen Ländern verbreitet ist. Er tröstet über die allseitige Anomie und Kontingenz durch die Suggestion einer Ordnung hinweg, die letztlich aus dem Gegensatz Immanenz–Transzendenz gewonnen wird. Damit wird die kapitalistische Alltäglichkeit durch den Blick auf einen Fixpunkt, der absolute Geltung beansprucht, entbanalisiert. Das bedeutet Ästhetisierung aus dem Geist der Metaphysik, gemäß Marx' Diktum ‹Religion ist Opium für das Volk›.»

Kriemhild blickte ihn fragend an: «Na und, was soll daran bedeutsam sein? Klingt für mich nach gutem altem Neomarxismus aus der Frankfurter Kaderschmiede.»

«Das ist wörtlich aus einer Dissertation, die wir in Hamburg gerade im Promotionsausschuß abgelehnt haben.» Und Christoph erzählte Kriemhild die Geschichte, wie Ferber die Doktorarbeit von Professor Wundt kopiert und sich dann, als es herauskam, im Atrium der Universität zu Tode gestürzt hatte. «Dann muß dies hier ja eine Kopie von Wundts Dissertation sein.»

Kriemhild war aufgesprungen. «Und ich weiß jetzt, warum Walzel diese Dissertationen geklaut hat. Er muß geglaubt haben, es wären alte DDR-Arbeiten.»

Christoph verstand nicht. «Was konnte er damit anfangen?»

«Verstehst du nicht, du Schaf? Er wollte damit einen Handel aufmachen. Die DDR-Dissertationen wurden im Westen ja nicht zur Kenntnis genommen, und viele galten sowieso als geheim, auch diejenigen, die völlig harmlos waren.»

«Wieso?»

«Na, erstens war die ganze DDR immer paranoisch, und zweitens konnten die Abteilungen so verheimlichen, wie schlecht sie waren. Also haben die …», sie unterbrach sich und schlug sich mit der flachen Hand gegen die Stirn. «Der Walzel war in der Kommission, sagst du?»

«Ja, er wollte den Ferber dazu veranlassen, seinen Promotionsantrag zurückzuziehen.»

«Ach, du ahnst es nicht!»

«Was ist?»

Krimhild lief jetzt im Zimmer auf und ab. Sie schien vergessen zu haben, daß sie nur mit einem Herrenhemd bekleidet war. «Dieser Doktorand muß die Arbeit von Walzel gekriegt haben. Walzel hat die Bekanntschaft mit der Mika – das ist diese Ziege von Fachdidaktikerin – ausgenutzt und die Arbeiten geklaut und hier versteckt. Dann hat er Kopien gemacht und diese Arbeit an Herrn Ferber verkauft, entweder direkt oder über einen Titelhändler, den er schon vorher beliefert hat. Eine Arbeit mit allem Drum und Dran bringt heute 40000 Mark auf dem Markt.»

«Woher weißt du das?»

«Ich habe es auch versucht.»

Christoph starrte Kriemhild entgeistert an. «Du hast …», er konnte den Satz nicht zu Ende bringen.

«Ja, ich habe es versucht.» Sie pflanzte sich vor ihm auf und stemmte die Hände in die Taille, so daß das Hemd nach oben rutschte. «Was glaubst du denn, was hier los war? Die ganze Zeit über drohte uns die Abwicklung, jeden Tag mußte man damit rechnen, wegevaluiert zu werden. Überall tauchten diese Wessies auf, schnüffelten hier herum, schrieben da eine Empfehlung, und weg war ein ganzes Berufsleben. Die hatten ja keine Ahnung. Erst habe ich mit jedem Wessie geschlafen, den ich für einflußreich hielt.»

«Auch mit Walzel?»

Kriemhild ignorierte die Frage. «Dann habe ich mir eine eiserne Reserve angelegt mit diesen Dissertationen, um sie auf dem freien Markt zu verkaufen. Und da kommt dieses Arschloch und klaut sie mir.»

Sie war jetzt richtig wütend und blitzte Christoph aus ihren himmelblauen Augen an, als ob er an der ganzen Misere schuld wäre. Dann beugte sie sich zu ihm herab, packte ihn bei den Haaren und schrie: «Na, Casanova, liebst du mich immer noch?»

Christoph schaute entrückt zurück. «Weißt du was», flüsterte er, «wenn du recht hast mit Walzel, dann hat dieser Ferber gar nicht Selbstmord begangen ...»

«Ob du mich immer noch liebst, habe ich dich gefragt.»

«... dann hat der Walzel ihn umgebracht. Jetzt verstehe ich auch, warum er unbedingt ein Disziplinarverfahren verhindern wollte. Dann wäre ja enthüllt worden, daß er es war, der dem Ferber die Dissertation geliefert hat. Und als er dann noch von der Kommission beauftragt wurde, den Ferber zur Rücknahme des Promotionsantrags zu überreden, dachte er, er könnte alles klären. Wahrscheinlich hat da ein Mittelsmann mitkassiert, und als der Ferber sein Geld zurückhaben wollte, spielte der Mittelsmann nicht mit. Ferber drohte mit Enthüllung, da hat der Walzel ihn nachts über das Geländer gekippt. Ja, so muß es gewesen sein. Und dich liebe ich immer noch.»

«Wirklich? Obwohl ich mit all diesen Wessies geschlafen habe?»

«Die List der Vernunft. So hast du endlich mich gefunden.»

«Und obwohl ich dich nur benutzt habe?»

«Ich liebe es, benutzt zu werden.»

«Und obwohl ich Dissertationen verhökere?»

«Das tue ich auch, nur daß ich dafür kein Geld kriege.»

«Und obwohl ich eigentlich lesbisch bin?»

Christoph holte seinen ultimativen Satz aus dem Handgepäck der entwaffnenden Zitate. «Niemand ist vollkommen.»

Da fiel Krimhild ihm um den Hals, und sie überließen sich einer neuen Orgie im ehemaligen Gästehaus der Stasi gegenüber dem alten Hohenzollernschloß am Ende des Sanssouci-Parks.

Mit seinen lang herabfallenden Spaghettihaaren und seinem Ziegenbart wirkte der vernehmende Kriminalkommissar eher wie eine Art Pädagoge, als er Christoph in der Polizeidienststelle am Hamburger Innocentiapark gegenübersaß und geräuschvoll seinen kalt gewordenen Kaffee schlürfte. Er setzte seinen Becher ab, blickte Christoph an und begann mit der Müdigkeit eines Lehrers, der einem vernagelten Schüler zum hundertsten Mal erklärt, daß man bei schlechten Leistungen keine gute Zensur erwarten kann: «Sie sind doch Wissenschaftler, da müßte Ihnen doch die Erfahrung vertraut sein, daß eine Sache aus einer anderen Perspektive ganz anders aussehen kann. Oder nicht?»

«Aber das ist doch absurd. Ich habe ihn nicht umgebracht.»

«Sehen Sie, was Sie uns da erzählt haben, könnte doch allein dem Zweck dienen, den Verdacht von sich ab und auf Herrn Walzel zu lenken. Diese ganze wunderbar logische Geschichte mit genauer Kenntnis der Titelhändlerszene, der Mittelsmänner, der Herkunft der Dissertationen, sogar der korrekten Preise – das kann sich doch gar kein Unschuldiger ausdenken. Und dann finden wir auch noch in Ihrem Wagen diese Arbeiten, die Sie gerade wegschaffen wollten.»

«Ich wollte sie nicht wegschaffen. Ich hatte sie im Gästehaus der Universität Potsdam gefunden.»

«Warum haben Sie sie dann nicht der Universität zurückgeben?»

Christoph zögerte. Er hatte es bis jetzt vermieden, Kriemhilds Rolle in der Sache zu erwähnen, sonst würde man ja ihren dunklen Geschäften auf die Spur kommen.

«Ich wollte sie mir mal ansehen.»

«Obwohl Sie von Professor Halfmann gerade erfahren hatten, daß Arbeiten aus dem Archiv entwendet worden waren?»

Christoph zuckte innerlich zusammen. Woher wußte er das? Er mußte sich schon bei dem großen Vorsitzenden erkundigt haben.

«Kommen Sie, Sie verschweigen uns etwas. Das ist so deutlich wie ein großes schwarzes Loch und pulst noch stärker. Sie stellen geradezu eine Illustration des Paradox vom beredten Schweigen dar.»

Christoph sagte nichts.

«Professor Sonnenfeld, ich habe Hunderte von Verdächtigen, was sage ich, wahrscheinlich Tausende verhört. Ich bin geradezu ein Experte für beredtes Schweigen. Ich könnte eine kommunikationswissenschaftliche Dissertation über beredtes Schweigen schreiben.» Und mit einem kurzen trockenen Lachen fügte er hinzu: «Die könnten Sie dann für 40000 Mark verkaufen. Was ich damit sagen möchte, ist, daß ein blutiger Anfänger wie Sie mich nicht täuschen kann. Geben Sie auf. Das spart uns eine Menge Zeit.»

Christoph sagte nichts.

«Nun gut, dann sage ich Ihnen, was Sie verschweigen. Sie haben einen Komplizen oder eine Komplizin, heute muß man ja politisch korrekt sein.» Wieder das trockene Lachen. «Also, diese Komplizin hat die Dissertationen beiseite geschafft, und nachdem die Fachdidaktikerin endlich eine Anzeige wegen des Einbruchs ins Archiv bei der Polizei aufgegeben hatte, mußte sie sie loswerden. Diese Person war Ihre Quelle. Sie ist wahrscheinlich an der Potsdamer Universität beschäftigt oder war es, bis sie abgewickelt wurde. Und die wollen Sie nun decken.»

Christoph wurde es unheimlich. Er beschrieb ja Kriemhild. Könnte es so gewesen sein? War sie vielleicht Walzels Lieferantin gewesen? Aber warum hatte sie ihm dann die ganze Geschichte erzählt? Was wußte Christoph eigentlich von ihr? Er hatte sie «erkannt», wie es in der Bibel heißt, aber er wußte nichts über sie.

Ein uniformierter Beamter betrat den Raum und flüsterte mit dem Kommissar. Dann kommandierte dieser: «Soll reinkommen!»

Der Uniformierte verschwand und kehrte kurz darauf mit einer Frau zurück. Es war Kriemhild. Sie hatte eine Art Staubmantel an und wirkte verweint. Der Kommissar und Christoph waren aufgestanden, der Uniformierte schob einen Stuhl an die dritte Tischseite, und als er wieder gegangen war und die Tür hinter sich geschlossen hatte, setzten sich alle drei an den Tisch.

Kriemhild griff quer über die Tischplatte nach Christophs Händen und hielt sie fest. Sie schluchzte, und dann sagte sie, indem sie ihre tränenschimmernden himmelblauen Augen zu ihm aufschlug: «Verzeih mir, Geliebter.»

Christophs innere Organe erlitten eine Generalkontraktion. Er mußte fast selber weinen. «Was denn, Sabine, was soll ich dir verzeihen?»

Wieder sah sie ihn so an, daß er fast einen Hirnkrampf bekam. Dann schluchzte sie laut auf. «Ich habe alles gestanden. Alles.»

Christophs Hirn wurde nun unklar, und es breitete sich Nebel aus.

«Alles. Unsere Beziehung, den Titelhandel, wie wir die Dissertationen beiseite geschafft haben, wie du sie verkauft hast.» Pause. Dann leise: «Und auch, daß du den Ferber umgebracht hast.» Sie drückte seine Hand fester. «Ich weiß, du hast es für mich getan, aber ich habe es nicht gewollt. Es wäre nicht nötig gewesen, Liebling. Wir hätten auch einen anderen Weg gefunden.» Langsam und behutsam legte sie seine Hände auf den Tisch zurück, so wie man ein kostbares Kristall ablegt, ohne es zu beschädigen, stand auf und verließ den Raum.

Professor Christoph Sonnenfeld stürzte über das Geländer seiner vertrauten Welt, und nach einem langen freien Fall schlug er in einer anderen Welt auf den Boden.

Später erzählte ihm der Kommissar, er sei damals ohnmächtig vom Stuhl gefallen. Das war eine Woche danach, und sie saßen zusammen in der Polizeikantine.

Inzwischen war Professor Dr. Arno Wundt wegen Mordes an dem Studenten Ferber verhaftet worden.

«Woher wußten Sie denn, daß es nicht Walzel war?» fragte Christoph.

«Na, der hatte für die Todesnacht ein Alibi. Das ließ nur Sie beide übrig, deshalb konnte die Geschichte, die Sie mir auftischten, nicht stimmen. Der Ferber hatte die Arbeit wirklich von einem Titelhändler. Wir haben ihn schon geschnappt. Die Sache dem Walzel in die Schuhe zu schieben war auch nur die erste Variante, für die Sie gebraucht wurden. Wenn sich das als unglaubwürdig herausstellte, sollten Sie sich damit selber belasten. Immerhin waren Sie in der Mordnacht ja im Gebäude.»

«Und wie in aller Welt sind Sie dann auf Wundt verfallen?»

«Wieso verfallen? Wir hatten ihn von Anfang an im Visier.»

«Was? Und warum haben Sie mich dann verhaftet?»

«Sie waren nicht verhaftet. Das haben wir nur der Presse gesteckt, damit Wundt und seine Komplizin Frau Volkelt annehmen konnten, ihr Plan sei aufgegangen und wir glaubten, daß Sie der Mörder seien. Übrigens eine bemerkenswerte Frau, das muß ich Ihnen lassen. Ja, ja, schon gut, ich möchte Ihnen nicht zu nahe treten. Also, wir wußten, daß er sich erst dann wieder mit ihr in Potsdam treffen würde, wenn er sich sicher sein konnte, außer Verdacht zu sein und nicht mehr beobachtet zu werden.»

«Und wieso wollten Sie ihn nach Potsdam bekommen?»

«Na, da konnten wir sie abhören.»

«Was?»

«Was ich Ihnen jetzt sage, muß unter uns bleiben, versprechen Sie mir das.»

Christoph nickte.

Der Kommissar drohte ihm schelmisch mit dem Finger. «Wenn Sie sich nicht dran halten, hänge ich Ihnen doch noch ein Verfahren wegen Beihilfe an. Also, die Universität Potsdam war früher die Stasi-Hochschule. Da lief das ganze Abhörnetz der DDR zusammen. Da ist alles verkabelt und verwanzt. Nach der Wende wurde das nicht abgebaut, und heute benutzt das der BND; und manchmal auch wir.»

«Und, hat es geklappt mit dem Abhören?»

Der Kommissar holte einen winzigen Kassettenrecorder aus der Tasche, stellte ihn auf den Tisch, knipste ihn an und sagte: «Hier, hören Sie selbst.»

Zuerst waren nur undefinierbare Geräusche zu hören, ein Klappern und Ziehen mit viel Statik und Knarren («Das Mikrophon steckt offenbar in seinem Sofa», bemerkte der Kommissar), dann sagte eine Männerstimme: «Liebling, wie konnte das nur passieren?»

Kriemhilds Stimme: «Keine Angst, ich habe mich als seine Komplizin ausgegeben, der er den Mord gestanden hat. Die Sache ist vorbei. Die haben alles geschluckt, schließlich haben sie sonst nichts in der Hand. Und er war in seinem Büro, als du...»

«Er hat mir keine andere Wahl gelassen. Dieser Ferber hat alles durchschaut.»

Kriemhild: «Was?»

Männerstimme: «Ja, er hat sich alles zusammengereimt und es mir auf den Kopf zugesagt. Er hat das Original, auf Seite 55 stand ein Datumsstempel vom Ministerium für Staatssicherheit von 1971, und meine Arbeit datierte von 1973. Da hat er zwei und zwei zusammengezählt.»

Kriemhild: «Was hat er gesagt?»

«Daß ich in der BRD für die Stasi gearbeitet habe und daß die Stasi mir zum Lohn diese ausgezeichnete Dissertation geschrieben hat, um mich notfalls in der Hand zu haben. Dabei habe ich das aus Überzeugung getan.»

«Ich weiß, Liebling.» Kriemhilds sanfte Stimme zog ihm noch immer den Magen zusammen.

Die Männerstimme wurde jetzt weinerlich. «Dabei hätte ich das gar nicht nötig gehabt. Ich hatte meine eigene Dissertation fast fertig, da kam die Stasi mit dieser Arbeit, und die war so viel besser, richtig genial. Ich konnte einfach nicht widerstehen. Was glaubst du, wie oft ich mich für diese Schwäche verflucht habe.»

Kriemhild: «Ohne diese Arbeit wärst du niemals Professor geworden, Liebling.»

Die Männerstimme: «Da gibt es noch mehrere.» Pause. «Du hast mit diesem Sonnenfeld geschlafen, nicht wahr?»

Kriemhild: «Ich habe es für dich getan, Liebling.» Pause. «Und für den Sozialismus.»

Da rief Christoph: «Drehen Sie das noch mal zurück, das will ich noch mal hören.»

Der Kommissar drückte auf den Rewind-Knopf, das Tonband lief quietschend zurück und drehte sich dann wieder langsam vorwärts. Wieder erklang Kriemhilds Stimme: «Ich habe es für dich getan, Liebling.» Pause. «Und für den Sozialismus.»

Der Kommissar beugte sich vor und stellte das Band ab. «Wissen Sie, was ein Perspektivspion ist?»

Christoph schüttelte den Kopf.

«So nannte die Stasi Studenten, deren bisherige Biographie erwarten ließ, daß sie in Wirtschaft und Politik Karriere machen würden. Sie wurden mit kleinen Aufträgen angefüttert und dann, wenn sie sozusagen eingefangen waren, gezielt in wichtige Stellungen gebracht. Wundt war so ein Perspektivspion. Mit dieser Dissertation machte man ihn zum Professor, Deckname Teddy, weil er Adorno so verehrte.»

«Aber was sollte es denn um Himmels willen im Germanistischen Seminar schon zu spionieren geben? Da ist alles dermaßen irrelevant, daß selbst die Stasi daran verzweifelt wäre.

Oder haben die etwa angenommen, die ganze Konfusion sei eine raffinierte Tarnung für die kapitalistische Konspiration zur Unterwanderung des deutschen Wortschatzes?»

Der Kommissar sagte trocken: «Sehr lustig.» Und fuhr dann fort: «Nein. Wundt war ein Rattenfänger. Seine Aufgabe als Professor war es, der Stasi weitere hoffnungsvolle Perspektivspione zuzuführen.»

«Und? Hat er Erfolg gehabt?»

«Er war der erfolgreichste Rattenfänger überhaupt, weil er ein neues Prinzip entdeckt hat.» Der Kommissar dämpfte seine Stimme. «Er hat den SPD-Filz für die Stasi infiltriert. Er hat die Stasi zum Parasiten des Filzes gemacht. Je mehr der Filz wucherte, desto mehr profitierte die Stasi davon. Da brauchte er nur ein oder zwei Viren einzuschleusen, und die Sache lief von selbst.» Der Kommissar zückte seinen Kugelschreiber und zeichnete auf der Serviette einen Kreis. «Also, das hier ist Dietmar Schöller, Vorsitzender eines wichtigen Hamburger Wahlkreises. Er ist auch Geschäftsführer der Beschäftigungsgesellschaft zur Qualifizierung von Sozialhilfeempfängern. Der sorgte nun dafür, daß sein Freund und Studienkollege Werner Lenneck» – er malte einen zweiten Kreis und zog eine Linie zum ersten –, «daß Werner Lenneck Geschäftsführer der Gesellschaft für berufliche Weiterbildung und danach Senator für Bildung wurde.» Er zog zwei weitere Striche zu einem dritten Kreis. «Ihr gemeinsamer Freund Volker Harms avancierte daraufhin zum Senatsdirektor für Arbeit und Sozialordnung, wo er die Arbeitsmarktpolitik im Auftrag der Stasi gestaltete.» Auf der Serviette entstand ein vierter Kreis mit einer Verbindungslinie zum dritten.» Dessen Studienfreundin Petra Rassmann, Vorsitzende der hansischen Gesellschaft für Beteiligungsverwaltung, wurde plötzlich Gleichstellungsbeauftragte des Hamburger Senats und danach Schulsenatorin. Dreimal dürfen Sie raten, bei wem die alle Examen gemacht haben.»

Christoph starrte das Bild auf der Serviette an. Es sah aus wie die Skizze von einem Atommodell. «Das also ist das gesellschaftliche Molekül», sagte er mit einer plötzlichen Eingebung.

«Und dreimal dürfen Sie raten, wer das in der Stasi alles koordiniert hat.»

Christoph schaffte es schon beim ersten Mal. «Sabine Volkelt.»

«Alias Major Dr. Eva Sauerländer, ehemalige Sektionsleiterin für kulturelle Infiltration im Ministerium für Staatssicherheit, promovierte Amerikanistin, Trägerin des höchsten Verdienstordens der DDR und der Stachanow-Medaille, Inhaberin des Lenin-Ordens der Sowjetunion, mehrfach ausgezeichnet für hervorragende Verdienste um die sozialistische Wachsamkeit und für besondere Einsatzbereitschaft im Dienst und während ihres Studiums zum populärsten Cheerleader der Football-Mannschaft der University of Pennsylvania gewählt. Da wählen allerdings nur Männer. Wollen Sie das Tonband noch zu Ende hören?»

Christoph nickte.

Die Kantine hatte sich jetzt gefüllt, und der Kommissar mußte den Ton etwas lauter stellen. Knarrend ertönte die Stimme von Wundt: «Und? Hast du es genossen? War er gut im Bett?»

Sie ließ sich Zeit mit der Antwort. Christoph saß da wie gebannt. Was würde sie sagen? Natürlich mußte sie behaupten, daß sie es nicht genossen hatte, aber es konnte ja trotzdem die Wahrheit sein. Hatte sie überhaupt je die Wahrheit gesagt? Wahrscheinlich log sie gerne. So, wie sie das ganze Spiel genoß. Deshalb war sie auch so verdammt gut. Sie gehörte zu den perversen Naturen, die erst authentisch werden, wenn sie schauspielern.

Ein merkwürdig schmatzendes Geräusch – ein Kuß? –, dann ihre sanfte Stimme: «Und du …» Schmatz. «… hast du es genossen zu töten, oder für wen hast du es getan?»

Männerstimme: «Für mich bist du der Sozialismus.»

Dann waren plötzlich wieder nur knarrende und ziehende

Geräusche zu hören, begleitet von kleinen Schmatzern, die schließlich in rhythmisches Knarren und Stöhnen übergingen, das immer lauter und schneller wurde, bis es in einem finalen Crescendo einen Gipfel erstürmte und plötzlich abstürzte. Christoph und der Kommissar blickten auf und bemerkten, daß alle Besucher der Polizeikantine ihre Unterhaltung unterbrochen hatten und ihnen aufmerksam zuhörten. Als der Kommissar dämlich grinsend das Tonband abstellte, begannen alle zu klatschen.

Da erhob sich Professor Sonnenfeld und verließ ohne ein weiteres Wort den Raum.

Im Prozeß gegen Professor Wundt ließ sich Christoph von der Verteidigung als Zeuge aufrufen. Er äußerte sich voller Mitgefühl und Verständnis über die Verstrickungen seines Kollegen. Er gab zu bedenken, daß niemand sagen könne, ob er unter dem Eindruck der außerordentlichen Faszination, die von der Genossin Führungsoffizier ausgegangen sei, anders gehandelt hätte. Er sprach bewegend vom geistigen Sexappeal des Sozialismus, der jemanden in einen mentalen Ausnahmezustand versetzen könne, so daß er durchaus zu morden fähig wäre. Er sei kein Jurist, aber er könne anhand eigener Erfahrung bestätigen, daß er selbst das Stadium der Unzurechnungsfähigkeit erreicht habe. Ja, er würde so weit gehen, vom temporären Wahn zu sprechen. Schließlich habe er selbst unter dem Einfluß dieser Faszination seinen Verstand verloren und den völlig unschuldigen Dr. Walzel beschuldigt, den er hiermit um Verzeihung bäte. Im übrigen sei er sicher, daß Professor Wundt keineswegs der einzige sei, dem auf diese Weise eine akademische Karriere ermöglicht wurde. Er sei nur der einzige, der durch einen Zufall aufgeflogen sei.

Trotzdem wurde Professor Wundt wegen Mordes zu zwölf Jahren verurteilt. Sabine Volkelt wurde aus Mangel an Beweisen freigesprochen und wenig später als PDS-Abgeordnete für Potsdam in den Bundestag gewählt.

PETER ZEINDLER

Elfie,
das Biest

Ernesto Stadler saß, halb hinter seiner *Neuen Zürcher Zeitung* versteckt, auf dem Amsterdamer Flughafen Schipol vor dem Gate und wartete, bis seine Maschine nach Leeds zum Einsteigen bereit war. Natürlich hatte er während seiner langen Umsteigezeit das Feuilleton längst verinnerlicht und mit gedämpfter Genugtuung die kleine Notiz zur Kenntnis genommen, daß er die Schweiz beim Germanistenkongreß an der Universität von Leeds zum Thema «Der Roman in englisch-deutscher Perspektive: Kulturelle Berührungspunkte zwischen englisch- und deutschsprachigen Ländern» («The Novel in Anglo-German Context: Cultural Crosscurrents and Affinities») vertrete. Allerdings hatte es ihm einige Mühe bereitet, auf seinem Spezialgebiet Friedrich Glauser in dieser Hinsicht fündig zu werden, aber schließlich hatte er es doch im Umweg über den Österreicher Hans Groß und dessen *Handbuch für Untersuchungsrichter, Polizeibeamte und Gendarmen* geschafft, eine Brücke nach Großbritannien zu schlagen, wo dieses Werk unter dem Titel *Criminal Investigation* bereits 1906 herausgekommen war. Ob sich allerdings seine Kollegen aus Großbritannien, Österreich und Deutschland für diesen literaturwissenschaftlich eher randständigen Aspekt interessierten, bezweifelte er wohl zu Recht. Den blassen grauhaarigen Mann im dunkelblauen Regenmantel, der ihm gegenübersaß und, zwei fiebrige Flecken auf den Wangenknochen, in sein Buch vertieft war und dabei unentwegt lautlos die Lippen bewegte, würde er mit seinem Thema kaum fesseln können. Daß dieser

Passagier wohl auch zu den geladenen deutschsprachigen Dozenten gehörte, ging ja schon daraus hervor, daß er Fontanes Roman *Effi Briest* las, wobei Stadler allerdings irritiert feststellte, daß die Hingabe, mit der er diese Lektüre betrieb, etwas von einem Pennäler hatte, der seine ersten Leseerfahrungen machte, während man bei dem betagten Herrn davon ausgehen konnte, daß er Fontanes Meisterwerk nicht zum erstenmal las. Heimlich beneidete Stadler den Mann um das unabgenützte Engagement, um die Unschuld, mit der er vor dem augenscheinlichen Ende seiner akademischen Karriere seinen Lieblingsautor verschlang, um den es sich zweifellos handelte. «Effi Briests Sterben im Spiegel der englischen Literaturkritik. Referent Ezard Stromberg, Hamburg» stand auf Stadlers Dozentenliste, die er heimlich konsultiert hatte. Allerdings gab es da noch einen zweiten Referenten, Reinhold Wagner aus Gießen, der sich auf demselben Territorium bewegte und Fontanes Englandaufenthalt und den Einfluß von Percy und Scott auf seine Balladen zum Thema gemacht hatte. Damit würde er wohl eher den Nerv der Zuhörer treffen als Stromberg mit Effi Briests Sterben.

Und dieser Reinhold Wagner hatte denn auch in diesem Augenblick seinen Auftritt. Daß es sich um den Balladenspezialisten handelte, ging daraus hervor, daß er, vor dem Gate angekommen, seine schwere Reisetasche mit einem Seufzer abstellte, den lose hängenden Burberrys-Schal mit Elan über die rechte Schulter warf, sich seiner attraktiven Begleiterin zuwandte und für jedermann hörbar auf deutsch einen Vers aus Fontanes Ballade «Archibald Douglas» zitierte: «Ich habe es getragen sieben Jahr / Und ich kann es nicht tragen mehr …»

Er lachte laut heraus. Die junge Frau mit dem dunkelblonden, schulterlangen Haar und im schwarzen, enganliegenden Kleid zeigte nur ein kleines Lächeln und berührte mit einer flüchtigen Handbewegung Wagners Wange. Stromberg aber versteckte sein fletschendes Gebiß hinter *Effie Briest*, wie Stadler aus seiner Perspektive beobachten konnte. Daß

Wagner den alten Kollegen gesehen hatte, war offensichtlich, obwohl Stadler kein Zeichen des Erkennens registriert hatte. Wagners Begleiterin dagegen nickte Stromberg kurz zu, drückte ihr Kreuz durch und ließ dabei ihren Busen wachsen, so zumindest kam es Stadler vor. Doch Stromberg erhob sich brüsk, packte seine Reisetasche und wechselte den Platz. Er saß jetzt neben Stadler, als ob er von ihm Hilfe erwartete .

«Professor Stromberg?» fragte Stadler leise.

Stromberg nickte abwesend. Seine Hände umklammerten Fontanes *Effi Briest*. Die Knöchel waren weiß. Die Altersflecken auf seinem Handrücken dehnten sich aus.

«Stadler aus Zürich», stellte er sich vor.

«Ach, der Glauser-Spezialist. Sehr erfreut.» Stromberg schaute seinen Sitznachbarn prüfend an. «Das Sterben spielt ja bei Glauser auch keine unbedeutende Rolle.»

Stadler wußte nicht, wie er dieses Urteil zu verstehen hatte. «Sie sind also der große Fontane-Kenner.»

Stadlers Feststellung tat Stromberg offensichtlich gut. Aber nur vorübergehend. Seine Irritation kehrte zurück, und er wandte seinen Blick wieder dem Balladenexperten zu, der ihnen, den Arm um die Schulter seiner Begleiterin gelegt, den Rücken zugewandt hatte.

«Dort steht der andere. Und sein Biest!» fügte er nach einer Pause bitter hinzu.

Stadler drehte erschrocken den Kopf. Diese Gehässigkeit paßte nicht zu Fontane und auch nicht zur vornehmen Blässe des Literaturwissenschaftlers an seiner Seite.

«Habe ich recht verstanden? Biest, nicht Briest?»

«Ihr Vorname ist Elfie. Elfie, das Biest!» Er schaute Stadler verbittert an. «So nenne ich sie nun einmal.»

Das grüne Licht auf der Anzeigetafel begann zu blinken. Stromberg klemmte Fontanes Meisterroman unter den linken Arm, packte mit der Rechten seine Reisetasche und drängte zum Gate. Wagner, der Elfie, das Biest, zärtlich um die Hüfte gefaßt hatte, schaute ihm mit einem schiefen Grinsen nach.

Auf dem Flug an Englands Westküste entlang sah Stadler die offensichtlich verfeindeten Kollegen nicht mehr. Nur einmal streifte Elfie seinen Oberarm, als sie zur Toilette ging. Er schnüffelte eine Weile ihrem schweren Parfumduft nach, der ihn an eine verflossene Geliebte erinnerte, er wußte nur nicht, an welche, und wartete deshalb ungeduldig darauf, daß Elfie an ihren Platz zurückkehrte, um seinem Gedächtnis vielleicht beim zweiten Mal auf die Sprünge zu helfen. Umsonst. Es war zu lange her. Sie streifte auch diesmal mit dem Oberschenkel seinen Ellbogen, und dann tauchte ihr Kopf schon weit vorn zwischen den Sitzreihen unter.

Es war bereits dunkel, als sie auf dem Flughafen von Leeds landeten, und als sie endlich brav in einer Kolonne draußen im Wind standen, fehlten nur die Taxis, die sie nach Oxley Hall beförderten, wo Gäste der Universität von Leeds untergebracht waren und wo auch der Kongreß stattfinden würde. Stadler stand beinahe zuhinterst in der Schlange und sah zwei Reihen vor sich Wagner und Elfie eng umschlungen dastehen, als ob sie alle Zeit der Welt hätten und ihnen der strenge Herbstwind nichts anhaben könnte. Plötzlich spürte er, wie ihn jemand am Mantelärmel zupfte, und als er sich umdrehte, sah er in Strombergs verwittertes Antlitz.

«Kommen Sie! Wir gehen in die Offensive.»

Stadler wußte zwar nicht, was der Alte meinte, folgte ihm aber, als er ihn mit wehendem Mantel zum andern Ende des Flughafens eilen sah, hin zur Kurve, wo allfällige Taxis auftauchen würden und wo sich bereits drei Personen in der vagen Hoffnung aufgestellt hatten, so vorzeitig eines der raren privaten Transportmittel abfangen zu können. Und als der erste Wagen, ohne anzuhalten, vorbeifuhr, dann auch ein zweiter, und Stromberg zuschauen mußte, wie Wagner und Elfie am legalen Taxistand bereits die Schlange anführten, stürzte er sich in dem Augenblick, als sich ein weiteres Taxi näherte, auf die Fahrbahn, stand schwankend da, die Hand auf Herzhöhe an den Körper gepreßt, und wich auch nicht, als der Fahrer sein Auto erst unmittelbar vor ihm zum Stehen brachte. Ein Wortschwall von englischen Flüchen ergoß sich aus dem Wageninnern, aber Stromberg schien das nicht zu kümmern. Noch immer die Hand gegen den Körper gepreßt, taumelte er auf das Taxi zu, riß den Schlag auf, winkte Stadler auffordernd zu und verschwand in der Düsternis des Wageninnerns. Stadler zögerte, stieg dann endlich zu und saß gekrümmt da, die Reisetasche auf den Knien wie Stromberg, der in einer kantigen Sprache auf den Fahrer einredete, die er wahrscheinlich für Englisch hielt, die jedenfalls aber ihre Wirkung nicht verfehlte. Der Chauffeur verstummte und startete verbissen den Motor, und als sie an dem verliebten Paar vorbeifuhren, das noch immer auf ein Taxi wartete, konnte Stadler im Licht der Straßenbeleuchtung die Zähne Strombergs blinken sehen. Sie fuhren schweigend durch die Nacht, beide wie Flüchtlinge die Tasche auf den Knien, der eine verbissen, der andere nicht ganz glücklich in der Gesellschaft des Fontane-Experten, der so plötzlich eine ungeahnte Aggression an den Tag gelegt hatte.

«Sie spüren wohl auch schon Ihren Nachfolger im Nacken», sagte Stromberg endlich, ohne sich Stadler zuzuwenden.

Stadler zuckte mit den Schultern. Er fand es unpassend, daß ihn sein Mitpassagier auf sein Alter ansprach, dachte aber augenblicklich auch an Sibylle, eine junge, aufstrebende Germanistin, die nicht nur die Aufklärung, Klassik und Romantik im Griff hatte (Brentano war ihr erklärter Favorit), sondern sich mehrfach in angesehenen Zeitungen über das Wesen der Kriminalliteratur im allgemeinen und über Glauser im besonderen geäußert hatte, letzteres zu Stadlers großem Mißfallen, denn eigentlich hatte er sich diese Nische deshalb ausgesucht, weil sie sonst keiner in Anspruch zu nehmen versucht hatte und er so den Ruf eines originellen Geistes, der ihm mit den Jahren abhanden gekommen war, wieder etwas aufpolieren konnte.

«Natürlich muß man ein Gefühl für den richtigen Augenblick seines Rücktritts haben. Ich will auch nicht über meine Zeit hinaus meinen Lehrstuhl besetzen. Nicht über die Zeit hinaus.» Bei dieser Wiederholung hob er drohend die Stimme. «Dieser Wagner!»

«Der Lover dieser – Elfie?» fragte Stadler, um nicht ganz zu verstummen.

«Elfie, das Biest! Sie war meine Assistentin. So war das!»

Stadler schnüffelte, als ob sich ihr Parfum in seinem Anzug festgesetzt hätte.

«Begabt! In jeder Hinsicht.»

Stadler schnüffelte ein zweites Mal. Die Frage nach Elfies Mehrfachbegabung erübrigte sich. Stromberg griff sich an den Hals, als ob er Atemnot hätte. «Eine begabte Forscherin – und Erforscherin», sagte er mit grimmigem Lachen.

«Sind Sie verheiratet?»

Diese Frage konnte nur ein biederer Schweizer stellen, der im puritanischen Zürich aufgewachsen war, dachte Stadler, wütend darüber, daß er die Kontrolle über sich und sein Zensurverhalten verloren hatte.

«Natürlich bin ich verheiratet. Aber als Literaturwissenschaftler und Forscher wissen Sie doch, daß der Beruf das Leben ist, und Elfie war eben ein Teil dieser Forschung und somit auch Teil meines Lebens.»

«Natürlich», sagte Stadler ohne Überzeugung. Noch nie hatte er so deutlich empfunden, daß ihm etwas zum erfolgreichen Wissenschaftler fehlte. Und er wußte jetzt auch was: die totale Hingabe. Über alle von der Gesellschaft verordneten Schranken hinaus. Er war durchschnittlich. Und seine Auseinandersetzung mit Glauser änderte an dieser Tatsache nichts.

«Ich hatte ihr viel zu verdanken. In jeder Hinsicht.»

Stadler nickte stumm: Stromberg wiederholte sich.

«Und dann hat sie mich von einem Tag auf den anderen verlassen. Vielleicht wollte sie ja nicht warten, bis ich den Stuhl räume.»

«Ist doch verständlich», warf Stadler schüchtern ein. Ihr Parfum hatte ihn imprägniert.

«Sie hätte warten sollen!»

«Und was tat sie statt dessen?» fragte Stadler gehorsam.

«Statt dessen wechselte sie nach Gießen.»

«Das war doch ein Abstieg. Von Hamburg nach Gießen!»

«Natürlich war es ein Abstieg. Nur nahm sie alle Ergebnisse ihrer Forschungsarbeiten mit.»

«Fontane?»

Stromberg knautschte seine Reisetasche.

«Ich dachte eigentlich immer, nur in den Naturwissenschaften sei es möglich, Forschungsergebnisse gewissermaßen zu entführen. Weil es da um die Ergebnisse einer lückenlosen Versuchsreihe geht, um …», begann Stadler unsicher.

«Herr Kollege!»

Mehr sagte Stromberg nicht. Stadler hatte sich verraten. Er war kein Wissenschaftler, er war Feuilletonist.

«Wagner ist der Profiteur. Verstehen Sie jetzt? Sie hat ihn aufgebaut. Gegen mich. Sie hat ihn mit den Ergebnissen ihrer Fontane-Forschung munitioniert und gegen mich in den Kampf geschickt. Und jetzt hat er sich zu diesem Kongreß einladen lassen, um gegen mich anzutreten. Thema: Fontane. Und schon ist er im Gespräch als Nachfolger für meinen Lehrstuhl. Ja, er drängt auf meine vorzeitige Entlassung!»

«Es gibt doch so etwas wie eine Frauenquote», murmelte Stadler vorsichtig. Nicht vorsichtig genug! «Elfie könnte doch …»

«Das gehört doch zu der Taktik des Biests. Zuerst hievt sie ihn auf meinen Lehrstuhl, weil sie selbst noch zu jung ist und ihre Habilitation noch nicht fertig geschrieben hat, und dann beerbt sie ihn, hebelt ihn aus.»

«Wie denn das?»

«Wie denn sonst als im Bett! Herr Kollege!»

Strombergs Kopf sank auf seine Tasche. Er surfte in süßbitteren Erinnerungen und hob den Kopf erst wieder, als das

Taxi auf das Gelände von Oxley Hall einbog und dann auf einem Kiesplatz vor einem alten Gebäude mit Nischen und Erkern und Türmchen anhielt.

«Der Zweikampf hat begonnen», sagte Stromberg beinahe feierlich, als sie nebeneinander die Halle des Hauptgebäudes betraten, wo gerade eine Abschiedsparty von Medizinern im Gange war.

Eine halbe Stunde später lag Stadler auf dem Bett seines Gastzimmers, einem kargen Raum mit einer Neonröhre als einziger Beleuchtung, die den Bewohnern dieser Klause wohl suggerieren sollte, daß hier nur am kleinen Schreibtisch, nicht aber im Bett gelesen werden sollte.

Man traf sich um neun Uhr noch einmal zu einem gemeinsamen Abendessen in einem nahen Restaurant. Stadler saß diesmal Wagner schräg gegenüber, der seinen Burberrys-Schal, von dem er sich nie zu trennen schien, malerisch umgeschlagen hatte und auf seine attraktive Tischnachbarin einredete, Elfie, das Biest. Aber diese Konversation fand nicht etwa von Angesicht zu Angesicht statt, sondern im Umweg über einen Spiegel, der in Stadlers Rücken die gesamte Wand einnahm. Und so sprach Wagner, während er sich immer wieder durch das rötliche, leicht gekräuselte Haar strich, abwechselnd zu sich selbst, indem er sich beim Reden zusah, und fing dann wieder Elfies Blick an seiner Seite auf, um die Resonanz seiner Worte ablesen zu können. Stromberg saß am andern Ende der Tafel und schien sich nicht um seine Rivalen zu kümmern. Erst als sich die beiden vorzeitig verabschiedeten, suchte er Stadlers Blick und nickte ihm zu, wobei Stadler keine Ahnung hatte, was dieses Nicken zu bedeuten hatte. Es hatte zuerst vage gewirkt und schien doch von einem plötzlichen Entschluß gesteuert worden zu sein, den Stromberg gefaßt hatte, denn er doppelte nach, nickte energisch ein zweites, ein drittes Mal. Dann stand er auf, winkte Stadler zu, und gemeinsam machten sie sich auf den Rückweg in ihre kargen Klausen.

Bei einer Flasche Whisky, die Stromberg im Duty-Free-

Shop erstanden hatte, verbrachten sie einen großen Teil der Nacht in Stadlers Zimmer. Sie tranken abwechselnd aus der Flasche, weil die Zahnputzgläser Kalkspuren aufwiesen, prosteten sich einseitig immer wieder zu, bis Stromberg den Alkoholpegel für hoch genug einschätzte, um zur Sache zu kommen. Stadler hatte sich mittlerweile auf sein Bett gelegt, während Stromberg, jetzt in Hochform, dozierend im engen Zimmer auf und ab ging. Er holte weit aus, kam wieder auf Glauser zu sprechen, erwähnte Wachtmeister Studers verschiedene Fälle, seine Ausbruchsversuche in fremde Länder, die ihm Glauser in der *Fieberkurve* gestattet hatte, und fand dann behutsam die Kurve zu Sibylle, Stadlers Assistentin, die ihn zu überholen im Begriff war und ihm vor allem einen ruhmreichen Abgang verdarb.

Woher Stromberg all das wußte?

«Ich habe mich erkundigt, Herr Kollege. Schließlich habe ich die Liste der Referenten studiert und in gewissen Fällen genaue Recherchen angestellt. Ich habe Basisinformationen beschafft. Anders habe ich nie gearbeitet.»

«Ich war also ein solcher Fall», sagte Stadler schwach. Ihm war leicht übel, und er konnte den dozierenden Kollegen Stromberg nicht mehr scharf sehen.

«Ich heiße Ezard.»

«Ernesto», flüsterte Stadler und versuchte sich zu erheben. Er schaffte es nicht und sank mit einem Seufzer zurück. Stromberg schien es nicht zu bemerken.

«Sybille ist also dein Problem, Ernesto! Der Wermutstropfen in deiner Karriere, wenn auch begabt. Ich habe einiges von ihr gelesen. ‹Das Motiv des Wassers in Brentanos Lyrik› zum Beispiel. Was sie da über Assonanzen schreibt, ist hochinteressant.»

Stadler spürte einen spitzen Schmerz in der Herzgegend.

«Ich werde sie von Zürich abziehen, Ernesto», sagte Stromberg und hob die beinahe leere Whiskyflasche.

«Und wie …?»

«Wir werden sie berufen. So viel Einfluß habe ich noch!»

Er hob triumphierend die Flasche. Er sah jetzt aus wie die Freiheitsstatue in New York, fand Stadler. Er ahnte, daß alles auf einen Deal hinauslief, aber er wußte nicht, was sich Stromberg ausgedacht hatte.

«Ich bin Literaturwissenschaftler, Ernesto. Ich ziehe Sibylle von dir ab. Das ist meine Art, aktiv zu werden.»

Stadler wußte sofort, wie seine Frage zu lauten hatte: «Und meine?» Er unterdrückte einen Rülpser.

«Du stehst mit deinen Themen mitten im Leben. Studers Fälle haben dich geschult. Du hast dir so etwas wie kriminelle Energie angeeignet. Laß dir etwas einfallen. Ich zähle auf dich. Und Sibylle bist du los, das verspreche ich dir.»

Stromberg leerte die Flasche ganz, bückte sich, küßte den liegenden Stadler auf die Stirn und verschwand.

Als Stadler am nächsten Nachmittag verstört und verspätet den prachtvollen holzverkleideten Raum betrat, in dem die Referate gehalten wurden, war er nicht überrascht, daß es beinahe dunkel war. An der Stirnseite, in Strombergs Rücken, war eine Leinwand aufgebaut, auf der eine Fotografie aus dem Jahr 1887 projiziert war, die Else Baronin von Ardenne darstellte, die junge Frau, deren Ehebruchaffäre Fontane zur Niederschrift seines Romans *Effie Briest* angeregt hatte.

«Else Baronin von Ardenne», sagte Stromberg, der Stadlers diskreten Auftritt mitbekommen hatte, in diesem Augenblick mit bewegter Stimme. Aber noch mußte er durchhalten. Nicht lange. Zwei Minuten später betrat Wagner allein den Raum, nicht diskret wie Stadler, sondern zunächst protzig im Eingang stehenbleibend. Seine Umrisse lagen schwer im Lichtkegel, der durch die halb offene Tür drang. Er war wohl auf der Suche nach seiner verschwundenen Geliebten gewesen, dachte Stadler. Der Schatten von Strombergs Bambusstock zeigte in diesem Augenblick auf das Herz der schönen jungen Frau auf der Leinwand. Ein Seufzer drang aus der

Brust des Referenten, sein Stock begann zu zittern, und dann sank Stromberg mit einem lang anhaltenden Stöhnen in sich zusammen. Ein Raunen ging durch das Auditorium, das Deckenlicht flammte auf. Zwei Kongreßteilnehmer in der ersten Reihe sprangen auf und halfen Stromberg auf die Beine.

«Sorry, ein Schwächeanfall», sagte der Fontanekenner leise. «Ein bißchen frische Luft täte mir jetzt gut.»

Er warf Stadler einen schnellen und fragenden Blick zu. Stadler nickte. Stromberg hatte sich bei seinen beiden Kollegen, zwei Schotten, einer aus Aberdeen, der andere aus Limerick, eingehakt und ging mit langsamen Schritten zur Tür. Dort blieb er stehen und wandte sich noch einmal um.

«Vielleicht darf ich meinen Kollegen Wagner bitten, mein Referat zu Ende zu lesen. Er kennt ja die Materie.»

Dann fiel die Tür ins Schloß. Wagner stand verwirrt auf, schaute sich hilfesuchend um, aber Elfie war ja nicht zur Vorlesung gekommen. Er schien seine Selbstsicherheit eingebüßt zu haben, fuhr sich über die Stirn und ging dann mit zögernden Schritten nach vorn, warf einen Blick über die Schulter auf das Bild der Baronin, ordnete die Blätter von Strombergs Manuskript und begann zu lesen.

«Zitat», sagte er lächelnd. Er hatte seine Selbstsicherheit wiedergefunden, und er würde jetzt alles tun, um Strombergs Text nicht zum Leuchten zu bringen: «Es war einen Monat später, und der September ging auf die Neige. Das Wetter war schön, aber das Laub im Park zeigte schon viel Rot und Gelb, und seit den Äquinoktien, die drei Sturmtage gebracht hatten, lagen die Blätter überall ausgestreut. Auf dem Rondell hatte sich eine kleine Veränderung vollzogen, die Sonnenuhr war fort, und an der Stelle, wo sie gestanden hatte, lag seit gestern eine Marmorplatte, darauf stand nichts als …» Er zögerte, bückte sich weit nach unten und fuhr endlich mit erstickter Stimme fort: «… Darauf stand nichts als – ‹Elfie, das Biest!›» Er hob den Kopf, senkte ihn noch einmal und las den Rest des Satzes. «… Und darunter ein Kreuz.»

Er wartete mit gesenktem Kopf auf das Gelächter im Saal, aber das einzige, was er zu hören bekam, war ziemlich weit weg und doch deutlich hörbar: ein lang anhaltender Schrei. Stadler kannte die Stimme. Stromberg! Und dann brach Panik aus. Alle rannten zur Tür, hinaus auf den Vorplatz und hetzten dann die zerfallende Mauer entlang zum großen Grün, wo sonst Sportanlässe stattfanden. Dort standen mit gesenkten Köpfen Stromberg und seine schottischen Kollegen und starrten auf Elfie, die am Fuß der Mauer auf einer Steinplatte lag, den Kopf seitlich weggekippt, einen Burberrys-Schal eng um den Hals geknüpft.

Stadler sah, wie sich Wagner an den Hals griff und dann in panischem Schrecken in der Diagonalen über den leeren Sportplatz davonrannte. Er schaute ihm nach und ging dann quer über die Wiese an den andern vorbei zum Gästehaus in sein Zimmer und begann zu packen. Sein Referat über Glauser war jetzt nicht mehr gefragt. Das Leben hatte es überholt. Und der Tod. Das echte Leben war effizienter als die Literatur, dachte er und stellte sich vor, wie ihm Sibylle bald nach seiner Rückkehr nach Zürich im deutschen Seminar verschwörerisch und hinter vorgehaltener Hand ihre Berufung nach Hamburg mitteilen würde. Und er würde sich fortan bis zu seiner Emeritierung in fünf Jahren wieder ganz den literarischen Aspekten von Glausers Lebenswerk widmen können, das ihm – wenn auch nicht ohne Schuldgefühle – über eine Lebenskrise hinweggeholfen hatte. Und er würde nicht ohne Dankbarkeit an Ezard Stromberg denken, der ihm den Beweis abgerungen hatte, daß die Theorie der kleinen logischen Schritte nur ein einzig mögliches Ende offenließ. Stromberg hatte Stadlers Leben als Literaturwissenschaftler, der sich weit weg von der Realität wähnte, noch einmal einen Sinn gegeben. Die Schuldgefühle, die er sich dafür eingehandelt hatte, standen in keinem Verhältnis zur Steigerung seiner Lebensqualität. Und mit dem Hauch von Elfies Parfum, das sich in seinen Fingern auf Ewigkeit festgesetzt hatte, würde er auch leben lernen.

CHRISTINE LEHMANN

Der Spuk von Jena

Die lichten Muschelkalkhügel des Saaletals rückten zu einer finsteren Enge zusammen. Richard bremste den Mercedes ans Heck eines Trabis heran und sog mit geweiteten Nüstern den Zweitakterrauch ein. Ich hatte ihn selten so ergriffen gesehen. Der Wagen arbeitete sich im zweiten Gang enge Kehren hinauf. Auf der Kuppe lagen Septembersonne und ein Dorf.

«Cospeda», sagte Richard. «Die Häuser da auf dem Feld waren früher auch nicht da.»

Ich versuchte das *früher* zu ermessen, das in seinem Hirn herumspukte. Was für Beziehungen hatte ein Stuttgarter Staatsanwalt zu einem Ostpfarrer? Was verband ihn mit einem Dorf, in dessen Kneipe *Im Grünen Baum zur Nachtigall* Ende der fünfziger Jahre ein Kollektiv der Friedrich-Schiller-Universität mit Hilfe der Zinnsoldatensammlung des Gastwirts als Dauerausstellung die Schlacht bei Jena und Auerstedt nachstellte, bei der Napoleon 1806 die preußisch-sächsischen Truppen vernichtend schlug? Nach der Wende, so Richard, jagten die Töchter den Wirt fort, weil er das gesamte Dorf mit Richtmikrophonen bespitzelt hatte. Am Haus daneben behauptete eine Tafel, Napoleon habe hier genächtigt.

Der Stern auf dem Kühler zielte millimetergenau zwischen Torpfosten in den bucklig gepflasterten Hof. Zwei Hunde umwedelten uns. Hühner gackerten. Ein Mädchen flog aus der Haustür. «Jorinde», sagte Richard. Ihr junges langes Haar hatte die Farbe von Bienenwachs. Beide gaben sich nur die Hand, aber ihre Kastanienaugen glänzten, und Richards Ge-

fühle schienen sich augenblicklich denen eines Werther anzu-
verwandeln.

Der Pfarrer kam gemächlicher nach, lächelte und entschloß
sich zu einer Umarmung.

«Josef Budde», sagte Richard. «Lisa Nerz.»

«Oh», sagte Budde und reichte mir die Hand. Er war ein
runder Mann mit rundem Schädel und kleinen grauen Augen.
Er verhehlte sein Befremden nicht angesichts meiner Jugend
neben Richard und der Narbe in meinem Gesicht und wandte
sich schnell ab. «Jorinde, geh Ming die Augen verbinden,
sonst kriegt sie vor Schreck Schluckauf.»

Ming war eine altehrwürdige Pekinesenhündin, die sich in
der Diele im ersten Stock huldigen ließ. Sie wedelte augenrol-
lend mit dem Schwänzchen und bekam Schluckauf. Während
ich über des Pfarrers Mißbilligung meiner Person nachdachte,
erläuterte Jorinde, daß ihr Vater um Mitternacht Goethe-
Gedichte vorsprach, damit das Tierchen endlich sein Schweigen brach und den Unterbißkiefer auftat, um seine Weisheiten
mitzuteilen. Wir betraten eine abschüssige Stube. Die Wände
knirschten unter der Last geschwärzter Gemälde, die Dielen ächzten unter biedermeierlichen Schränken, die Vitrinen
klirrten unter der Verantwortung für Terrinen, Saucieren und
Tellern aus Meißner Porzellan. Den Weg zum Plumpsklo
bahnte man sich durch ein Heer von kniehohen Terrakotta-
Gnomen, die Jorinde in ihrem Atelier unterm Dach herstellte.
In der Küche loderte Feuer in einem eisernen Herd. Ein eitrig
blinzelnder Kater, dessen weißes Perserfell vor Lehm starrte,
saß auf dem Tisch. Immerhin kam Wasser aus dem Küchen-
hahn, wenn auch so kalt, daß die Seife in meiner Hand gefror.
Jorinde schnitt Möhren in einen Topf. Ihr honigfarbenes Haar
rief Märchen wach.

«Was für eine Ruhe», bemerkte ich, «was für ein Paradies!»

«Ich habe die Betten im Napoleonzimmer aufgestellt»,
sagte sie. «Hoffentlich läßt euch der Spuk heute nacht in
Ruhe.»

«Wie?»

«Wir haben einen Hausgeist. Er rumpelt manchmal da unten.»

Ich nahm es als feinsinnige Revanche für meine städtische Bemerkung über die paradiesische Ruhe fern aller Weltenwenden.

«Wir vermuten, es handelt sich um einen Vorfahren, Rötger von Harstall. Er soll 1836 bei einem Duell ums Leben gekommen sein. Sein Bild hängt unten im Eingang.»

Mein Herz bekam kurz den Schluckauf. Aber ich war entschlossen, nicht an Übersinnliches zu glauben, und stieg hinab, um mir das Bild anzusehen. Harstall war ein eingedunkelter rotblonder Bursche mit keckem Studentenkäppi. Seine Augen waren dieselben wie Jorindes, verhalten und poetisch, Augen derjenigen, die jeder Zeit fremd bleiben.

Durch den schmalen Gang vor ihm führte ein buckliger Steinboden von der Haustür zu einem vermutlich später angebauten Bad. Eine Tür daneben, am Fuß der Treppe, stand offen. Im Garten, der das krautige Grün kaum faßte, unterhielten sich Josef Budde und Richard Weber, beide um die fünfzig, doch um Generationen verschieden; im braunen Maßanzug mit Schlips und Kragen der glatte Oberstaatsanwalt aus dem Westen, der Pastor leise und schlau in fadenscheiniger Wolljacke mit kubanischer Zigarre.

Als Jorinde mit einem Tablett erschien, um den Gartentisch mit Meißner Kaffeetassen zu decken, war ich bereit, die Existenz von Feen in Erwägung zu ziehen. Ihr schwarzer Rock wehte, ein silbernes Kreuz blitzte am Samthalsband, goldene Funken rannen über das Haar von der Farbe echten Bienenwachses. Dagegen war ich eine grobe Erscheinung in Jeans und Lederjacke mit Narbe und Kurzhaarschnitt. Es war weniger ein räumliches als vielmehr ein geistiges Wunder, daß wir vier in der Ecke einer efeufeuchten Mauer Platz fanden. Ich hatte gelesen, daß ihre Sprache das Wort Kaderwelsch enthielt. Für sie war Konsum ein Kaufhaus, für uns ein gesellschaftliches Verhalten. Mir fiel keine Frage ein, die ich diesen Leuten hätte stellen können, außer einer einzigen. Feinfühlig, wie er war, griff Budde die ungestellte Frage auf und brachte die Rede auf einen Maler, der sich heute Bürgerrechtler nannte und ihn gleich nach der Wende als Inoffiziellen Mitarbeiter der Stasi mit Decknamen Luther entlarvt haben wollte.

«Das einzige Mal», sagte Budde, «daß diesem Maler öffentliche Aufmerksamkeit sicher war.»

Die Anspannung in Richards Gesicht zeigte mir, daß auch er von der publizierten Beschuldigung gegen den Pastor wußte. Der Grubenhauch des Plumpsklos wehte uns an. Ich ahnte, warum wir hier waren.

«Mußte ein IM nicht eine Verpflichtungserklärung unterschreiben?» bemerkte ich.

Jorinde begann schlagartig das Geschirr zusammenzuräumen und erklärte, die Hunde müßten raus. Richard blieb sitzen und bannte damit auch Budde in den Stuhl, der Zigarre schmauchend erwog, was er einräumen sollte.

«Natürlich», sagte er schließlich, «gibt es über mich eine Akte. Mein Stasimann hat hier oft genug Kaffee getrunken.» Er schmunzelte. «Was glaubt ihr, warum sie das Grab von Carl Zeiss auf dem Alten Friedhof zu seinem neunzigsten Todestag neu gestaltet haben? Es war kurz vor der Hundertjahrfeier der Zeiss-Stiftung. Als ich auf den Friedhof kam, war der Zeiss-Grabstein weg. Also bin ich zu meinem Stasimann. Er stotterte herum. Man wollte den Festakt eben nicht auf einem christlichen Friedhof begehen. Ich drohte damit, daß die Grabschändung sicherlich im Westen Beachtung finden würde. Euer Zeiss-Werk in Oberkochen feierte damals ja auch das Jubiläum. Man mußte nur miteinander reden. Am Ende haben sie nicht nur das Grab, sondern auch das Dach der Friedhofskirche renoviert.» Budde stand entschlossen auf.

Zu meiner Verwunderung gab sich Richard mit der Anekdote zufrieden. Die Hunde wilderten durch den Garten zum

Törchen am Wald. Jorinde trug Ming hinterher. Bolle hieß der schwarze Riesenschnauzer und Rambo der hüftlahme Schäferhund. Sie brachen durchs Unterholz, während Ming den Waldweg entlangwuselte. Als wir auf abgemähte Wiesen und Felder traten, die ins südliche Plateau gen Jena schwangen, wandte sich Josef Budde unvermittelt an mich.

«Schauen Sie gut hin. Uns hat man immer nur befreit. Erst Napoleon, dann die Amerikaner, dann die Russen.»

Das also war das Schlachtfeld, auf dem einst die preußisch-sächsischen Truppen biwakierten, ehe sie von Napoleon und seinen Generälen gen Norden getrieben und bei Auerstedt aufgerieben wurden. Auf die Hügelkuppen hatten die Russen Funkanlagen gesetzt. Kleine Häuschen begannen bereits das Feld von Norden her zu infiltrieren. Im Dunst zwischen den Hängen scharte sich Jena um den Block der Zeiss-Werke, den Glas-Alu-Zylinder des Universitätshochhauses und den Turm von St. Michael.

«Du mußt wissen», sagte Richard, «daß Josef Nachfahre von Johann Buddeus ist. Der Pietist hielt seine Vorlesungen in Theologie hier schon Anfang des 18. Jahrhunderts auf deutsch.»

Auch Schiller soll ja in Jena Geschichte gelehrt haben, rätselhaft für jemanden wie mich, die Schiller für einen Reclamheftchen-Dramatiker hielt.

«Sogar Karl Marx hat hier promoviert», ergänzte Budde.

Ein Gespenst geht um in Deutschland.

Die Septembersonne warf Baumschatten auf das Schlachtfeld. Jorinde hatte Ming wieder eingefangen, die auf ihrem Arm hechelte, und gab auf meine Fragen nur ungern Auskunft. Sie war dabei, ein Theologiestudium abzuschließen. «Ich hatte das Glück, daß ich auf ein Gymnasium durfte. Das war für Pfarrerstöchter schwierig.» Vermutlich hatte Papa darum gekämpft. Nun hoffte sie auf eine Pfarrstelle in Apolda, da die Kirche die Stelle in Cospeda schließen würde. «Schade, jetzt, wo die Kirche endlich voll wird.» Papa, dem sie nach dem Unfalltod der Mutter den Haushalt führte, stand kurz vor der Frühpensionierung.

Noch behauptete sich das Dorf grau und schief gegen den Ansturm properer Neubauvillen auf freiem Feld. Zum Abendessen löffelten wir in der abschüssigen Stube Gemüseeintopf aus Meißner Porzellan. Mir bebten die Hände, als ich das Zwiebelmuster, das noch stark den ursprünglichen Granatäpfeln ähnelte, dann abtrocknete und zwischen hungrigen Katzen auf dem Küchentisch stapelte. Als Jorinde nach längerem Schweigen die Frage einfiel, was ich denn machte, plauderte ich von meinem Job bei der Zeitung, fühlte mich überlegen und bot ihr das Du an.

«Wie lange kennst du Richard schon?» fragte sie, und meine Überlegenheit war dahin, denn ihre Bekanntschaft mit ihm war offensichtlich älter als meine.

«War er eigentlich oft hier?» erkundigte ich mich.

«Nach dem Mauerfall nicht mehr.»

Damals mußte sie zauberhafte Siebzehn gewesen sein. Sie nahm das Porzellan, trug es in die Stube und kam aus einem anderen Zimmer mit Bettwäsche wieder. «Es ist doch in Ordnung, wenn ich euch zusammen unten im Napoleonzimmer unterbringe, oder?»

«Ja, sicher.» Ich hätte mir das Lachen verkneifen sollen. Immerhin war dies ein christlicher Haushalt, und Vater und Tochter fragten sich mißbilligend, in welchem Verhältnis ich, das Biest, zu dem Schönen stand. Wenn Richard damals nicht Mitte Vierzig und Jorinde nicht erst siebzehn gewesen wäre und es diese Grenze nicht gegeben hätte, dann hätte er sich mehr als nur ihr Herz erschlossen. Es schien mir unmöglich, daß es heute irgendein Wollpullover-Kommilitone schaffte, Jorindes jungfräulichen Zauber zu durchdringen.

Wir rumpelten die Holztreppe hinab. Vor dem Bad grauste es mich, seit ich einen Blick hineingeworfen hatte. Der Boden war Beton. Der Boiler hätte mit Holz befeuert werden müssen, damit uns eine warme Dusche in einem emaillierten Badezuber möglich gewesen wäre, falls der Wasserdruck ausgereicht hätte. Im Napoleonzimmer stand Josefs Schreibtisch. Die Amtsstube war bis unter die vergilbte Decke mit Büchern vollgestaubt, imprägniert von Zigarrenrauch. Vor den Regalen standen rechts ein welliger Diwan und links eine durchhängende Liege. Am Lichtschalter neben der Tür hing in roter Kordel und Bommeln ein korrodierter Degen.

Jemand zupfte mich hinten an der Jacke. Ich wandte mich um, aber Jorinde breitete viel weiter drüben das Laken über den Diwan. Mich fröstelte heftig. Rötger von Harstall blickte vom Gang ins Zimmer. Der Maler hatte ihm jenen Blick verliehen, der einen immer anschaut, egal, wo man steht.

«Ein Grundig», erläuterte Jorinde, «mein Urgroßvater. Er war sächsischer Hofmaler in Dresden. Meine Urgroßmutter war eine von Harstall. Die Familie geht zurück auf Pippin von Heristall, den Großmeier Karls des Großen.»

In meinem Hirn knirschten die Jahrhunderte. «Aber Grundig kann doch diesen Harstall nicht gekannt haben.»

«Das Bild ist die Kopie eines älteren, das verlorengegangen ist. Soll ich den Badofen anfeuern?»

«Ach, laß nur.»

Es war dunkle Nacht, als wir uns in einem weiteren abschüssigen Balkonzimmer zum Wein versammelten. Tönerne Gnomen hielten mit großen Augen zwischen den Biedermeiermöbeln Wache. Josef entkorkte Flaschen. «Jetzt kann man den Französischen ja überall kaufen.» Unterbrochen von sinnierender Stille tauschten wir vorsichtig politische Allgemeinplätze aus. «Wir zahlen den Solidaritätszuschlag ja auch», sagte Budde.

Unbemerkt war Jorinde verschwunden. Als sie sich mit erhöhtem Atem wieder setzte, sahen wir sie an.

«Ach, ich habe unten nur was gehört.»

«Ja, Richard», sagte Josef Zigarre paffend, «wir haben jetzt einen Hausgeist. Er rumpelt manchmal, und im Bad flattern die Handtücher auf der Leine. In letzter Zeit hat er angefangen, mich im Arbeitszimmer hinten an der Jacke zu zupfen. Das ist ein bißchen unangenehm.»

Blanker Horror überfiel mich. Auch mich hatte der Geist vorhin bezupft. Und nun sollte dies nicht meine Einbildung gewesen sein, sondern das objektive Phänomen einer parapsychologischen Manifestation? Klopfgeisterei infolge der Seelenkrise eines jugendlichen Hausbewohners war zwar immerhin Gegenstand wissenschaftlicher Forschung, aber nie bewiesen worden. Nun fragte ich mich beklommen, welch stummer Protest wohl hinter der honigfarbenen Stirn eines Mädchens pochte, das in ihrem Atelier tönerne Gnomen gegen die schweren Balken des Hauses aufmarschieren ließ, eines Hauses im Auge des Orkans deutscher Geschichte. Wie hingemalt von Uropa Grundig saß Jorinde auf dem grünen Sofa, der Minne eines Pippin von Heristall würdig, vom lutheranischen Geist eines Buddeus zur Mission des sozialistischen Atheismus angestiftet und nun übriggeblieben und vergessen im dörflichen Alltag, weltfern dem verwitweten Vater den Haushalt führend. Und Richard schien von alldem nichts mitzukriegen und lächelte über die Spukgeschichten.

Vom französischen Wein benommen, mußte ich mich nach Mitternacht zwischen einem welligen Diwan und einer durchhängenden Liege entscheiden, weil Richard mir wie ein Kavalier pro forma die Wahl ließ, die er längst getroffen hatte. Mein Unbehagen verschloß sich jeder rationalen Begründung. Zwischen den Betten buckelte eiskalter Klinkerboden. Vielleicht hätte ich wie Richard früher wenigstens einmal den Todesstreifen von hüben nach drüben passieren müssen, um heute diese lächelnde Verstocktheit unserer Gastgeber zu verstehen. Ich entzog mich der Bettenfrage aufs Plumpsklo. Kalter Wind strich von unten gegen Backen und Schamlippen.

In der finsteren Diele im ersten Stock meditierte Ming auf ihrer Decke, rollte mit den Augen und bekam Schluckauf. Ich kraulte das von Eruptionen geschüttelte Tierchen und kratzte in meinem Hirn ein Gedicht zusammen: «Über allen Wipfeln

… nein: Über allen Gipfeln/ ist Ruh,/ in allen Wipfeln spürest du/ kaum einen Hauch;/ die Vögelein schweigen im Walde./ Warte nur, balde/ ruhest du auch.» Ming schwieg, aber ein Luftzug öffnete die Tür auf der anderen Treppenseite einen Spaltbreit, und Licht schlug auf die Dielen. Drinnen besprachen Josef und Jorinde die Gastgeberstrategie.

«Soviel ich weiß», sagte Josef, «will sich Richard morgen früh mit der Dekanin der juristischen Fakultät treffen. Vielleicht nimmst du diese schreckliche Freundin mit an die Uni.»

«Wie lange wollen die denn eigentlich bleiben?» seufzte Jorinde.

«Laß Richard ein wenig Zeit», sagte Josef, «er muß sich darüber klar werden, welche Fragen er mir stellen will.»

Daraufhin zog jemand die Tür ins Schloß, und ich schlich angehaltenen Atems die knarzenden Stufen hinab. Vor dem Bad taumelte ich trunken in eine Bodendelle. Die Badtür schwang auf, stoppte aber brüsk auf halbem Wege zur Wand an einer Erhebung im roten Klinkerboden. Richard lag unter der Decke auf dem Diwan. Ich bewunderte sein gedankenloses Vertrauen in die Nacht.

«Welche Fragen hast du diesen beiden Gespenstern da oben zu stellen?» sagte ich erbittert. «War Budde IM Luther?»

«Seine Gegner sind den Beweis immer schuldig geblieben.» Richard schlug die Arme unter den Kopf. Ich überlegte, ob ich mich überhaupt ausziehen sollte. Die ländliche Kälte war bitter.

«Aber es war so …», sagte Richard zögernd und dann entschlossen. «Ich wurde 1988, ein Jahr vor dem Mauerfall, bei der Ausreise am Übergang Hirschberg festgenommen und verhört.»

«Wieso hat man dich denn überhaupt reingelassen?»

«Es gab keine Reisebeschränkungen für Staatsanwälte. Auf dem Einreiseformular habe ich allerdings immer nur Beamter angegeben. Aber sie wußten trotzdem genau, wer ich war.»

«Und was wolltest du hier?»

«Ich habe Josef Anfang der achtziger Jahre in Ostberlin kennengelernt. Ich hatte mich verlaufen. Er sagte, er sei auch ortsfremd, brachte mich aber zur Friedrichstraße zurück. Auf dem Weg kamen wir ins Gespräch. Als Pastor betreute er Ausreisewillige. Sie hatten den Antrag oft vor zehn Jahren gestellt. Manche wurden deshalb sogar angeklagt und verurteilt. Andere verloren den Job. Die Kinder durften nicht auf weiterführende Schulen. Letztlich ließ man sie gehen, weil sie ein Unzufriedenheitspotential darstellten, an dem der Staat kein Interesse hatte. Viele mußten Häuser aufgeben oder wertvolle Erbstücke zurücklassen. Oft unterschrieben sie Verzichtserklärungen. Mich faszinierte damals die Frage, wie man es anstellen müßte, damit sie ihr Eigentum eventuell später einmal einklagen könnten. Solche Fragen konnte man nicht am Telefon besprechen. Also fuhr ich gelegentlich rüber.»

Sieh mal an! Der Glaube an die Überlegenheit der Rechtsstaatlichkeit hatte in dem Beamten den Abenteurer geweckt.

«Und nun holten sie mich auf der Rückfahrt an der Grenze raus, sperrten mich in ein winziges Zimmer und verhörten mich, und ich sah mich schon im gelben Elend in Bautzen. Bei meinem letzten Besuch bei Josef ging es um eine Physikerin, die für Zeiss Jena Methoden erforschte, um Prismen zusammenzukleben. Ihr Mann, ein Musiker, hatte eine Tournee durchs befreundete sozialistische Ausland genutzt, sich in den Westen abzusetzen. Sie stellte einen Ausreiseantrag. Er kostete sie den Job, aber man sagte ihr, daß sie nie die Ausreise bekäme, weil sie Geheimnisträgerin des Zeiss-Kombinats war. Ich wollte mich mit ihr treffen, aber Josef war dagegen. Allerdings machte ich mich mit allerlei Kenntnissen über Prismen im Kopf auf den Heimweg. Meine Idee war, die Zeissianer in Oberkochen zu fragen, ob sie die Methoden der Physikerin nicht als bereits bekannt veröffentlichen könnten.»

«Um Gottes willen, warst du denn wahnsinnig? Du hast doch praktisch Fluchthilfe betrieben und Werkspionage. Dafür hättest du für Jahre in den Knast kommen müssen.»

«Sagen wir lieber, es war Leichtsinn», sagte Richard unbehaglich. «Das wurde mir auch klar, als die Grenzer mir Spionage für den Klassengegner vorhielten. Erst dachte ich noch, die wagen es nie, einen Staatsanwalt aus dem Westen festzuhalten. Aber dann zauberten sie unter meinem Beifahrersitz eine dieser feuerfesten Jenaer Glasformen hervor, ganze sieben Blechmark wert und Exportschlager des Kombinats. Dummerweise war es verboten, den Devisenbringer als Mitbringsel auszuführen. Damit hatten sie mich in den Klauen.»

Ich lachte etwas ratlos.

«Mir war überhaupt nicht zum Lachen zumute, glaub mir. Sie hatten zwar keinen Beweis für den Vorwurf der Werkspionage, aber sie schienen entschlossen zu sein, sich von mir ein Geständnis zu holen. Die Grenzer waren alle Stasileute, das wußte ich, zum Teil blutjunge Fähnriche, die sich profilieren wollten. Ich saß stundenlang auf demselben Stuhl, aber sie wechselten sich ab, gingen immer wieder raus, um telefonisch mit Berlin Rücksprache zu nehmen. Jeder stellte von neuem die Fragen: Warum ich den Staatsanwalt auf dem Formular verschwiegen hätte, mit wem ich mich in Jena getroffen hätte, welchem Zweck meine Besuche bei Josef dienten. Einer brüllte mich an, zertrümmerte die Jenaer Glasform auf dem Boden. Ob ich denn glaubte, mich über die Gesetze der Deutschen Demokratischen Republik hinwegsetzen zu können. Wenn der Schreier rausging, gab sich der andere menschlich, wohl in der Hoffnung, daß ich mich verplapperte.»

Ich kroch unter die Decke und suchte in den Kuhlen der Liege nach einer Position, die meiner Anatomie entsprach.

«Im Morgengrauen zitterte ich vor Ohnmacht. Sie hatten keine Beweise für den Spionagevorwurf, nur die Scherben einer Jenaer Glasform. Und ich beharrte darauf, daß sie sie mir untergeschoben hatten. Sie wußten, daß ich jeden Vorfall in der sozialistischen Einflußsphäre meinem Dienstherrn melden mußte. Der deutsch-deutsche Eklat war unvermeidlich. Ihr stundenlanges Verhör wäre nur dann zu rechtfertigen gewesen, wenn ich tatsächlich einen Rechtsverstoß begangen hätte. Sie brauchten meine Unterschrift unter einem Protokoll. Mir wurde allmählich klar, daß es ihnen schließlich nur noch darum ging, das Gesicht zu wahren. Ich mußte irgend etwas gestehen, damit sie das Verhör abschließen konnten. Sonst würde ich Monate, wenn nicht Jahre in Untersuchungshaft auf Freikauf durch den Westen warten. Gegen Mittag setzte ich alles auf eine Karte, brach zusammen, räumte ein, daß ich die Jenaer Glasform hatte illegal ausführen wollen, und unterschrieb das Protokoll. Es funktionierte. Sie nahmen mir dreihundert Mark West ab und gaben mir den Paß zurück. Eine Viertelstunde später befand ich mich auf der Autobahn nach Nürnberg.» Er sah mich an. «Und ich habe nie jemandem etwas davon erzählt.»

Es wäre auch keine Heldengeschichte gewesen, die er da seinem Dienstherrn zu berichten gehabt hätte, sondern die Geschichte sträflichen Leichtsinns, peinlicher Angst und einer Notlüge. «Und wo kam die Jenaer Glasschale nun her?»

«Das weiß ich nicht», sagte er. «Aber es war so, daß ich tatsächlich eine Jenaer Glasform gekauft hatte, genau so eine, wie sie sie unter meinem Sitz gefunden hatten, denn irgendwie mußte man sein Blechgeld aus dem Zwangsumtausch ja ausgeben. Aber ich habe sie Josef überlassen, als er mir sagte, daß die Ausfuhr verboten ist.»

«O Gott! Dann hat Josef sie dir untergeschoben. Dann hat er womöglich auch seinem Stasimann etwas über deine Mission erzählt, vielleicht um seinen eigenen Kopf zu retten, oder, was noch wichtiger ist, die Zukunft seiner Tochter …»

«Das kann ich mir schlichtweg nicht vorstellen.»

«Aber der Verdacht ist dir gekommen.»

Richard ließ die Augen über die Bücherregale gleiten. «So ein Verdacht kommt einem natürlich schon, wenn sie einen mit Worten konfrontieren, die man einem Freund unter vier Augen gesagt hat. Aber Josef schrieb mir nach der Wende, daß der *Nachtigall*-Wirt das ganze Dorf abgehört hat. Die heiklen

Gespräche haben wir zwar immer im Auto auf Landstraßen geführt, aber es mag sein, daß der Name der Zeiss-Physikerin hier gefallen ist. Über die Jenaer Glasform haben wir auf jeden Fall im Haus geredet. Und mein Auto stand unten im Hof. Da konnte im Prinzip jeder ran.» Er zog sich die Decke zum Kinn. «Kommst du an den Lichtschalter?»

Ich kroch fröstelnd aus dem Bett. Der Degen neben dem Lichtschalter schaukelte leicht. Rabenschwarze Nacht, wie sie nur auf einem Dorf ohne Straßenlaternen herrschte, überfiel mich. Ich verlor die Orientierung, fühlte mich plötzlich im Gehege menschlicher Glieder und kreischte auf. Aber es war wohl nur Richard, der mich auf sein Lager zog. Vielleicht vereinigte ich mich in dieser Nacht auch im kalten Schweiß meiner Angst mit Rötger von Harstall.

Die Erde war um viele tausend Nächte rückwärts gelaufen, als ich, umgeben von Finsternis, auf meiner Hängeliege aufwachte. Es war kalt von unten, die Blase drückte, und ich hatte ein Geräusch gehört. Mein Keuchen überlagerte alle anderen Laute in diesem Zimmer. Ich war allein im nikotingeschwängerten Staub der Jahrhunderte. Der Degen an der Tür schepperte. Er war deutlich sichtbar in all der Unsichtbarkeit. Ein Lichtreflex in totaler Dunkelheit schwankte auf der Glocke. Oder bildete ich es mir nur ein? Mir war, als sei die Klinge schon in meine Brust gedrungen und lähmte Atmung und Stimme. Im nächsten Moment sah ich den Degen auf mich zukommen. Sekunden später überschlug sich der Horror und zerfiel in zähes Vernünfteln. Es war der Blasendruck, der mich stach. Aber mir graute unsäglich vor dem endlos kalten Weg zum Plumpsklo. Nur langsam formierte sich die Idee, den Zuber im Bad zu benutzen. Noch länger brauchte ich, um mich zum Aufstehen zu überwinden.

Die Kälte des Bodensteins fuhr mir bis unter die Haarwurzeln. Ich tastete mich zur Tür, trat in den Gang. Ein kalter Zug kam von der Tür zum Garten. Sie stand offen. Auch die Badtür stand offen, sperrangelweit, viel zu weit. Das war unmöglich, da der Hubbel im Steinboden sie hätte auf halbem Wege stoppen müssen. Im Bad ereignete sich etwas – eine seltsame Dämmerung schwebte, formierte sich, waberte. Es geschah etwas, das ich nie werde beschreiben können. Namenloses Grauen sprang mich an. Mein Bewußtsein riß. Im nächsten Moment stand ich draußen im Garten unter Mond und Sternen.

Nie wieder konnte ich zurück in diesen Gang. Doch zuvor mußte ein menschliches Problem gelöst werden. Ich strullte zwischen Astern und Lavendel. Während ich hockte und der Erleichterung lauschte, gluckerte Gelächter in mir hoch, das ich mir verbiß, weil ich mir vorstellte, gehört und im Garten erwischt zu werden. Es raschelte im Gebüsch. Für einen Augenblick polkte sich etwas Schwarzes aus der Dunkelheit. Ein Hund, der Riesenschnauzer Bolle, taumelte über den Weg, verschwand. Na klar, der Hund. Es war der Hund. Es gab immer eine rationale Erklärung. Ich konnte mich durch den Gang zurückwagen.

Als ich um zehn aus der Liege kroch, war Richards Diwan schon erkaltet. Der Pfarrer stand im Garten und schaufelte ein Grab. An der Mauer lag mit steifen Pfoten der Kadaver von Bolle. Ich erschrak.

«Er war schon alt», sagte Josef.

Ich verschwieg, daß ich heute nacht einen sterbenden Hund gesehen hatte. Die Lefzen des Riesenschnauzers waren blutig, aber seine Kiefer waren zu steif, als daß ich ihm ins Maul hätte schauen können. Mir fiel die Badtür wieder ein.

Sie war geschlossen. Die Beule im Steinboden bremste sie beim Öffnen energisch auf halbem Weg zur Wand. Was ich heute nacht erlebt hatte, zog sich ins Traumhafte zurück. Dann sah ich zwei lange Schrammen auf dem Hubbel in der Patina der roten Klinkersteine.

Ming bekam Schluckauf. Jorinde spülte mit trockenen, aber roten Augen in der Küche das Frühstücksgeschirr. Ich äußerte mein Beileid. Sie hatte Bolle am Morgen tot in einer Spur der

Verwüstung im Rosenbeet gefunden. Auf dem runden Tisch in der Stube war noch mein Platz mit Meißner Porzellan gedeckt. Das Ei war kalt. Ich sagte mir, daß die Schrammen im Steinboden nicht bewiesen, daß die Badtür heute nacht von Geisterhand über den Hubbel geschoben worden war. Das konnte auch wann anders von Menschenhand geschehen sein.

Jorinde brachte warmgehaltenen Kaffee und lächelte plötzlich. «Schwerterkaffee, fürchte ich.»

Ich starrte in die dünne Brühe, so dünn, daß man die gekreuzten Schwerter auf der Unterseite der Tasse durchschimmern sah. Jorinde informierte mich, daß Richard um acht in die Stadt gefahren war, um sich mit der Dekanin der juristischen Fakultät zu treffen, ein Import aus dem Westen. Man hatte in Jena gründlich aufgeräumt. Jetzt fehlten eigentlich nur noch die Studenten. Jorinde schlug einen Spaziergang den Berg hinab vor. Sie müsse in der Uni Bücher abholen. Richard kam mit dem Auto zurück, als wir gerade aufbrechen wollten, und bot sich uns unternehmungslustig als Chauffeur an. In seiner silbergrauen Limousine verloren sich die Gespinste der Nacht augenblicklich.

«Da vorn rechts», sagte Jorinde, «die Schillerstraße ganz runter.»

Sie hatte für den Stadtgang das goldgelbe Haar geflochten und um den Kopf geschlungen und blickte Richard mit blanken Mädchenaugen von der Seite an. Ich starrte aus dem Fenster. Rechts die Fassade der Zeiss-Werke im schlichten Fabrikjugendstil. Dahinter versteckten sich die Gebäude aus Ernst Abbes kapitalistischen Gründerjahren, das erste Hochhaus Deutschlands. Als erster hatte der Physiker Abbe den Achtstundentag eingeführt. Acht Stunden Arbeit, acht Stunden Menschsein, acht Stunden Schlaf. Bescheiden, wie er war, benannte er seine Stiftung nach seinem Weggefährten, dem Mikroskopbauer Carl Zeiss. Der Stiftung verdankten die Arbeiter seiner Werke bis heute selten erreichte Sozialleistungen und die Universität ihren Aufschwung. Vom Anatomieturm, in dem Goethe den Zwischenkieferknochen fand, den es nur beim Menschen gibt, war nur noch ein mittelalterlicher Steinstrunk übrig. Die theologische Fakultät schlummerte als Gartenvilla in einer Grünanlage. Jorinde vergaß, daß sie mich eigentlich um Begleitung gebeten hatte, überließ mich Richard und sprang wie befreit die sechs Stufen neben der Glasveranda zum Eingang hoch.

Im Freitagvormittagsgerammel ergatterten wir einen Parkplatz auf einer Freifläche im grauen Geschachtel der Häuser zwischen Verfall und Verschönerung. Mit Nostalgie um den Mund beschritt Richard den ehemaligen Platz der Kosmonauten, eine sozialistische Duftmarke in der zerbombten Altstadt, beherrscht vom sechsundzwanzigstöckigen zylindrischen Universitätshochhaus aus Schaumglas-Alu-Elementen, auch Penis Jenensis genannt, dem Flachbau einer Mensa und den pharmazeutisch-chemischen Instituten, die das alte Collegium Jenense schluckten. Als Eichplatz stellte sich das Ensemble heute auf die Eroberung durch Kaufhäuser ein.

«Napoleons Truppen verursachten hier einen Großbrand», erläuterte Richard, immer bereit, mir einen Einblick in die Tiefe seiner Bildung zu geben. «Man pflanzte Eichen, die aber heute der Luftverschmutzung nicht mehr gewachsen sind. Hier stand auch das Burschenschaftsdenkmal. Ist dir klar, daß in Jena die erste deutsche Burschenschaft gegründet wurde?»

Es interessierte mich auch gar nicht.

«Sie trugen die Farben Schwarz-Rot-Gold. Zwar gab es auch schon vorher Orden und Geheimbünde, die sich duellierten. Das Archiv ist voller Tumult-Akten. Aber die Jenaer Burschenschaft machte Schluß mit den Landsmannschaften. Sie wollte Vorbild für die deutsche Einigung sein. Das Wartburgfest ist dir ein Begriff?»

Ich dachte an Harstalls Duelltod und horchte auf.

«Oktober 1817. Fünfhundert Burschenschaftler und einige Professoren feierten vier Jahre nach der Völkerschlacht bei Leipzig den Sieg der österreichischen, preußischen, russischen und dänischen Truppen über Napoleon. Die Höfe sahen die national-liberale Bewegung mit Unbehagen. Der russische Staatsrat und Rührstück-Dichter Kotzebue verspottete die Burschenschaftler öffentlich und wurde vom Jenaer Theologiestudenten Karl Ludwig Sand in Mannheim erstochen. Ein willkommener Anlaß, die Burschenschaften zu verbieten, die Zensur zu verschärfen und liberale Professoren zu entlassen. In Jena traf es den Mediziner Oken, der später erster Rektor der Züricher Universität wurde.»

«Mischte damals auch ein Rötger von Harstall mit?»

Richard lächelte und nahm mich an der Hand. Wir betraten die Johannisstraße, einen Boulevard auf der anderen Seite von Flachbau-Mensa und Glasschaum-Phallus. Mit einem Handwurf wies Richard mich auf ein schmuckes Renaissancehaus in der Reihe alter Bürgerhäuser hin. «Die ehemalige Studentenkneipe *Zur Rose*, seit Gründung des Collegium Jenense im 16. Jahrhundert im Besitz der Universität und mit dem Rosenprivileg ausgestattet, Bier und Wein steuerfrei auszuschenken.»

Er wandte sich dem Oktogonalturm der Stadtkirche St. Michael zu, die sich hinter einer Apotheke am Straßenende abhob. «Da, wo jetzt die Apotheke steht, stand vor dem Krieg noch der Burgholzhof, Gründungshaus und Sitz der Burschenschaft Arminia. Dein Rötger von Harstall war Armine. Aber das war später. Nach dem Verbot der Burschenschaften entstanden wieder die alten Landsmannschaften, Korps genannt. Die Burschenschaftler versuchten, die Korps zu vereinen. 1830 gab es ein Treffen, und zwar oben in Cospeda in der *Nachtigall*. Es endete mit der endgültigen Spaltung in Germanen und Arminen. Die Germanen schrieben die politischen Ideale auf ihre deutschen Fahnen, die Arminen sannen auf Verinnerlichung und Sittlichkeit. Harstall war Theologe und Dichter und gehörte der Arminia an. Im Zuge der französischen Julirevolution erprobten die Germanen auch in Jena den Aufstand. Die anschließende Verfolgung war fürchterlich.

Prominentestes Opfer war der Jenaer Jurastudent Fritz Reuter. Er wurde 1836 zum Tode verurteilt, zu dreißig Jahren Festungshaft begnadigt und nach sieben Jahren freigelassen. Später machte er sich einen Namen als Erfinder des plattdeutschen Romans.»

1836. Das Datum kam mir bekannt vor. Richtig. «1836 ist doch auch Harstall bei seinem Duell gestorben.» Das Wort Verrat nistete sich in meinem Hirn ein. Wäre es ein ehrlicher Ehrenhandel gewesen, müßte er doch heute nicht herumspuken.

«Du darfst dir nicht vorstellen», sagte Richard, «daß die Studenten sich bei den Duellen gegenseitig getötet haben, auch wenn just hier der legendäre Fechtmeister Kreußler das Stoßfechten lehrte, den Stoß ins Herz mit gestrecktem Arm und vorgebeugtem Oberkörper. Aber das Duellfechten war und ist ein Hiebfechten und in der Regel nicht tödlich. Es gibt nur blutige Nasen oder mal ein abgerissenes Ohr. Außerdem ist der Paukarzt sofort zur Stelle.»

Noch ein Argument gegen Harstalls ehrenhaften Tod. Wir schlenderten durch den Einkaufsalltag um St. Michael. Der auf einen Pfeiler gestützte spitzbogige Durchgang unter dem Chor der Kirche zählte zu den sieben Wundern Jenas, genauso wie die Camsdorfer Brücke nach Osten über die Saale, heute eine Betonpfeiler-Endlosigkeit vor allem für Fußgänger. Auf der andern Seite gleich links stand, restauriert und glühend gelb, die *Grüne Tanne*, Gründungshaus der Deutschen Burschenschaft und heutiger Sitz der schlagenden Verbindung Arminia.

«Das Kellergewölbe», sagte Richard, «befindet sich über einer alten Kultstätte der slawischen Göttin Jani, die der Stadt den Namen gab, eine Göttin der Flußübergänge. Da das Haus außerhalb der Stadtmauern stand und da jeder Student relegiert wurde, der sich duellierte, fanden die Ehrenhändel häufig hier statt.»

«Oder oben in Cospeda», sagte ich.

«Aber Lisa! Laß dich doch nicht ins Boxhorn jagen von

den Spukgeschichten. Jedes Dorf hat seine Art, sich über Städter lustig zu machen.»

In der Tat, mit welch unbegreiflichem Mut hatte sich Jorinde gestern nacht treppab begeben, um einem Poltern auf die Spur zu kommen, dessen bloße Idee mich erstarren ließ. Als ob Hausgespenster blinde Flecken im Angstzentrum erzeugten, was eine gewisse Logik hatte, wenn sie demselben Hirn entsprangen. Gemessen an meinem Entsetzen war dieser Spuk kein Produkt meiner eigenen Phantasie. Doch um so schlimmer, denn dann war er objektiv da und würde mich nicht loslassen, es sei denn, ich kam seinem Entstehen auf die Spur, erkannte seine Regel. Es half nichts. «Wir müssen noch eine zweite Nacht da oben verbringen», sagte ich todesmutig.

«Aber sicher», sagte Richard.

Jorinde war auf geheimen Wegen vor uns wieder auf den Berg gelangt und goß Rotwein über ein Huhn im Topf auf dem Feuer. Ich ließ mich von den tönernen Gnomen nicht abschrecken, die auf der Treppe den Aufstieg unters Dach bewachten, und bestieg Jorindes Atelier. Unter solchen Dachbalken hatte man nach dem Krieg Tabak getrocknet. Regalbretter bogen sich unter der Last der Zwerge. Auch die größeren Figuren aus Stein waren halslose, runde Gestalten mit großen Augen.

«Richard», sagte Jorinde plötzlich hinter mir, «hat sie mal meinen stummen Widerstand genannt.» In ihrem Ton schwang Zärtlichkeit. Ich schluckte. Es mußte ja gar nicht so gewesen sein, daß Richard einst gekommen war, um mit Josef in Autos auf Landstraßen über Ausreisewillige zu sprechen. Da hatte es jedenfalls auch einiges mit Jorinde hier im Atelier zu besprechen gegeben. Was wäre daraus geworden, wenn es nicht die Verhaftung an der Grenze gegeben hätte?

«Nach der Wende», sagte ich, «hat Richard euch nicht mehr besucht. Warum eigentlich nicht?»

«Ja, weißt du nicht, daß er nach dem letzten Besuch an der Grenze verhaftet wurde?»

«Doch.» Ich machte keine Bewegung, um das unverhoffte Thema nicht zu verscheuchen. «Aber später gab es die Grenze ja nicht mehr.»

«Nun», sagte sie, ohne sich in die Augen blicken zu lassen, «Richard wirft da wohl meinem Vater etwas vor. Papa hat mir nichts darüber erzählt, praktisch nichts …»

Offenbar erzählte man sich grundsätzlich so wenig wie möglich.

«Er wollte nicht, daß ich wußte, warum Richard kam. Aber ich habe mitgekriegt, daß es um Ausreisegeschichten ging. Richard wollte wohl helfen. Er hat es wahrscheinlich nur gut gemeint. Aber ich habe schon damals immer gedacht, man kann doch nicht alles haben. Wer in den Westen wollte, der mußte eben hier alles aufgeben. Dafür war er dann im freien Westen. Entweder oder. Man mußte sich entscheiden. Und heute kommen sie alle zurück und wollen ihre alten Häuser wiederhaben. Ein Wahnsinn ist das.»

Ich betrachtete die Truppen des stummen Widerstands. Auch heute fragte keiner Jorinde um ihre Meinung.

«Ich erinnere mich», fuhr sie fort, «daß die Bezirksstelle Gera Papa an dem Abend anrief, als Richard abgereist war. Papa kam erst am andern Mittag wieder, und ich dachte, er kommt überhaupt nie mehr. Er hat mir nichts gesagt, nur, daß sie bei Richard eine Jenaer Glasschale unterm Beifahrersitz gefunden hatten. Ich habe ihn gefragt, wo die Glasschale ist, die Richard gekauft hatte. Aber Papa wollte nicht darüber reden. Ich habe deshalb noch wochenlang bei jedem Klingeln gedacht, jetzt kommen sie, um Papa abzuholen.»

Ich versuchte, den Widerspruch von großer Angst und kleinem Vergehen auszuloten. Das konnte nur glaubwürdig finden, wer ein Leben zwischen Wänden geführt hatte, die Ohren hatten, und mit Freunden, die Stasizuträger waren. Dagegen war ein Hausgeist ein geradezu faßlicher Gegenstand.

«Hat es eigentlich früher auch schon gespukt? Ich meine, vor dieser Geschichte?» erkundigte ich mich.

Jorinde sah mich an und schüttelte den Kopf. Dann fing sie an zu lachen wie eine Prinzessin unter tausend Zwergen. Ich kam mir vor wie der dumme Ritter, der in der Rosenhecke hängenblieb. Bevor ich sie küssen durfte, mußte ich den Drachen des Verrats töten. Nach dem, was sie gesagt hatte, bestand gar kein Zweifel, daß Josef Richard die Glasschale ins Auto getan hatte. Und das war nicht zum Lachen.

Ich ging Richard suchen. Septembersonne wehte durch die offene Gartentür herein. Harstall hing an der Wand, sah mich spöttisch an und zupfte mich hinten an der Jacke. Ich wollte nicht, aber ich fuhr herum. Da war nur die Tür zum Napoleonzimmer. Dahinter unsere Nachtlager, die Reisetaschen, Bücher bis unter die Decke. Ich fühlte den kalten Hauch im Nacken und suchte mit dem Rücken an der Wand Schutz. Der Degen schepperte. So fand mich Richard.

«Da bist du ja», sagte er, taktvoll meine peinliche Lage übersehend.

Ich nahm den Degen von der Wand. «Josef hat dir die Jenaer Glasform ins Auto getan. Jorinde hat es praktisch zugegeben.»

Richard sah von der Reisetasche auf.

«Josef wollte dich loswerden, für immer», sagte ich. «Denn du hast ihn und seine Tochter in Gefahr gebracht mit deinem westlichen Leichtsinn.»

«Unsinn.» Richards milchkaffeebraune Augen schlitzten sich asymmetrisch, wie immer, wenn er verbergen wollte, daß er betroffen war. «Wenn ich nicht willkommen gewesen wäre, dann hätte Josef nur meine Einreise nicht mehr zu beantragen brauchen. Das mußten nämlich die Gastgeber tun. Und fuchtel nicht so mit dem Degen herum! Ich bin über das Alter raus, da ich mir einen Schmiß zulegen muß.»

«Sieh an», sagte ich, «du hättest wohl auch gern einer schlagenden Verbindung angehört. Haben sie dich damals nicht haben wollen?»

«Lisa! Was soll das?»

Ich hatte seinen wunden Punkt berührt. Er hatte nie viele Freunde gehabt und überhaupt keine während seiner Studienzeit in Tübingen. Und jetzt verteidigte er den Pastor mit blinder Treue.

«Ich fürchte», sagte ich, «du wirst Josef fordern müssen.»

«Das ist meine Sache. Du hältst dich da raus, verstanden?» Er richtete sich von der Tasche auf, ein kleines grünes Büchlein in der Hand. Sekundenlang starrte er darauf, dann reichte er es mir. «Hier, falls du dich immer noch für Harstall interessierst. Ich hatte es eigentlich ... Ich kann es Josef auch später geben.»

Später oder gar nicht. So bröckelte Freundschaft. Ich blieb mit dem Degen am Knie auf dem Diwan zurück. War ich zu weit gegangen? Hatte ich etwas falsch verstanden? Hatte ich überhaupt irgend etwas verstanden?

«Jena fängt an, mir zu gefallen», titelte das Büchlein. Ein gewisser Rebmann schrieb in fiktiven Briefen über die Salana, wie man die Universität an der Saale auch nannte. «Jena ist an und für sich ein Ort, äußerst arm an Abwechslung und Vergnügungen. Und das ist wahrlich sehr heilsam und gut. Man muß aus lieber Langeweile studieren.» Oder man suchte Händel und duellierte sich. «Das letzte Opfer dieser Sucht, sich einen Namen zu machen, soll ein Herr von Harstall aus der Fechtschule Kreußlers gewesen sein, doch ist der schädliche Zweikampf so gewiß nicht Ursache seines Todes, als es seine Ordensbrüder behaupten.»

Ich steckte das Buch in die Tasche und hängte den Degen an die Wand zurück. Auf Stoß also hatte Harstall gefochten, auf Leben und Tod. Über seinen Tod mußte es doch Schriftliches geben. Wie hatte Richard die Akten genannt? Tumult-Akten.

Ich half Jorinde, den alten, etwas wackligen runden Tisch mit Porzellan und einem dampfenden Huhn zu beladen. Richard nahm schweigsam Platz. Josef tat so, als bemerke er das Erkalten der Freundschaft nicht. Ich schob ihm Rebmanns

Büchlein neben den Teller. «Hier, ich habe es in meinem Gepäck gefunden. Richard hat Ihnen wahrscheinlich gesagt, daß er es vorhin vergeblich suchte.»

Josef lächelte weise auf das Büchlein hinab. «Vielen Dank.»

Ich vermutete, daß Richard ihm gar nichts erklärt hatte. «Kommt man eigentlich an die Tumult-Akten im Universitätsarchiv heran?» erkundigte ich mich munter.

«Die kannst du doch gar nicht lesen», knurrte Richard. «Das sind Handschriften.»

Schon gut. Der Hinweis auf meinen Mangel an wissenschaftlicher Erfahrung hatte nicht sein müssen. Wahrscheinlich war ich als einzige Nichtstudierte unter diesen Akademikern derartig mit Komplexen gefüllt, daß sie sich als Spuk manifestierten. Wir gabelten eine Weile stumm. Dann wandte sich Josef an seine Tochter.

«Weißt du, wen ich gestern in der Stadt getroffen habe? Erinnerst du dich an Maik?»

Jorinde lachte mit gesenkten Wimpern.

«Er fährt jetzt einen dicken Wagen und kauft für eine Frankfurter Bank in Leipzig Straßenzüge auf. Sie werden dann renoviert und stehen leer, weil keiner die Miete zahlen kann.» Josef richtete seine kleinen grauen Augen auf Richard. «Dieser Maik und fünf seiner Kommilitonen hatten es sich '87 in den Kopf gesetzt, auf dem Platz der Kosmonauten ein Sektfrühstück zu veranstalten. Pure Dummheit, aber ich bin drei Tage lang von Pontius zu Pilatus gerannt, um denen klarzumachen, daß nichts Politisches dahintersteckte. Nach der Wende behauptete Maik, ich sei den Oppositionellen in den Rücken gefallen. Aber ich weiß noch, wie er seinen Eltern weinend in die Arme gefallen ist, nach nur drei Tagen Knast.»

«Und sie haben die Jungs einfach so freigelassen, ohne Gegenleistung?» sagte Richard eine Nuance zu scharf.

Josef blinzelte irritiert. «Nun, der Parteisekretär baute sich damals seine Datscha am Hausberg. Da hat man schon mal den Tip gegeben, wo es gerade Schrauben zu kaufen gibt.»

Dieser Antwort war Richard im Moment nicht gewachsen. Um der fein ziselierten Tortur zu entkommen, die sich die beiden Männer angedeihen ließen, bestand ich auf dem Einblick in die Tumult-Akten. Ich wußte, Richard würde mich nie alleine in ein Universitätsarchiv stolpern lassen.

Das Universitätshauptgebäude war gemauerte Geschichte im Fürstengraben, vormals Goetheallee. Die Studierburg, die Anfang dieses Jahrhunderts zum 350jährigen Jubiläum der Hochschule gebaut wurde, spiegelte die Mittelalterlichkeit des Städtchens. Hinter Büschen und Bäumen versteckte sich das Burschenschaftsdenkmal, hauptsächlich feierlich steinerne deutsche Fahne. Die Aula wurde beherrscht vom Bild des Monumentalsymbolisten Ferdinand Hodler. Jenenser Studenten zwängten sich in Jacken und Ranzen und bestiegen Pferde, um mit den Soldaten zu den Befreiungskriegen 1813 gegen Napoleon auszuziehen. Zum Archiv ging es links die Treppe hinunter.

Ich hätte gleich den Archivar gesucht, aber Richard wußte, daß man erst einmal ins Repertorium an die Findbücher ging. Ein Mädel verließ gerade den Raum. Blaue Augen und Ossieblick. Ich fragte mich, woran man das erkannte. Richard orientierte sich mit unbegreiflicher Geschwindigkeit und griff ein Buch aus dem Regal. «Wir suchen 1836, richtig?» Das Buch knackte, als er es öffnete. Er überflog die schwankenden Zeilen mit Signaturen und Laufzeiten. «Student gibt Schlummermutter Ohrfeige und wird zu vier Tagen Karzer verurteilt.»

Richard faßte Bücher an wie Kostbarkeiten. Seine Nüstern witterten sinnliche Genüsse. Angesichts schriftlich niedergelegter menschlicher Irrungen und Wirrungen war er sich seiner Sache sicher. Er war ein Mann der Buchstaben, keiner der persönlichen Auseinandersetzung. Ich verliebte mich erneut heftig in ihn. Jetzt tat es mir leid, daß ich ihn dazu herausgefordert hatte, als Staatsanwalt gegen seinen Freund in Cospeda aufzutreten.

«Da haben wir's schon», sagte er mit einem intimen Beben in der Stimme, hob die Augen und schenkte mir sein Finderglück. «Jetzt muß uns der Archivar die Akte ausheben. Komm.»

Ich stellte mich ihm in den Weg. Er war immer überrascht, wenn ihm jemand ein wenig Wärme und Zuneigung entgegenbrachte, und meist geriet ihm der Kuß etwas flüchtig. Dann senkte er die Lider und bedauerte, daß er in menschlichen Dingen stets mit grüblerischer Verzögerung reagierte.

Der Archivar gehörte offensichtlich noch zum Originalbestand. Sein dunkles Thüringer Sächsisch war von sämtlichen Gesinnungsüberprüfungen nach der Wende überhört worden. Richard präsentierte ihm seinen Doktortitel und repetierte die Signatur aus dem Kopf.

Ohne ihn wäre ich gescheitert. Sütterlinschriftzeilen schnürten unleserlich über fragile Blätter. Aber Richard destillierte nicht nur aus den ineinanderfließenden Ober- und Oberlängen, sondern auch aus dem mit Französisch und Latein aufgeschäumten Deutsch einen Sinn.

«Ich muß dich enttäuschen», sagte er. «Vor Richter Eckardt stand nicht Harstalls Mörder, sondern ein Petzer. Ein Paul Freken, Student im Fuchsenstande, also ein Neuling, ist dem Wirt vom *Schwarzen Bären* die achtzehn Pfennige für eine Bouteille Köstritzer Bier schuldig geblieben und verlegt sich nun aufs Anschwärzen. Er beschuldigt ...», Richard stutzte, «... tatsächlich Karl August von Hase ...»

«... daß er Harstall getötet hat?»

«Nein. Sei nicht so ungeduldig. Hase wurde später als Kirchenhistoriker weit über Jena hinaus bekannt, aber er saß zuvor auch als Burschenschaftler in Kerkerhaft auf dem Hohen Asperg bei Stuttgart. Freken behauptet hier, der Germane Hase habe im *Schwarzen Bären* schädliche Reden geführt, gemeint sind wohl politische. Daraufhin hätten einige Saufbolde beschlossen, nach Cospeda hinaufzuziehen, um den Arminen Harstall zur Rede zu stellen. Daran habe Freken nicht teilnehmen wollen. Deshalb habe er sich, ohne zu zahlen, eiligst davongestohlen. Er wisse aber, daß anderntags die Leiche eines jungen Mannes im Anatomie-Haus gelegen habe, um von Studenten seziert zu werden.» Richard sah hoch. «Das bedeutet Massengrab für Harstall.»

«Aber warum wurde er umgebracht?»

«Freken sagt, es wurde geredet, daß Harstall gegenüber der Polizei bestritten habe, anonymer Verfasser einer Schrift zu sein, die zum bürgerlichen Aufstand aufrief. Kurz darauf wurde Fritz Reuter verhaftet. Mit anderen Worten ...», Richard hob die Augen, in denen die Erinnerung an sein eigenes Verhör schwelte, «... Harstall hat vielleicht Reuter aus Angst vor dem Kerker angeschwärzt.»

Ich sah den rotblonden Poeten aus unruhigem Schlaf auffahren, weil er ein Geräusch gehört hatte. Ohnehin war er aufgewühlt und verstört von der Nachricht des Todesurteils gegen Reuter. Nun sah er sich plötzlich umstellt von Raufbolden, die Gelegenheit suchten, sich durch eine ordentliche Prügelei in ihren Kreisen einen Namen zu machen. Geplagt von seinem Gewissen, fürchtete Harstall um sein Leben, sah keine Chance mehr, sich zu rechtfertigen, zu erklären, den Vorwurf des Verrats zu entkräften. Seine verzweifelte Verteidigung mit dem Degen machte aus den Raufbolden Mordbuben, denn wenn sie nicht selbst getötet werden wollten von einem, der auf Stoß focht, dann mußten sie ihn niederstrecken. Harstall starb in seinem Blut, weil er im engen Hausflur den rechten Ausgang nicht fand, auf den Steinen, dort, wo heute das Bad war.

«Wenn du den Beweis haben willst», sagte Richard, «daß es hier um Verrat ging, dann müssen wir Reuters Akte suchen.»

«Richard», sagte ich, «die Akten geben dir auch keine Antwort auf die Fragen, die du nicht wagst, deinem Freund in Cospeda zu stellen.»

Er senkte den Blick und bedeckte das Gesicht mit den Händen.

Ich bemerkte plötzlich, daß uns ein junger Mann zusah,

der mit einem Zettel in der Hand auf den Archivar wartete. Der Unterschied zwischen ihm und uns bestand nicht im Zuschnitt seiner Jeansjacke, nicht mehr, sondern in der Geduld zu warten. In dem hübschen jungen Gesicht saß ein Zug trotziger Verschlossenheit. Es hinterließ Spuren in den Gesichtern, daß sie immer hatten anders reden müssen, als die Köpfe dachten. Die Tradition des Kaderwelsch lag wie eine Maske des Ekels auf den Zügen. Als er sich abwandte, bedachte ich, daß wir uns in all den Jahren nach der Maueröffnung nie die Mühe gemacht hatten, ihre Erfahrungen mit der Selbstbehauptung im Kollektiv zu ergründen. Wir trugen unser Ich immer auf den Lippen, für sie war Gehörtwerden existenzgefährdend gewesen.

Richard hatte immerhin einmal, wenn auch nur für ein paar Stunden, am eigenen Leib diese Angst erfahren, wegen falscher Worte in Bautzen zu landen. Auch er, der Staatsanwalt aus dem freien Westen, hatte sich nur mit einer taktischen Lüge zu retten gewußt. Dabei hielt er sich allerdings zugute, Josef und Jorinde geschützt zu haben, obgleich das Auftauchen der Jenaer Glasform seinen Freund in ein zweifelhaftes Licht gerückt hatte.

«Übrigens», sagte Richard, als wir wieder vor die versteinerte Verteidigungsanlage wissenschaftlicher Freiheit traten, «da drüben, das ist der *Schwarze Bär*. Da war früher auch der Intershop drin.»

Ich stellte mir vor, wie Richard in dem kleinen Laden im Hotel an der Ecke dem Ostpfarrer den westlichen Reichtum zu Füßen legte. «Such dir aus, was du willst.» Josef ließ die grauen Augen etwas erschrocken über die Buntheit sonst unerreichbarer Produkte aus dem Westfernsehen gleiten und bat um Milka-Schokolade für die Tochter. Richard legte noch Beaujolais, Jacobs-Kaffee, eine Dose Ananas und Nesquick drauf, bezahlte mit harter Währung und versuchte den Dank Josefs als unnötig abzutun.

«Im *Schwarzen Bären* hat auch Luther ...», er stockte den

Bruchteil einer Sekunde, «... Luther versucht, im Disput mit radikalen Reformatoren die Bauernkriege abzuwenden.»

Auch mir fiel ein, daß Josef in den Akten des MfS nach Überzeugung derjenigen, die sich heute Bürgerrechtler nannten, unter dem Decknamen Luther als IM geführt wurde. Luthers Bemühen, die frühbürgerliche Volksbewegung in und um Jena in gemäßigten Bahnen zu halten, gewann bedrückende Symbolkraft für die Alltagsdiplomatie eines Josef Budde.

Rambo, der alte Schäferhund, stand auf dem Hof und wedelte mit tiefem Schwanz. Er drängelte vor uns zur Haustür hinein und trabte stracks ins Bad. Dort hatte jemand Feuer im Boiler gemacht. Der Hund sank grunzend am Ofen zu Boden. Mir wurde klar, was mich an dem Bad immer gestört hatte: der Geruch nach feuchtem Hund. An der hinteren Wand stapelten sich Feuerholz, alte Zaunlatten, faulige Bretter, zum Teil mit rostigen Nägeln. Es lagen auch Splitter herum, zerbissenes Holz. Als ich mich niederkniete und ein zerfleddertes Holzstück aufnahm, stand Rambo auf und kam herbei. Seine Nase versuchte, mein Interesse am Holz zu ergründen, und tropfte vor Unverständnis. Die Tropfen vereinigten sich mit ein paar kleinen schwarzen Blutflecken auf dem Betonboden.

Im nächsten Moment drehte er ab und huschte hinaus, denn Jorinde erschien im Bademantel in der Tür. Sie beugte sich über den Zuber und drehte den Wasserhahn auf. Dampfendes Wasser rumpelte. Als sie sich aufrichtete und das Haar zurückwarf, zerfiel der Gürtelknoten des Bademantels. Ich verhielt auf den Knien, ein blutiges Stück Holz in der Hand, in stummer Andacht.

Sie zog die Brauen zusammen. «Was gibt's?»

«Ich fürchte», sagte ich, «Bolle hat sich hier umgebracht, mit dem Holz. Vielleicht verhakte sich ein Nagel in seinem Rachen. Er versuchte ihn rauszuschütteln, rauszukratzen, taumelte gegen die Badtür, flüchtete in den Garten, zerwühlte im Todeskampf das Rosenbeet und erstickte schließlich.»

Jorindes Blick wurde dunkel. «Der dumme Hund. Er wollte immer an den Ofen. Und wenn er nicht geheizt war, hat er vor Wut den Holzstapel zerwühlt und alles in Unordnung gebracht. Man mußte ständig aufpassen, daß die Badtür zu ist.»

«Ich fürchte, ich habe sie gestern nacht offengelassen.»

Sie wandte sich schroff ab. «Nun, das konntest du ja nicht wissen.» Er war klar, sie wünschte, daß ich sie alleine ließ mit dem Schmerz, den das dampfende Wasser und die Lust an der Pflege des schönen Leibes vertreiben sollten.

Ich stieg die Treppe hinauf, belauert von den tönernen Heerscharen des stummen Widerstands. Unter dem kalten Hahn in der Küche wusch ich mir Blut und Spreißel von den Fingern. Tauben gurrten in der Sonne auf dem Dach vor dem Fenster. Währenddessen badete Jorinde, das Haar wie flüssiges Bienenwachs, Tropfen wie Tau in den Wimpern. Es konnte nur diese Tochter gewesen sein, die das Haus des Pastors für Richard so anziehend gemacht hatte. Beim Verhör an der Grenze hatte er nicht Josef geschützt, sondern Jorinde. Nie hätte er ihren Platz auf dem Gymnasium gefährdet und sie zum Schicksal einer Gemeindehelferin verdammt. Andererseits hätte Josef wohl auch nie zugelassen, daß Jorinde sich mit dem Herrn aus dem Westen unglücklich machte.

Ich mußte nachdenken, klaubte Ming, die vor Schreck den Schluckauf vergaß, von ihrer Decke in der Diele, pfiff Rambo und begab mich in den Wald und auf die Schlachtfelder. Die sinkende Sonne vertrieb den Nebel der Geschichte von dem Städtchen im Tal zwischen den Muschelkalkhängen. Septemberlicht ist überall gleich.

Als ich zurückkehrte, war das Haus schon dunkel und kalt. Jorinde saß mit noch feuchtem Haar am Küchentisch und verteilte Aufschnitt und Senfgurken über Platten und Schälchen aus Meißner Porzellan. Sie lächelte Richard an, der in der Tür zur Stube stand und sich um eine Konversation mit dem Kind bemühte, dessen Interessen ihm fremd geworden waren. Er schien froh, daß ich kam, um ihn zu entlasten.

Jorinde lächelte. «Du warst mit den Hunden draußen? Das ist gut.»

Vom Hof her hörte man einen Motor ersterben und die Autotür schlagen. Josef Budde polterte die Treppe herauf. Er brachte allerlei Neuigkeiten mit. Während Jorinde und ich den Tisch in der Stube mit Abendbrot beluden, amüsierte er sich, daß er nun zu den Honoratioren Jenas gehörte, die von Lothar Späth, dem Chef der Schottwerke, der einst in Stuttgart als Ministerpräsident hatte zurücktreten müssen, zu einem Empfang geladen wurden. Dann spottete er über den Mißgriff des Freundeskreises der Hochschule, der das Porträt des führenden Nazi-Rassenkundlers Astel hatte nachmalen lassen, um es in die Galerie der Hochschuldirektoren einzugliedern. Dieser Sammlung fehlten aber ausgerechnet die Bilder der drei jüdischen Rektoren, die Astel hatte vernichten lassen, darunter das Rosenthals, der als Vater der Weimarer Verfassung galt.

«Tja, an allem, was wir anfassen, klebt Geschichte», sagte Josef, setzte sich zu Tisch und faltete die Hände. Das stille Gebet überraschte uns so, daß Richard erstarrte und ich mich mit dem Reflex meiner Kindheit bekreuzigte. Josef griff nach dem Brot und fragte: «Und was haben eure Tumult-Akten erbracht?»

«Harstall», antwortete ich, «hat bei einer polizeilichen Vernehmung Fritz Reuter in die Pfanne gehauen.»

Richard ließ unangenehm berührt das Messer sinken. Josef strich seine Brotscheibe zu Ende und hob dann die kleinen grauen Augen. Zum erstenmal sah er mich an, widerwillig, aber unerschrocken. «Glauben Sie eigentlich alles, was in den Akten steht?»

Das war die prinzipielle Frage zwischen Ost und West. Sagen Akten die Wahrheit, wenn Informanten andere beschuldigen müssen, um sich zu retten? Harstall konnte sich uns nicht mehr erklären, er war zum Schweigen verdammt. Aber Josef? War es sein Stolz, der ihn hinderte zu reden, oder war es eine Schuld? Oder hatte er nur jede Hoffnung verloren, daß wir ihm glauben würden? Der Grenzgraben am Übergang Hirschberg verschwand nicht, nur weil dort jetzt ein Supermarkt stand. Zwischen Josef und mir erstreckte sich unüberbrückbar die blühende Landschaft schnörkeligen Porzellans mit Zwiebelmuster auf dem etwas fragilen dunklen Tisch.

«Warum», sagte ich entschlossen, um dem Lauern ein Ende zu machen, «warum haben Sie damals Richard die Jenaer Glasform unter den Beifahrersitz geschoben?»

Wurst, Käse, Senfgurken, Brot und Butter zwischen uns waren plötzlich wie mit graugrünem Schimmel überzogen.

«Meinen Sie», sagte Josef, «ich müßte mich vor Ihnen rechtfertigen?»

«Waren Sie IM Luther?»

Jetzt legte auch er das Besteck hin. Das Haus ächzte unter der Last des Schweigens. Etwas fuhr mir unterm Tisch an die Beine. Ich trat gegen und traf das Tischbein. Es krachte, der Tisch kippte um, und mir schoß alles entgegen, Gurkenschälchen, Butterdose, Teller. Aufspringend riß ich die Tischplatte hoch, um mich des Großangriffs der Antiquitäten zu erwehren. Die Senfgurken sausten noch an mir vorbei, dann sprang alles in die andere Richtung. Jorinde schrie und fing die Butterdose auf, ein Kleinod aus Schale, Töpfchen und Deckel mit Porzellanknospe. Richard und Josef haschten nach den Kostbarkeiten. Teller und Platten zersprangen auf den Dielen, Besteck hagelte hinterher, ein Käse kullerte.

Sekundenlang standen wir wie gelähmt. Dann wandte sich Jorinde in die Küche. Josef verkantete das geknickte Tischbein mit einem Griff wieder unter die Platte. Jorinde ging zu Boden, um mit der Kehrschaufel zu bilanzieren. Angesichts der Unersetzlichkeiten blieb mir das «Ich bezahle den Schaden» im Hals stecken.

«Da kannst du nichts dafür», sagte Jorinde und blickte mit klaren Augen zu mir hoch. «Ich habe Papa schon vor Wochen gesagt, daß das Tischbein wackelt. Aber er wartet immer, bis etwas passiert. Ich habe ihm auch gesagt, daß er im Bad kein

Holz mit Nägeln stapeln soll, sonst verletzt sich noch einer der Hunde daran. Nun ist sogar Bolle daran gestorben.» Sie stand mit der Kehrschaufel voller blauweißer Scherben auf und blickte ihren Vater an, der die Augen senkte. «Du hast über meine Angst gelacht, auch als ich sagte, daß sie Josef verhaften werden und dich gleich mit, wenn ihr es mit den Ausreisewilligen zu weit treibt. Wenigstens hättest du Richard warnen müssen. Er hätte uns alle verraten können.»

«Kaum», sagte Josef und begann in den Taschen nach irgendwelchen Dingen zu suchen. «Aber er hätte irgendeinen Unsinn gemacht, wenn er gewußt hätte, daß sie ihn verhaften werden.» Josef gab die Suche auf und hob die Augen.

«Richard, es sind auch Leute erschossen worden, die versuchten, mit hundert Sachen durch die Grenzsperren zu brettern. Ich wollte dich nicht verrückt machen. Du hättest nichts tun können. Ich hatte auch Angst, daß du versuchen könntest, auf einer Autobahnraststätte einem Berliner einen Hilferuf in den Westen mitzugeben. Dann hätten sie erst ihn und dann dich abgefangen. Die Autobahnen wurden ja überwacht. Sie wußten zu jeder Minute, wo du warst. Außerdem, wie hätte ich es dir denn sagen sollen und wo? Hier im Haus, unten im Hof, im Wald? Man wußte doch nie, wer mithört. Du kannst dir nicht vorstellen, was passiert wäre, wenn die Grenzer gewußt hätten, daß du gut präpariert ankommst.»

«Doch», sagte Richard. «Aber woher wußtest du, daß ich an der Grenze festgenommen werde?»

«Du erinnerst dich an die Physikerin von Zeiss? Sie muß geplaudert haben. Mein Stasimann wußte, daß ich mich mit ihr getroffen hatte. Er riet mir einen Tag vor deiner Abreise, die Finger von der Sache zu lassen. Die Frau habe ihren Ausreiseantrag zurückgezogen. Ich war gottfroh, daß du keinen persönlichen Kontakt mit ihr gehabt hattest. Womöglich hatte man sie auf dich und mich angesetzt. Vielleicht hatte man mir deine Einreise dieses Mal nur genehmigt, um dich bei der Ausreise mit irgend etwas zu erwischen.»

«Aber damit hat dich dein Stasimann doch praktisch gewarnt.»

«Das kann man so sagen, ja. Es ist nicht leicht zu verstehen, doch als Pfarrer war ich für sie ein unersetzlicher Gegner. Ich gebe zu, daß ich ihnen auch nützlich war, wenn es darum ging, eine Eskalation zu vermeiden und Konflikte ruhig abzuwickeln. Nimm das Sektfrühstück. Da hatten voreilige Vopos sechs Jugendliche eingesperrt. Was nun? Auch sie hatten kein Interesse daran, einen politischen Aufstand daraus zu machen. Also half ich ihnen mit ein paar christlichen Argumenten aus dem Kaderdenken heraus. Nicht ich habe ihnen dabei Zugeständnisse gemacht, sondern sie mir. Und das ließen sie sich nicht durch eine Unterschrift unter eine Verpflichtungserklärung bestätigen. Ich habe nie etwas unterschrieben, nicht einmal ein Protokoll, auch in der Nacht deiner Verhaftung nicht, als ich auf der Bezirksstelle in Gera behauptete, du besuchtest mich nur wegen meiner Tochter.»

Josef forschte erneut in seinen Jackentaschen und förderte Zigarre und Streichhölzer zutage.

«Was ich dir jetzt erzähle, Richard, kannst du mir glauben oder auch nicht, und ich könnte es dir nicht einmal verübeln, wenn du es nicht glaubst, denn man kann sich dieses dumme Spiel, das doch so gefährlich war, kaum vorstellen. Du warst zwar oft hier, aber ich glaube, du hast den Ernst nie ganz begriffen. Für dich war es eher ein Abenteuerurlaub. Jedenfalls, in der Nacht vor deiner Abreise hatte ich ein ganz blödes Gefühl. Ich bin morgens um sechs aufgestanden und habe dein Auto unten im Hof untersucht. Hinter der Innenverkleidung deiner Beifahrertür entdeckte ich dann Papiere, Produktionslisten des Zeiss-Kombinats. Ich habe dein Duschwasser damit angefeuert und mir die Gesichter der Grenzer vorgestellt, wenn sie diese Listen nicht fanden. Es gab zwei Möglichkeiten. Entweder sie akzeptierten sofort, daß ihr Plan nicht aufging, und ließen dich laufen, oder sie konstruierten den Grund deiner Festnahme irgendwie anders. Auch bei uns durfte man ja niemanden ohne Grund festhalten. Ich wollte die Regie auf keinen Fall diesen phantasielosen Gesellen überlassen.»

«Deshalb hast du mir die Jenaer Glasform ins Auto getan.»

In Josefs Augenwinkeln entstand ein feines Lächeln. «Das schien mir die unpolitischste Lösung. Auf Betriebspionage hatten sie sich vorbereitet, aber nicht darauf, daß ein wohlhabender Staatsanwalt eine Glasschale schmuggelt, um die dreißig Mark zu sparen, die das Ding im Westen kostete. Ich hoffte, sie wären aus dem Konzept gebracht. Unser Pech war, daß du an ein paar ehrgeizige Grenzer gerietest, die nicht so schnell aufgeben wollten. Berlin rief in der Bezirksstelle Gera an, und die riefen mich an. Sie konnten die Nuß alleine nicht knacken. Die Zeissianerin hatte zugegeben, mir Geheimnisse über die Selbstklebeeigenschaften von geschliffenen Prismen verraten zu haben. Ich sagte: Und was soll ich als Pfarrer damit anfangen? Ob ich mit meinem Westbesuch darüber gesprochen hätte, fragten sie. Nein. Mal ehrlich, was wir mit den Listen gemacht hätten? Was für Listen, sagte ich. Ob ich annehmen müsse, daß uns da jemand was unterschieben wolle? Aber nein, natürlich nicht. Solche Methoden unterstelle ihnen doch nur immer der Klassengegner. Aber ob ich dich nicht darauf hingewiesen hätte, daß du die Glasschale nicht ausführen durftest. Doch, aber sie sei ein Geschenk meiner Tochter, und ihr beide wäret so enttäuscht darüber gewesen, daß du sie nicht mitnehmen konntest, daß es mir leid getan habe. Ich hätte gedacht, man werde dich wegen einer Glasschale schon nicht verhaften. Wir sind doch alle nur Menschen. Man wolle doch auch mal einem Freund ein Geschenk mitgeben können. Wenn sie deswegen jemanden zur Verantwortung ziehen müßten, dann mich. Das habe ich gesagt, weil ich mir ziemlich sicher war, daß du mit der Sturheit des Rechtsstaatlers auf deiner Unschuld beharren würdest.»

«Da hast du dich geirrt», sagte Richard. «Ich habe schließlich eingeräumt, daß ich die Glasform illegal ausführen wollte. Es erschien mir der einzige Ausweg.»

Josef lächelte. In seinem grauen Gesicht spiegelte sich der mitfühlende Respekt für eine mentale Beweglichkeit, die er seinem gradlinigen Freund aus dem Westen nicht zugetraut hatte.

Den Rest des Abends verbrachten wir in der anderen Stube zwischen tönernen Gnomen bei französischem Wein und Anekdoten und lachten Tränen.

Weit nach Mitternacht stolperte ich in der Bodenwelle vor dem Bad gegen die Tür. In der Dunkelheit am Boiler glühten nur die Augen eines Hundes. Das alte Haus knisterte müde und setzte sich zur Ruhe, denn in seinen abschüssigen Räumen war endlich das Gespräch wiedererwacht, das Anschuldigen, Erklären und Glauben. Harstall brauchte nicht mehr zu zupfen und zu stupfen. Ich versuchte ihm in die Augen zu sehen, aber Maler Grundig war noch genialer, als ich gestern fähig gewesen war zu erkennen, denn Harstall schaute so unverwandt über mich hinweg, als habe sein Blick niemals den Kontakt gesucht.

EXMATRICULATIO
PRAECOX

«Scheiße! Und was machen wir jetzt?»

«Was weiß denn ich?»

«Dann streng mal dein Hirn an. Irgendwo müssen wir sie ja hinschaffen!»

«Schrei mich jetzt nicht an, verdammt!»

«Irgendwohin, wo sie so schnell keiner findet.»

«Wir … können sie in den Main werfen!»

«Tickst du noch richtig? Warum legen wir sie nicht gleich auf den Paulsplatz und hängen uns Schilder mit *Wir waren's* um?»

«Reg dich ab. Wir brauchen irgendwas hier in der Nähe. Der Keller?»

«Keller? Keller? Nee, spätestens wenn sie anfängt zu stinken, isses vorbei. Die muß weg, komplett weg, für immer und ewig.»

«Das ist doch 'n Film, das ist doch nicht echt.»

«Halt's Maul, ich denk nach. Dir ist hoffentlich klar, daß du das hier keinem erzählen darfst. Du erzählst das keinem! Hast du mich verstanden?»

«Mmh.»

«Ob du mich verstanden hast!»

«Ich bin ja nicht blöd.»

«Also, vergraben im Wald geht nicht, ist zu weit weg, und wir haben kein Auto. Was dann?»

«Die Gruft!»

«Die was?»

«Die Baugrube hinterm Haus!»

«Wo tagtäglich gebuddelt wird.»

«Aber da wollen sie doch jetzt endlich das Fundament aus-
gießen …»

«Ja, stimmt. Das könnte gehen. So weit ist das nicht. Aber
wie bringen wir sie hier weg», er deutete hinter sich, wo die
Leiche auf dem Boden lag, «ohne daß uns jemand sieht?»

Der andere folgte dem Finger mit dem Blick. «O Scheiße,
mir wird grad schlecht.» Er setzte sich.

«Du kannst mich jetzt nicht hängenlassen. Wir waren uns
doch einig.»

«Mensch, was hast du bloß für einen Scheiß gebaut.»

«*Wir* haben Scheiß gebaut. Reiß dich zusammen und hilf
mir.» Er ging zur Leiche, packte einen Arm und riß sie hoch.

«Ich … ich kann das nicht.»

«Was kannst du nicht?»

«Ich kann sie … nicht anfassen.»

«Aber du kannst im Knast landen, wenn du mir nicht
augenblicklich hilfst!»

«Können wir sie nicht in irgendwas einpacken?»

«Herrgott, dann zieh los und besorg einen Vorhang oder so
was. Ich mach hier erst mal klar Schiff.»

«Okay», sagte der eine und verließ zögernd den Raum.

Der andere holte tief Luft. Die toten Augen schienen ihn
anzustarren. Er beugte sich nach vorn und schloß sie, zerriß
die Kleidung der Leiche, säuberte mit den Fetzen den Boden
und sammelte ihre Habseligkeiten ein.

Die Tür ging auf. Er zuckte zusammen.

«Meinst du, das reicht?»

«Zeig mal her.»

Sie breiteten einen großen Vorhang neben der Leiche aus.

«Und jetzt?»

«Jetzt rollen wir sie …»

«Ich roll hier gar nix. Mach du das alleine.»

Kopfschüttelnd drehte der andere den leblosen Körper in
die Mitte des Stoffs und wickelte ihn ein.

«Also los, den Stoff wirst du ja wohl anfassen können.»

Die beiden packten die Enden des Vorhangs und hoben an.

«Ganz schön schwer. Hoffentlich reißt der Stoff nicht.»

Sie trugen das Paket bis zur Tür.

«Setz mal ab.» Der eine öffnete die Tür, sah in den Gang und horchte. «Okay, wir können.»

Sie schleppten die Leiche aus dem Raum zur Treppe. Der Vorhang rutschte einem der beiden langsam durch die Finger.

«Halt! Stop!»

Ein dumpfer Schlag.

«Kannst du nicht mal den Vorhang halten, du Idiot?»

«Mann, ich mach …»

«Sei mal still!»

Beide verharrten reglos. Von oben hallten Schritte durchs Treppenhaus.

«… und ich denke, ich spreche im Namen aller, wenn ich sage, sehr verehrter Herr Professor Kottke, mit Ihnen geht dem Fachbereich zehn eine bedeutende Koryphäe in der Erforschung …» Eine kurze Pause.

«Ich wette, er sagt jetzt indogermanisch», raunte Paul Dressling seinem Tischnachbarn und Kollegen Herbert Feiler zu.

«Pfui, das heißt indoeuropäisch», schnappte der zurück. Dann richteten sich ihre Augen wieder auf Peter Jakob, den Redner, der ungerührt fortfuhr.

«… neugermanischen Heidentums und feministischer Spiritualität verloren. Eduard, Sie werden uns allen fehlen.»

Eduard Kottke trat ans Rednerpult. Das Publikum spendete in Erwartung einer seiner gefürchteten Elegien nur mäßigen Applaus.

«Danke.»

Stille.

Mit weitausholender Geste intonierte Kottke: «Das Büffet ist eröffnet.»

Schweigen. Dann tosender Beifall.

«Er ist alt geworden», sagte Dressling.

Feiler nickte. «Ja. Alt und äh …?»

«Senil?» fragte Dressling.

Feiler schenkte ihm einen vernichtenden Blick. «Ich dachte eher an verbraucht oder gezeichnet. Und diese subtilen …»

«Äh …»

«… Spitzen werde ich nicht dulden.» Feiler ließ sich nie beirren.

Unter den Augen der erstaunten Gäste ging Kottke zum Büffet und schaufelte seinen Teller voll. Erfreut über seine konsequente Kürze und vorbildliches Verhalten machten sich immer mehr der geladenen Gäste auf den Weg zum Büffet.

«Darf ich Ihnen etwas bringen?»

Feiler blickte den Neuen erstaunt an.

«Nein, danke. Sehr freundlich, aber ich mache das schon selbst», antwortete Dressling.

Feilers Blicke wanderten von dem verschwindenden Neuen zu seinem Kollegen. «Was war denn das?»

«Das war mein Assistent.»

«Aha», schnaufte Feiler, und es klang nach: Ist das alles?

«Er ist ein sehr zuvorkommender Assistent. Oliver Krüger.»

Feiler schüttelte den Kopf und stand auf. «Ich denke, ich werde jetzt mal das Büffet besuchen, bevor ich auch noch solche Angebote bekomme. Darf ich Ihnen was bringen, den Tropf vielleicht?» äffte er Krüger nach. «Was sind denn das für Assistenten! Völlig falsch trainiert. Recherche sollen sie einem abnehmen!» Er schüttelte erneut seinen Kopf.

Wie immer bei offiziellen Feierlichkeiten hatte sich ein illustres Grüppchen von Professoren, Assistenten und universitären Würdenträgern in den festlichen Räumen über der neuen Mensa versammelt. Das Gebäude sah aus, als hätte Albert Speer im Drogenrausch versucht, das Bauhaus zu kopieren. Selbst die Petersilienpracht der kalten Platten machte die

Siebziger-Jahre-Architektur nicht erträglicher. Die angelaufene Doppelverglasung der Vorderfront tauchte die Szenerie in ein fahles Licht. Bald würden die Neonleuchten eingeschaltet werden.

Einige Besucher befanden sich bereits auf ihrem zweiten Gang zum Büffet, als Dressling und Feiler gerade das erste Mal anstanden. Während sich die gebratenen Zucchini höchster Beliebtheit erfreuten, schien sich niemand so recht für die Bouillabaisse Marseillaise erwärmen zu können. Vielleicht war die Angst vor einer Fischvergiftung zu groß, möglicherweise war sie aber auch nur mißlungen.

Dressling schaufelte einen Haufen Chili auf seinen Teller.

«Wußte gar nicht, daß du so was ißt», sagte Feiler.

«Das ist immer noch besser als Fischvergiftung.»

Feiler starrte auf seinen Frutti-di-mare-Teller. «Aber da ist viel Peterle dabei», sagte er unsicher.

«Dein Tick für die mannigfaltigen Dialekte Hessens kann einem ganz schön auf die Nerven gehen, Herbert, auch wenn du damit dein Geld verdienst.» Dressling schenkte sich einen Becher Roten ein. «Vielleicht solltest du meinen Assistenten vorkosten lassen», grinste er und nahm einen Schluck.

Kottke tauchte neben den beiden am Büffet auf.

«Das war ja heute mal eine tolle Rede», lobte Feiler.

Kottke nickte ihm freundlich zu. «Ich dachte, bei deiner letzten offiziellen Rede kannst du mal was Schönes für die anderen machen.» Dressling würdigte er keines Blickes.

«Wenn schon was Schönes für die anderen, warum dann in diesem häßlichen Gebäude?» Dresslings Blick kreuzte den Kottkes.

«Ich glaube nicht, daß Eduard sich das so ausgesucht hat. Die meisten Feiern finden hier statt», versuchte Feiler zu vermitteln.

«Schon recht, schon recht.» Dressling stellte seinen schmutzigen Teller zwischen die Schüsseln des Büffets und machte sich an den Desserts am Ende der Tafel zu schaffen.

«Ich glaube, du solltest ihn heute nicht zu ernst nehmen», sagte Feiler.

Die beiden setzten sich an einen verwaisten Tisch. Kottke schnaufte und stocherte in seinen Zucchini. «Dressling nicht ernst nehmen. Darauf hätte ich viel früher kommen sollen. Ich hab ihn immer für einen Profilneurotiker gehalten.»

«Profilneurotiker? Ich hab ja nichts weiter mit ihm zu tun gehabt, aber es ist wohl klar, daß er den Rieder, die arme Sau, auf dem Gewissen hat. Deshalb kann ihn hier auch keiner ausstehen.»

«Wußte gar nicht, daß Dressling über ein Gewissen verfügt. Mal im Ernst: Was hat er denn Fürchterliches gemacht?»

«Dresslings Professur war doch messerscharf auf Rieder zugeschnitten. Aber dann hat dieser Intrigant die Berufungskommission umgedreht. Und besonders die Damen hielten Rieder plötzlich in jeder Hinsicht für unterqualifiziert, wenn nicht blöde.»

Die alkoholischen Getränke zeigten langsam Wirkung. Der Lärmpegel stieg. Die ersten Gäste gingen. Inzwischen war es draußen richtig dunkel geworden.

«Wie sieht's aus, meine Herren? Die Menschenmenge wird kleiner, wollen wir uns nicht alle an einen Tisch setzen?» Jakob war an ihren Tisch getreten und deutete über seine Schulter auf einen größeren Tisch, an dem bereits einige der Kollegen, darunter auch Dressling, saßen.

«Wir kommen gleich. Organisiert schon mal neuen Wein», murmelte Feiler mit einem Blick auf sein leeres Glas.

«Da kommt jemand!»

«Scheiße! Was jetzt?»

Sie sahen sich gehetzt um.

«Ich hab dir doch gleich …»

«Halt jetzt bloß dein Maul! In den Aufzug mit dir!» Der eine riß die Tür auf und zeigte in die Kabine. «Los, rein!»

Der andere zog die Leiche in den Aufzug. Die Tür schlug

zu. Der Aufzug setzte sich in Bewegung. Eine dürre junge Frau, die einen Stapel Fontane-Bücher umklammert hielt, stakste die Treppe herunter.

«'n Abend.»

«Abend. Auch noch hier?» Sie schien sich darüber zu freuen.

«Jaja, ich hatte noch was zu erledigen.»

«Der Alte nimmt dich ganz schön aus, was?»

«Geht so.»

Beide schwiegen.

«Ganz schön heiß hier», säuselte sie.

«Ja.»

«Haste noch viel zu tun?»

«Bin bald fertig.»

Sie schwiegen wieder.

«Was machste denn nachher?»

«Weiß noch nicht.»

«Ich geh in den Club Voltaire. Hast du Lust?»

«Ja, mal schauen.»

«Komm schon, das wird bestimmt lustig.» Sie drückte auf den Knopf des Aufzugs.

Er preßte sich gegen die Tür. «Ich glaub, der ist kaputt. Ich warte auch schon ewig. Komm, ich bring dich runter. Ich wollte mir eh noch Kippen holen.» Er riß ihr den Fontane aus der Hand und drängte sie zur Treppe.

Im zweiten Stock fuhr der Aufzug an ihnen vorbei.

«Na, super», nölte sie. Sie sah ihn an. «Du bist ja ganz bleich.»

«Äh … mein Kreislauf.»

Im Erdgeschoß schlug er sich plötzlich an die Stirn. «Ach, ich hab mein Geld oben liegenlassen.»

«Ich kann dir was leihen.»

«Nein, nein, ist schon gut.»

«Ist echt kein Problem.»

«Nee, ich geh noch mal hoch, ist gut für den Kreislauf. Wir

sehen uns nachher im Voltaire.» Er gab ihr hastig den Fontane zurück und galoppierte zur Treppe.

«Bis dann», schrie sie ihm hinterher.

Im zweiten Stock öffnete sich die Aufzugstür. Die nackte Leiche fiel ihm vor die Füße. Er starrte in das tote Gesicht und wurde noch bleicher. «Du Vollidiot! Warum hast du sie denn wieder ausgepackt?»

Der andere preßte sich zitternd in eine Ecke des Fahrstuhls. «Ich … ich kann nichts dafür. Das ist einfach so abgegangen.»

«Du bist doch zu blöd zum Scheißen! Warum mußt du auch noch mit ihr spazierenfahren?»

«Ich hab dir gesagt, du sollst mich nicht so anschreien!»

«Halt's Maul und hilf mir, sie wieder einzupacken.»

«Das schaffen wir nie, die kriegen uns, wir sind am Arsch, die …» Tränen liefen über sein Gesicht.

Der andere schlug ihn mit der flachen Hand. «Reiß dich zusammen, du Null.»

Wortlos wickelten sie die Leiche wieder in den Vorhang.

«Du nimmst die Treppe und schaust, ob die Luft rein ist. Ich schaff sie mit dem Aufzug nach unten.» Er zerrte den Körper in die Kabine zurück.

Der andere rannte die Treppe hinunter. Die Luft war rein. Gemeinsam hoben sie die Leiche im Erdgeschoß aus dem Fahrstuhl.

«… aber wir haben damals noch gewußt, wer der Feind war! Wir hätten einem Minister nie etwas geglaubt!»

Kottke hielt inne und blickte in die Runde. Keiner der Anwesenden schien sich für seinen ausschweifenden Monolog zu interessieren. Die Aufmerksamkeit der Akademiker ruhte auf Oliver Krüger, der mit gerötetem Kopf versuchte, unfallfrei eine Flasche Sekt zu öffnen.

Feiler stieß Jakob in die Seite. «Warst du damals bei der Institutsbesetzung nicht in Portugal oder Spanien? Hat man da nicht deinen Schreibtisch geknackt und Pornos gefunden?»

«Pornos? In deinem Tisch, Peter?» gluckste Hildegard Richter.

«Moment mal, die waren für mein Seminar *Sexualität und Herrschaft*.»

«Jaja, die Herrschaften hatten es mit dem Sex!» prustete Oliver Krüger in die Runde.

«Schenk endlich ein, Assi!» Dressling hielt Krüger sein Glas unter die Nase.

«Aber mal ehrlich, gelernt haben wir früher hundertmal mehr. Und ein Niveau, mein lieber Mann, ein Niveau!» begann Kottke wieder mit seinem Thema.

«Ja, klasse, aber was willst du uns eigentlich damit sagen, Eduard?»

«Na, astreiner Strukturalismus, und auf der Straße, aber hoppla!, nicht mit dem Präsidenten vorneweg. Ein Jahr Streik, nicht wie heute drei Tage, da lief nix mehr!»

«Gebt ihm mehr zu trinken!»

«Nee, im Ernst. Heute versauen die alles, und keiner lernt mehr was … Verdammt noch mal, früher, da hatte das noch Stil, hatte das», fuhr Kottke unbeirrt fort.

Das Knallen eines Sektkorkens ließ alle Blicke zu Krüger schnellen.

«Er kann's ohne Anleitung. Sauber, Assi!»

«Der ist konditionierbar!»

Oliver Krüger lächelte unsicher und schenkte nach.

«Rieder, du darfst doch überhaupt nichts trinken. Jakob, du als Hauptmann der Reserve, ich meine, du als Skandinavist sagst jetzt dem Kollegen Rieder, daß er keinen Met mehr trinken darf. Met auf Krebs macht tot, war doch schon immer so.»

Die Richter schaute Feiler pikiert an: «Also, Feilerchen …»

«Das ist nicht schlechter Stil, liebe Hilde, das ist die reine medizinische Wahrheit. Das weiß doch jeder. Den Rieder haben sie vor zwei Jahren unterm Messer gehabt. Und dann

Chemo ohne Ende. Guck ihn dir doch an. Sieht so jemand aus, der Alkohol trinken darf?»

«Danke für eure Sorge. Lange mache ich's nicht mehr, aber an Leberzirrhose werde ich auf jeden Fall nicht eingehen.» Rieder prostete in die Runde. «Jetzt soll aber der Feiler mal seine Geschichte erzählen … wer schreibt Protokoll? Feiler ist nämlich ein Schwerverbrecher, aber niemand hat ihn aus dem Verkehr gezogen.»

«Verkehr? Hihi!» gackerte die Richter.

«Also los, Feiler. Raus mit dem Riesencoup!»

«Was denn, schon wieder? Ist doch alles verjährt.»

«Ach, war gar kein Mord?»

«Nee, irrtümliche Entwendung. Hab 'ne ziemlich teure Handschrift aus dem Hochstift, sagen wir mal … aus Versehen verkauft. Weil sie übrig war. Verbotsirrtum. Weil ich C4-Professor bin. Is rausgekommen, mußte das Hochstift wieder zurückkaufen. Das muß genügen. Ich kenn einen hier im Raum, der war Sexualmathematiker, ist vielleicht viel schlimmer, so was. Hat ganz neue Gleichungen erfunden. Ein Schein mit *sehr gut* ist gleich eine Nacht mit Trost und Rat.»

«Feiler erzählt Schmuddelkram!»

«Tja, ich weiß halt auch ein paar Geschichten über Weiber. Selbst ja nich, aber man schnappt schon einiges auf. Oder, Paul?»

Dressling grinste und schwieg.

«Meine Antwort auf Vietnam heißt Chomsky», faselte Kottke weiter, «weil man kann Strukturalist, ja klassischer Strukturalist sein, ohne Post und Moderne. Und ein anständiger Mensch.»

«Prosecco, pro Kottke!»

So schnell wie möglich schleppten sie den Körper über die Wiese zum Bauzaun.

«Scheiße! Hier muß es doch irgendwo reingehen.»

Sie legten die Leiche auf den Boden.

«Paß auf, ich schau mich mal um, ob wir hier irgendwo durchkommen. Du bewachst … das da.»

«Was, spinnst du? Was soll ich denn machen, wenn jemand kommt?»

«Was weiß ich, denk dir was aus.»

Der eine ließ den anderen stehen und tastete sich am Zaun entlang. Der andere stand zitternd mit der Leiche im Gebüsch und starrte auf die erleuchteten Fenster des Studentenwohnheims, die zwischen den Ahornbäumen zu sehen waren.

«Wo warst du denn so lange, Mann?»

«In der Kneipe.»

«Arschloch!»

«Los, pack mal mit an.»

Sie trugen die Leiche zu einer Öffnung im Zaun und zwängten sich durch. Dann erreichten sie den Rand der Grube.

«Da hinten steht 'ne Leiter.»

«Wo?»

Der eine drehte sich ruckartig um, trat auf den Vorhang und stolperte. Die Leiche rutschte zur Hälfte über die Kante der Grube und riß den anderen nach vorne.

«Scheiße!» Der Stoff entglitt seinen Fingern.

«Mach noch ma'n Sekt auf, Assi», grölte Professor Dressling.

«Mach noch ma'n Sekt auf, Assi», äffte Krüger seinen Herrn und Meister nach. Das Hierarchiedenken mußte während der letzten halben Stunde Schiffbruch erlitten haben.

«Gib schon her», johlte die Richter, riß die Aluminiumverpackung vom Korken der Flasche und pulte am Draht.

«Volle Deckung!» brüllte Jakob, seines Zeichens Hauptmann der Reserve, und hielt die Hände vor den Kopf.

Der Korken knallte. Sekt sprudelte über die Akademiker.

«Gläser!» schrie die Richter. Ihre Stimme überschlug sich. Sie schenkte ein.

«Leer», konstatierte Dressling nach kürzester Zeit.

«Noch eine!» krakeelten die Akademiker im Chor.

Es kam noch eine. Und noch eine.

«Erinnert ihr euch noch an den Hundertmarck?» trompetete Jakob.

«Was denn? Den Drogenbaron?» Dressling schien ganz in seinem Element.

«Justament diesen. Hat er euch die Ich-muß-kämpfen-Story erzählt?»

«O Gott, Papi erzählt wieder vom Krieg», stöhnte Feiler.

«Nee, nee, das muß irgendwann in den Siebzigern gewesen sein, hat er noch studiert.»

«Der hat doch nie studiert ... ja, Prost ... der war doch nur eingeschrieben, um ...»

«Assi, hol noch ma'n Rotwein!»

«Assi, hol noch ma'n Rotwein.»

«Na ja, ihr wißt ja, was der sich damals so eingeworfen hat. Also, der Kerl liegt mit der Sabine, glaub ich, im Güntersburgpark, ziemlich spät am Nachmittag, und hat sich tierisch was eingefahren. Und wie sie es gerade treiben, springt der Hundertmarck plötzlich auf und brüllt ‹Ich muß jetzt kämpfen!› Er glaubt, er hat so 'ne Samurairüstung an, und nimmt irgend'nen Ast als Samuraischwert und rennt los ...»

«Was denn, immer noch ... nackich?» fragte die Richter.

«Klar war der immer noch nackich. Und dann sieht er im Park 'ne alte Frau, die mit ihrem Dackel 'n Abendspaziergang macht, und glaubt, das ist irgend'ne Hexe aus seinem Tolkien ...» Professor Jakob prustete los. «... Und dann fängt der Hundertmarck an, mit seinem Samuraischwert auf die Alte einzuprügeln, und die rennt natürlich weg und der Hundertmarck immer hinter ihr her, bis zwei berittene Bullen dem Spuk endlich ein Ende machen ...»

Die Akademiker grölten.

«Und dann?»

«Na ja, das Gericht hat ihm schließlich zweihundert Stunden aufgebrummt, Feuerwehrautos putzen ...»

«Was?» lallte irgendwer.

«Arbeitsstunden halt.»

«Was macht der Hundertmarck eigentlich jetzt?» fragte Dressling. «Hatte der nicht später was mit 'ner Grünen-Ministerin, die in ihrer Examensarbeit geschrieben hat: ‹Professoren sind wie Pusteblumen – der Samen sitzt ihnen locker›? Und die dafür 'ne Eins gekriegt hat?»

Der Körper schlug zuerst gegen den Rand der Verschalung und rutschte dann auf den Grund der Baugrube. Der Vorhang hatte sich gelöst. Die Leiche lag mit verrenkten Gliedern im Dreck. Um sie herum der Inhalt ihrer Tasche, kaum sichtbar im Halbdunkel des Lochs. Während der eine sich auf die Suche nach einer Schaufel machte, stieg der andere die Leiter hinab, deckte die Leiche zu und fing an, ihre Habseligkeiten zusammenzuklauben.

«Obacht!»

Eine Schaufel landete knapp neben dem Kopf der Toten. Ohne die Leiche noch eines Blickes zu würdigen, fing der eine an zu graben. Eine zweite Schaufel schlug ein paar Meter entfernt auf. Zu zweit hoben sie keuchend eine Grube aus. In einiger Entfernung hielt eine Straßenbahn. Die beiden verharrten reglos, bis die Schritte der Fahrgäste verklungen waren.

Sie schaufelten weiter.

«Das langt jetzt, rein mit ihr.»

Der eine rollte den Körper in die Grube, der andere warf ihre zerfetzte Kleidung und ihre Tasche hinterher. Hastig buddelten sie die Tote ein und bemühten sich, ihre Spuren zu verwischen.

«Ich muß hier raus!»

«Bleib ruhig, Mensch, wir sind noch nicht ganz fertig.»

«Ich halt das nicht mehr aus!» Er warf die Schaufel weg und stürmte die Leiter hoch.

«Okay, geh schon mal hoch, ich mach das hier fertig.»

Vom Rand der Grube war ein Würgen zu hören. Der eine lag auf den Knien, starrte auf sein Erbrochenes und wischte den kalten Schweiß aus seinem Gesicht. Mühsam richtete er sich auf, entdeckte direkt neben der Pfütze ein Portemonnaie und steckte es ein. Der andere tauchte aus der Grube auf.

«Laß uns gehen. Ich hab noch 'ne Verabredung.»

«Bist du irre?»

«Du hattest ja heute schon deinen Spaß. Ich muß noch …»

Die Faust des anderen beendete das Gespräch.

Jakob schlug auf den Tisch.

«Das ist ja wohl die Krönung, du nennst meine Frau nicht noch mal Warzenschwein!»

Dressling leerte sein Glas. «Is aber 'n Warzenschwein. Hab sie neulich im Zoo gesehen. Mit einem ihrer Schüler. Arm in Arm. Hübscher Junge.»

«Du lügst, du … du … ich mach dich fertig, Dressling!» Jakob sprang auf und stürzte sich auf Dressling.

Feiler hielt ihn zurück. «Mensch, Peter, bleib ruhig. Hör nicht auf das Schwein.»

Dressling zuckte mit den Schultern. «Was denn, ich erzähl doch nur, was ich gesehen habe. Wenn das alte Warzenschwein mit jedem Minderjährigen …»

«Schluß jetzt, Dressling.» Kottke war aufgestanden. «Benehmen Sie sich Ihres Standes würdig. Daß ein erwachsener Mann sich so gehenlassen kann! Ich höre mir dieses Geschwätz jedenfalls nicht länger an.»

Kottke nahm seine Jacke und ging. Jakob war auf seinen Sitz zurückgesunken und starrte ins Leere. Hildegard Richter legte ihren Arm um Jakobs Schulter.

«Komm, der will dich doch nur ärgern», sie warf Dressling einen strengen Blick zu, «weil keine Frau was von ihm wissen will.»

«Ich habe mit Sicherheit mehr Frauen in meinem Leben gehabt als du, Hildegard.» Dressling grinste dreckig. «Ich denke, es ist bekannt, daß ich jede Frau kriege, die ich haben will.»

«Nicht jede!» entgegnete Josef Rieder.

Dressling stand auf. «Na, auf die intelligente Bemerkung muß ich erst mal pissen gehen. Vielleicht habt ihr euch ja beruhigt, wenn ich wiederkomme.»

Einen Moment lang schwiegen alle in der Runde.

«Was für ein Arschloch.»

Rieder räusperte sich. «War er schon immer. Ich denke, es wird Zeit, daß ich euch mal eine Geschichte erzähle, bevor ich endgültig den Löffel abgebe.»

Er saß am Schreibtisch seines Professors, zündete sich noch eine HB an und starrte über seine Schuhspitzen hinweg auf die Uhr an der Wand.

«Gleich fünf. Kommt keiner mehr», murmelte er immer wieder und blies Rauchringe in die Luft.

Es klopfte an die Tür.

«Mistscheiße! Kommt doch noch einer.» Mit demonstrativer Langsamkeit nahm er seine Beine vom Tisch und stöhnte: «Herein.»

In der Tür erschien der Kopf einer jungen Frau: «Hast du noch 'n Moment Zeit?»

«Für dich alle Zeit der Welt.» Seine Miene hellte sich deutlich auf: «Was gibt's denn?»

Sie kam langsam zum Schreibtisch. «Duhuu?» sagte sie gedehnt und klimperte mit ihren falschen Wimpern.

Erwartungsvoll sah er sie an. Sie wühlte in ihrer riesigen geflochtenen Tasche.

«Ich wollte dir den Adorno zurückbringen.»

«Hat's dir was geholfen?»

«Nicht so richtig. Der weiß doch selbst nicht, was er will.»

Oh, oh, dachte er, das wird 'n langer Abend. Er zog an seiner HB, lehnte sich süffisant lächelnd zurück und blies den Rauch aus. «Wo liegt denn das Problem?»

«Na ja, ich weiß auch nicht so genau. Das mit der negativen Dialektik halt.» Sie betrachtete den Linoleumboden.

«Na, jetzt setz dich erst mal, Steffi», sagte er, deutete auf die Sitzecke und erhob sich mit so großer akademischer Würde, als sei er bereits Professor. Steffi tänzelte vor seiner Nase zur Cordcouch in der Ecke des Büros.

«Zigarette?»

«Ja, du, bitte.»

Er zündete eine Zigarette an und gab sie ihr. Sie inhalierte tief.

«Weißt du, ich bin supernervös.»

«Ach, richtig, du hast ja am Freitag Prüfung.»

Sie sah ihn mit großen Augen an.

«Na, das kriegen wir schon hin.»

«Meinst du?» Sie schlug die Beine übereinander und lehnte sich zurück. «Ich meine, wenn ich wenigstens ungefähr wüßte, worum's geht...»

«Du, so schlimm wird's echt nicht. Ich hab mir die Aufgaben mal angesehen.»

Sie strahlte ihn an. «Wirklich?»

«Klar.» Er rückte näher.

«Die Prüfung ist unheimlich wichtig für mich. Meine Eltern bringen mich um, wenn ich da durchrassel. Weißt du, mein Vater ist Deutschlehrer in Jesteburg und ganz schön streng. Und Mutti wollte sowieso nie, daß ich zum Studieren nach Frankfurt gehe.»

Sie sah sehr verloren aus.

Er rückte noch näher. «Meine Eltern sind genauso. Reaktionäre Betonköppe. Die wollten, daß ich Jura studiere wie mein Alter.»

«Dann weißte ja, wie's mir geht.»

«Also, hör zu: Was den Adorno angeht, brauchst du dir keine Sorgen zu machen. Der kommt kaum dran.»

Sie sah aus, als hätte sie gerade einen Freifahrschein nach Jesteburg bekommen. Dann fiel ihr ein, daß sie von Marcuse auch keine Ahnung hatte. Der Freifahrschein galt jetzt bestenfalls noch bis Kassel.

«Ich pack das nie.»

«Na, na», machte er und legte ihr den Arm um die Schulter.

Sie ließ bloß den Kopf sinken. «Wenn ich nur wüßte, was statt dessen drankommt», sagte sie in einem Ton, der ihrer dumpfen Verzweiflung Ausdruck verleihen sollte.

Er zog sie an sich. «Den Roland Barthes hast du doch gelesen, oder?»

Genausowenig wie das Telefonbuch von Moskau. Sie sah ihn fragend an.

«Na, dann mach das mal bis Freitag.»

«Das ist aber so viel.»

Er verdrehte die Augen in Richtung Zimmerdecke und fragte sich, was Steffi zehn Semester lang studiert hatte. Literaturwissenschaft war es offenbar nicht. «Bereite mal Kapitel zehn bis zwölf und zwanzig vor.» Er legte seine Hand auf ihr Knie.

«Ich hätte doch das mit der Frauenforschung machen sollen», sagte sie, als hingen mehrere Mühlsteine um ihren Hals. «Ich fand das Thema ganz spannend, aber weißt du, in jedem Seminar gibt's so'n paar Klugscheißer. Immer wenn ich was sagen wollte, haben sie mich angeguckt wie … wie …»

Metaphern waren offenbar auch nicht ihre Stärke.

«Ich mein, ich hab halt nicht soviel gelesen. Aber ich mach ja auch nur Lehramt für Grundschule. Ich mag Kinder halt so gerne.»

«Ich mag dich auch ziemlich gerne.»

Sie hob den Kopf und sah ihn an. «Echt?»

«Mach dich selbst nicht so runter. Du hast doch ganz schön was auf dem Kasten. Dein Referat über Ernst Bloch war doch okay.»

«Dabei hat mir aber mein Freund geholfen», sagte sie und betonte Freund wie etwas, das mit lange totem Fisch zu tun hat.

«Du und der Klaus, ihr seid nicht mehr zusammen?»

«Nee, schon seit 'nem halben Jahr nicht mehr.»

Vollidiot, dachte er.

«Der ist jetzt mit der Babsi zusammen, und das kurz vor meiner Prüfung. Mir geht's echt scheiße.»

Er strich ihr über das Haar. «Na, komm.»

«So richtig scheiße. Wenn ich wenigstens wüßte, was in der Prüfung noch drankommt.»

«Dann schau dir noch mal den Aufsatz vom Iser an, den wir im Seminar ausgeteilt haben.»

«Danke, echt.»

«Keine Ursache.» Er küßte sie.

Rieder machte eine Pause.

«Wird die Geschichte noch spannender?»

Krüger hatte die letzten vollen Flaschen alkoholischen Inhalts zusammengesucht. Er stellte sie auf den Tisch. «Wir müss'n bißchen spaan», er stieß kurz auf. «… Sin die letzten … äh, Flaschen.»

«Ja, mehr Flüssigkeit, es wird ziemlich trocken hier!»

«Hab ich was verpaßt?» fragte Dressling und nahm wieder am Tisch Platz.

«Wart's ab», entgegnete Rieder und fuhr fort.

Der Schreibtisch seines Professors sah aus wie ein Wühltisch bei C&A. Kichernd warf Steffi ihre zweite Sandale in Richtung des Schreibtisches und traf die Brecht-Büste, die neben dem Teppich auf dem Fußboden zerbarst.

«Guck mal, Bert bricht», grunzte er ihr ins Ohr.

Steffi streifte ihm einen Schuh ab und warf ihn in Richtung Bücherregal.

Er versuchte, ihre Aufmerksamkeit von seinen Füßen auf das Wesentliche zu lenken. «Warum hab ich noch so viele Klamotten an und du nicht?»

«Ja, warum eigentlich?» sagte sie und nestelte an seiner Hose.

«Autsch!»

«'tschuldigung», wisperte sie und zog an seinen Beinkleidern.

«Geht so nicht.» Er lüpfte sein Gesäß.

Sie zerrte weiter. Die Hose blieb an seinen Knöcheln hängen.

«Schuh! Der Schuh!»

Aus Passion warf sie seinen zweiten Schuh auch noch.

«Na, hoffentlich waren's keine Plateauschuhe», grinste Jakob.

«Hattet ihr da denn überhaupt genug Platz?» Feiler machte große Augen, als ob Rieder die Hauptattraktion des chinesischen Nationalzirkus wäre.

«Jetzt laßt 'n doch mal ausreden», lallte die Richter. «Und ihr wart beide nackich?»

«Also», setzte Rieder an, «wir sind ja alle erwachsene Menschen …»

«Habt ihr da auf der Couch gefickt?»

Krüger hob seinen Kopf von der Tischplatte. «Was 's der Unterschied zwischen Ficken und Vögeln?»

«Na, habt ihr jetzt, oder habt ihr nicht?»

«Was wird denn das hier? Josef Rieders Lustgärtlein?»

«Ficken könn' nich fliegen!» Unbeachtet von allen anderen fiel Krüger lachend vom Stuhl.

«… Wir lagen dabei mehr auf der Couch, als daß wir saßen», erzählte Rieder leise weiter, «ihr wißt ja, wie das ist. Danach fragte sie mich nach Zigaretten …»

«Oh, danke, du.»

Beide rauchten schweigend. Schließlich drückte sie ihre Zigarette aus, ging zum Schreibtisch und zog sich ihr Kleid über.

«Willst du schon gehen?»

«Mir ist kalt.»

«Willst du noch was trinken?»

«Hast du was hier?»

Rieder zog seine Hose an und folgte ihr zum Schreibtisch seines Professors. «In der Schublade müßte noch 'ne Flasche Zinn 40 sein.»

Er goß den Klaren in zwei Kaffeetassen, die das Antlitz von Salvador Allende zierte.

Sie nippte. «Schmeckt wie der Schinkenhäger, den mein Vater immer trinkt.»

«Na denn. Venceremos!»

«Äh … Prost!»

Sie tranken aus. Er goß nach.

«Venceremos!»

Sie küßten sich.

Steffi lachte. «Willst du mich mit Alkohol noch mal gefügig machen?»

Er lachte auch. «Ich habe nur ehrbare Absichten, Steffi!»

«Genau so siehst du aus.»

Die Tür hatte sich geöffnet. Ein junger Mann warf sein Sakko überheblich grinsend auf die Couch. «Was wird denn das hier, wenn's fertig ist?»

«Nach was sieht's denn aus, du Armleuchter?»

«Nach 'nem privaten Spieleabend – in unserem Büro!»

«Jetzt hab dich nicht so. Du wirst doch um diese Uhrzeit nicht mehr arbeiten wollen.»

«Ich wollte tatsächlich noch arbeiten, aber wenn das hier 'ne Party ist …» Sein Blick schweifte ganz unverhohlen zu Steffis Schlüpfer, der auf dem Schreibtisch des Professors lag.

Rieder sah nicht übermäßig glücklich aus. «Na ja, wir könnten noch in den Sinkkasten gehen …»

«Immer mit der Ruhe, ich hab euch doch was mitgebracht.»

Müde betrachtete Rieder die Neonröhren an der Decke. «Na toll, das Sandmännchen ist da.»

Steffi sammelte ihr Schuhwerk ein. «Ich glaub, ich geh dann mal besser.»

Der andere junge Mann wedelte mit einem Tütchen Gras vor ihrer Nase.

«Stark!» jubelte Steffi.

«Na also.» Er zog sie zum Sofa und drehte seinen Kopf zu Rieder. «Hast du Kippen? Ein weiterer Blick, und er bemerkte die halbvolle Schachtel HB, nahm sie und warf sie auf den Couchtisch. «Jetzt bauen wir erst mal einen.»

«Sag mal, was erzählst du da eigentlich?» Dressling fixierte Rieder über den Rand seines Weinglases hinweg.

«Du weißt ganz genau, wovon ich spreche!» Rieder lachte bitter.

«Du hältst jetzt augenblicklich dein Maul!»

«Ich hab zwanzig Jahre lang mein Maul gehalten, eben reicht's!» Rieder hustete. Dann zündete er sich eine HB an. Schweißperlen glänzten auf seiner Stirn. «Also, der Dressling …»

«Halt's Maul!»

«Wie? Der Dressling? War der auch dabei?» Die Richter strich sich den Rest ihrer vor zwei Stunden noch perfekt sitzenden Frisur aus dem Gesicht und starrte die übrigen Akademiker ungläubig an.

«Erzähl weiter, Josef», sagte Jakob nachdenklich, und an Krüger gewandt: «Assi, hol doch mal 'nen Kaffee.»

Krüger glotzte mit glasigem Blick in die Runde. «Was? Äh…»

«Hol Kaffee!»

«… Ich weiß noch wie heute, wie er auf Steffis Ausschnitt stierte. Ich dachte, mein Gott, gegen den Dressling machst du sowieso keinen Stich, und goß meine Tasse noch mal voll. Ich starrte auf die beiden, wie sie auf der Couch …»

«Ich bin nicht dein Assi!»

«Hol Kaffee, sag ich!»

«… Was sollte es? Ich setzte mich dazu und …»

«Komm, Joscha. Sollst auch nicht leben wie'n Hund.» Dressling lehnte sich über Steffi und gab Rieder den Joint.

Ach, scheiß auf die Selbstachtung, dachte der und nahm einen tiefen Zug.

«Na, Steffi», Dressling kicherte im Falsett, «soll ich dir auch 'n bißchen bei der Prüfung helfen?»

«Danke, du, aber der Joscha hat mir schon geholfen.»

«Ich kann mir denken, wie!» Dressling lachte sehr laut.

«Was machst du denn da?» Steffi hatte den Rest des Joints im Aschenbecher ausgedrückt. Rieder goß Zinn 40 in seine Tasse, trank sie hastig aus und goß nach.

«Na, auf einem Bein kann man nicht stehen!» Dressling trank Rieders Tasse leer und klebte erneut ein paar Papers zusammen.

«Du, ich weiß nicht, noch einen …»

«Auf einem Bein kann man halt nicht stehen. Gieß mal nach, Joscha.» Dressling verfiel in geradezu olympisches Gelächter. Er zündete die nächste Tüte an, atmete den Rauch aus, beugte sich sehr tief über Steffi, gab Rieder den Joint, der ihn widerwillig nahm. Dressling blieb unnötig lange über sie gebeugt.

«Hey …», machte Steffi.

Dressling wälzte sich noch einen Moment auf ihr, bevor er sich zurücklehnte. Rieder reichte den Joint weiter und trank anschließend seine Tasse Zinn 40 aus.

«Komm, Joscha, einer geht noch», sagte Dressling und goß nach.

Reflexartig griff Rieder nach der Tasse und nahm einen tiefen Schluck.

«Mir auch noch was!» forderte Steffi.

«Klar doch, Süße.» Dressling füllte ihre Tasse bis zum Rand.

«Nicht so viel! Stop! Stop!»

«Das wird dich schon nicht umbringen.» Er trank einen Schluck aus der Flasche.

Plötzlich fing Rieder an, Geräusche von sich zu geben, die nicht sehr gesund klangen. «Fenster auf», stöhnte er.

«Geh doch lieber an die frische Luft, Joscha.»

«Nein, nein, geht schon.»

Er taumelte durchs Büro, fiel über den Flokati und schlug der Länge nach hin. Dressling applaudierte.

«Du bist ganz schön scheiße», fauchte Steffi und versuchte aufzustehen.

«Bleib doch hier, der kommt schon alleine zurecht!» Er packte ihre Hüfte, zerrte sie zurück und drückte ihr Gesicht in die Polster.

«Nein!» schrie sie.

Er riß ihr Kleid hoch.

«Das wird ja immer schöner! Kurz bevor du abnippelst, willst du mir noch einen reinwürgen, oder was, du Versager!» Dresslings Faust krachte auf den Tisch.

«Da bellt der getroffene Hund, was?»

«Ich muß mir doch nicht anhören, wie diese Nullnummer mich verleumdet! Das ist doch alles erstunken und erlogen!»

«Wer hat dich denn gefragt, Dressling?» Jakob richtete sich drohend auf.

«… Ich lag immer noch auf dem Fußboden und konnte mich nicht rühren. Ich hörte Steffi schreien …»

Dressling sprang auf und packte Rieder am Kragen. «Ich hab gesagt, du sollst aufhören, du Schandmaul!»

Jakob zerrte Dressling auf seinen Stuhl zurück. Es war plötzlich sehr ruhig geworden. Dressling bemerkte, daß ihn die anderen erschrocken anstarrten.

«Ihr glaubt doch etwa nicht, was die Pfeife da erzählt, oder? Der war doch immer nur neidisch auf mich, weil ich die C4-Stelle bekommen hab und er nicht. Der ist ein armes Würstchen, ein Weichei, der einfach nichts auf die Reihe kriegt, geschweige denn eine Stelle. Und jetzt, bevor er endgültig den Löffel abgibt, versucht er noch, mich reinzureiten! Schaut ihn euch doch an, diesen … diesen …»

«Halt einfach dein Maul, Dressling, du hast jetzt Sendepause. Wie ging's weiter, Josef?»

«Ja, richtig, was hat der Dressling, die Sau, mit der Gitti gemacht?»

«Steffi, Hildegard.»

«Ich hörte Steffi schreien und versuchte auf die Beine zu kommen, aber ich war wie gelähmt. Ich versuchte mich am Schreibtisch hochzuziehen …»

«Ich mach dich fertig, Dressling! Deine Assi-Stelle kannst du vergessen! Dich zeig ich an, Drecksau!»

«Das tust du nicht, du Schlampe, du machst mir die Karriere nicht kaputt. Du nicht, die Bullen lachen dich doch aus!»

Steffi packte ihre Tasche, drückte sie an sich und lief zur Tür.

«Die lachen dich aus!» brüllte Dressling.

Sie griff nach der Türklinke und drehte sich zu ihm um. «Auslachen!» Steffis Stimme überschlug sich. «Was glaubst du, wer hier lachen wird, wenn du gefeuert wirst! Du hast ja nicht mal einen hochgekriegt!»

Mit einem Satz war Dressling bei ihr, schlug ihren Kopf gegen die Tür und schleuderte sie zurück in den Raum. Blut floß über ihr Gesicht. Dressling packte die Zinn-40-Flasche, die auf dem Couchtisch stand, und schlug zu.

«Hör auf!» schrie Rieder und taumelte auf sie zu.

Dressling schlug noch einmal.

Und noch einmal.

Rieder packte Dresslings Arm. «Hör auf! Um Gottes willen, hör auf!»

Dressling stieß Rieder weg und hob wieder die Flasche. Speichelfäden rannen ihm aus dem Mund. «Die … die Schlampe wollte mich fertigmachen, ich … ich mußte … ich bin ausgerastet.»

«Hör bitte auf, Paul!» schrie Rieder.

Sie blickten beide auf Steffis reglosen Körper. Ihr Hinterkopf war zertrümmert, ihre Nase stand in einem grotesken Winkel in ihrem blutüberströmten Gesicht. Mit ihren geschwollenen Lippen und Zahnlücken schien sie Rieder und Dressling obszön anzulächeln. Rieder stürzte neben sie und versuchte sich verzweifelt daran zu erinnern, was er vor langer Zeit im Erste-Hilfe-Kurs gelernt hatte. Dressling ließ die Flasche fallen. Scheinbar teilnahmslos beobachtete er einen Moment lang die dilettantischen Wiederbelebungsversuche, dann ging er zum Couchtisch, wischte sich Schweiß und Speichel aus dem Gesicht und zündete sich eine von Rieders HB an. Er inhalierte tief und starrte die Wand an.

«Sie ist tot! Mein Gott, Paul! Du hast sie umgebracht!»

Dressling betrachtete weiter die Wand und rauchte.

«Paul! Sie ist tot!» Rieder hielt immer noch Steffis schlaffe Hand.

«Wir müssen sie hier wegschaffen», murmelte Dressling, setzte sich auf die Couch und drückte die Zigarette aus.

Rieder sprang auf. «Was? Das ist alles, was dir einfällt?» schrie er. «Du hast Steffi totgeschlagen, und alles, was du … du …»

«Die Schlampe wollte mich fertigmachen.»

Dressling zündete sich eine neue Zigarette an. Rieder sprang auf und lief mit geballten Fäusten zur Couch.

«Du hast gerade einen Menschen … Steffi … totgeschlagen!» Er baute sich vor Dressling auf und gestikulierte wild. «Ich hol die Polizei, hörst du? Wenn du glaubst, daß ich dir helfe … du hast sie totgeschlagen, du Drecksau!»

Dressling schwieg.

«Ich hab gehört, wie sie geschrien hat! Du wolltest sie vergewaltigen! Ich hol die Polizei, hörst du! Damit kommst du nicht durch!»

«Halt dein Maul, ich muß nachdenken», sagte Dressling leise und starrte ins Leere.

«Du hast geglaubt, du kannst sie alle haben, was? Aber Steffi nicht! Steffi nicht! Und kaum guck ich nicht hin, fällst du über sie her und ...»

«Du sollst dein Maul halten!»

«O nein, Paul! Diesmal nicht. Ich hol die Polizei!»

Rieder drehte sich um. Sein Blick fiel auf die Leiche. Er ging zu ihr, kniete sich neben sie und schluchzte. Er flüsterte mehrmals ihren Namen und schüttelte seinen Kopf. Dressling starrte wieder die Wand an. Sehr langsam richtete Rieder sich auf und sagte mit zitternder Stimme: «Ich hol jetzt die Polizei.»

«Würd ich nicht tun.» Dressling hatte seine dritte Zigarette ausgedrückt und war ebenfalls aufgestanden.

«Was?» schrie Rieder fassungslos. «Glaubst du, ich vergesse das hier so einfach?»

«Keine Polizei, sonst bist du mit dran.»

Rieder starrte Dressling an, als sei er einem Kuriositätenkabinett entlaufen. «Du! Du hast Steffi umgebracht!»

«Und du hast sie ein paar Minuten vorher gebumst.»

«Du ...», keuchte Rieder. Er wurde kalkweiß. Neben Steffis Leiche lag die blutige Zinn-40-Flasche. Er bückte sich schnell und wollte nach ihr greifen.

«Denk nach, Idiot», sagte Dressling ruhig, «ich geb an, daß du sie vergewaltigt hast, und rate mal, was sie bei der Autopsie finden werden.»

Er fletschte seine Zähne zu einer Art Grinsen. Rieder hatte seine Absicht offenbar vergessen. Er starrte Dressling mit offenem Mund an.

«Dein Sperma, Joscha! Und daß ich sie getötet habe und nicht du, müssen die mir erst mal nachweisen.»

Rieder fiel auf die Knie und schlug die Hände vor sein Gesicht. «O mein Gott, Dressling, du ...»

«Verstehst du jetzt, warum wir nicht die Polizei holen können?»

«Steffi ...» Rieder schluchzte wieder.

«Dann hab ich einen Vorhang geholt, wir haben Steffis Leiche eingewickelt und nach draußen geschafft.»

Eine Weile lang schwiegen alle am Tisch. Plötzlich fing Dressling an, aufgesetzt zu lachen.

«So. Ist Joschas Märchenstunde jetzt vorbei?»

«Na, du hast vielleicht Nerven …»

Dressling lachte noch lauter und schlug Feiler auf die Schulter. «Glaubst du den Scheiß etwa? Das ist doch absurd, das hat er sich bloß in seinem krebszerfressenen Hirn ausgedacht! Gebt dem Rieder keinen Schoppen mehr, der hat genug.»

«Ich glaub, ich hab von dir genug, Dressling. Du bist das größte Arschloch, das mir je untergekommen ist!» Jakob sah Dressling angeekelt an.

«Spinnt ihr jetzt alle, oder was?»

«Nein, Dressling, hier spinnt keiner.» Rieder lächelte böse.

«Und selbst wenn es so gewesen wäre, du hast keinerlei Beweise. Keinen einzigen. Nur dein Geschwätz. Und das glaubt dir keiner. Nur die besoffenen Neidhammel hier!»

Wortlos warf Rieder ein altes Portemonnaie auf den Tisch.

«Und? Was soll das jetzt?»

«Erinnerst du dich noch daran, wie wir Steffi zur Baugrube geschafft haben? Der Gruft der deutschen Hochschulpolitik? Das ist damals aus ihrer Tasche gefallen. Du hast gar nicht bemerkt, wie ich es eingesteckt habe.»

Jakob nahm das Portemonnaie, klappte es auf und holte einen alten grauen Personalausweis heraus. Er starrte lange auf das Dokument. Schließlich legte er es auf den Tisch zurück. «Stephanie Hermann.»

Die Richter griff nach Steffis Ausweis und betrachtete das Foto. «Dressling hat sie erschlagen. Wie furchtbar.»

«Und was ist mit der Leiche passiert?» Feiler starrte auf das Portemonnaie.

«Das mit der Gruft der deutschen Hochschulpolitik, was die *Rundschau* damals über das Bauloch geschrieben hat, wo jetzt die Neue Mensa steht», Rieder lachte, «das hat eine zweite Bedeutung. Wir haben sie in der Baugrube vergraben. Zwei Tage später haben sie das Fundament ausgegossen.» Er deutete in Richtung Büffet. «Muß ungefähr da drüben gewesen sein.»

Die Akademiker schwiegen betreten.

Dressling stand gemächlich auf, nahm seinen Mantel und steckte sich die letzte Flasche Wein in die Tasche. «Ihr sauft zuviel.» Er zündete sich eine Zigarette an. «Ach ja, und wenn einer von euch auf die Idee kommen sollte, Rieders Märchen weiterzuerzählen, seid ihr wegen Rufmord dran.» Lachend schlenderte er zur Tür.

Burnout

«Da drüben brennt es!» Der Fahrgast im Fond der Taxe reckte sich hoch und zeigte nach links. «In dem alten Stasi-Gebäude, wo jetzt die HÖV drin ist!»

Der Taxifahrer hielt und sah nun auch, wie im Erdgeschoß des zehnstöckigen Plattenbaus aus mehreren Fenstern Rauch und Flammen schlugen. Ohne zu zögern, alarmierte er über seinen Funk die Feuerwehr.

«Zum Glück sind ja um diese Zeit keine Studenten mehr drin», sagte der Fahrgast. Seine Uhr zeigte 19 Uhr 47.

«Trotzdem, ich guck mal, ob ich noch was tun kann …» Der Taxifahrer sprang aus dem Wagen.

«Lassen Sie ruhig alles abbrennen», lachte der Fahrgast. «Wir haben eh zu viele Beamten und brauchen einen schlanken Staat.»

An der Hochschule für Öffentliche Verwaltung Berlin, kurz: HÖV, studierten all jene, die als Diplom-Verwaltungswirte bzw. -wirtinnen in den gehobenen Dienst übernommen werden wollten, also die Inspektor/inn/en der allgemeinen nichttechnischen Verwaltung, der Finanzämter und der Gerichte sowie die Kommissare der Kriminal- und der Schutzpolizei. Die meisten von ihnen hatten das Abitur gemacht, der Rest bestand in der Hauptsache aus Aufstiegsbeamten und Studienabbrechern. Unter den Abiturienten waren etliche mit einem abgeschlossenen anderen Studium, zumeist in der DDR absolviert, gelegentlich sogar mit einem Doktortitel. Besser ein Zweitstudium und ein Leben als Beamter denn Dauerarbeitslosigkeit oder Taxifahrerexistenz. An der HÖV Berlin konnten sich die Studierenden nicht direkt einschreiben: Man mußte erst von einer Behörde als «Beamter auf Widerruf» eingestellt worden sein und wurde von ihr zum sechssemestrigen Studium an die HÖV geschickt, für drei Jahre also, von drei mehrmonatigen Praktika unterbrochen. Vor der Wende hatte die HÖV ihr Domizil in Westberlin gehabt, 1993 war man nach Ostberlin ausgelagert worden, um die «Durchmischung» der Berliner Verwaltung voranzubringen.

Björn Rossow lag auf der Couch, starrte auf seine Dartsscheibe und wartete auf die Wirkung seines Beruhigungsmittels. Seine letzten drei Pfeile steckten in der 1, der 5 und der 18. Keiner hatte die 20 getroffen. Die roten und grünen Farben der Segmentmarkierungen ließen ihn an Portugal denken. Er sah sich im Segelboot vor der Algarve kreuzen. Der Fisch damals in Monte Gordo, die Flußfahrt auf dem … wie hieß er noch …? Das andere Ufer war schon spanisch. Der … der …? Er kam nicht drauf und fühlte sich immer schläfriger. Der Rio Guadiana. Jetzt konnte er sich fallenlassen.

Das Telefon riß ihn zurück, und er murmelte seinen Namen. Es war Marlene Nettelbeck, die Ehefrau eines Kollegen.

«Guten Abend. Entschuldige, Björn, daß ich dich am Freitagabend noch störe, aber ich suche meinen Mann. Hast du Hans-Joachim gesehen?»

«Nein, Gott sei Dank nicht», lachte Rossow. Kaum jemand an der HÖV riß sich darum, Nettelbeck zu sehen. In den Rückkopplungsbögen der Studenten hatte er die schlechtesten Noten, und die Professoren mieden ihn, wo immer es ging. «Hast du's mal in der HÖV versucht?»

«Ja, aber da war er nicht mehr.»

«Dann weiß ich auch nicht, wo er stecken könnte.»

Marlene Nettelbeck stöhnte. «Ich sitze hier in der Pizzeria und warte auf ihn. Donnerstag haben wir den nächsten Termin, und da wollte ich noch einiges mit ihm besprechen. Wegen unserer Scheidung.»

«Dann wird er sicher noch kommen.»

«Trotz allem, was war: Ich mach mir Sorgen um ihn. Wegen seiner Probleme ist er ja schon beim Therapeuten.»

Rossow nickte. «Bei diesem Dr. Schrompf, ich weiß. Ist es denn nur der Alkohol oder noch mehr?»

«Ein manisch-depressives Krankheitsbild. Er hat ja auch wirklich viele Feinde an der HÖV ...»

«Gott, ja, die HÖV macht uns alle kaputt ...»

«Brauchst du auch 'n Mittel gegen Depressionen?» fragte Marlene Nettelbeck.

Inzwischen hatte die Feuerwehr mit dem Löschangriff begonnen. Mit schwerem Atemschutzgerät kämpften sich die Männer durch den Flur des Verwaltungstraktes. Alles war verqualmt, die Deckenverkleidung krachte auf den Boden.

«Alles okay?» kam es keuchend.

«Ja. Wir müssen zur Vervielfältigung durch. Wenn da die Lösungsmittel hochgehen, dann ...»

«Hier links lang.»

«Da kommste nich durch!»

«Dann schlag die Tür hier ein.»

«Moment ...» Mit ein paar kräftigen Axthieben war das Problem gelöst.

«Scheiße: da liegt einer!»

Hans-Jürgen Mannhardt, der Leiter der 12. Mordkommission, hatte vor Jahren über viele Semester hinweg als Lehrbeauftragter an der HÖV gewirkt, und was dort heute passiert war, hatte ihn innerlich so aufgewühlt, daß er es nicht schaffte, nach Hause zu fahren und ins Bett zu gehen: Er hätte doch nicht schlafen können. Außerdem hätten die mehr oder minder befreundeten Journalisten ihn auch da nicht in Ruhe gelassen. Schon wieder dudelte sein Telefon.

«Hallo, ich bin's, Heike …» Es war die Gefährtin seines Lebens. «Wo bleibst du denn so lange?»

«Ich hab an der HÖV einen ermordet, damit ich nicht nach Hause muß.»

«Ich dachte, damit ich was zu schreiben habe.» Heike Hunholz, Journalistin und Diplom-Psychologin, war freie Mitarbeiterin einiger Zeitungen und Sender. Dies auch des Geldes wegen, vor allem aber, um bis zur Kita-Reife ihres Sohnes nicht total zu versauern. «Ich hab doch gestern für SFB-Multikulti die Sendung über die HÖV gemacht. Im Info-Radio haben sie gerade erzählt, daß da einer der sehr verehrten Professoren totgegangen sein soll …»

«Gut gesagt. Der Tote ist ein gewisser Hans-Joachim Nettelbeck, 53 Jahre alt, Dr. rer. pol., Betriebswirtschaftslehre und Wirtschaft der öffentlichen Haushalte. Verheiratet, aber getrennt lebend, keine Kinder. So wie's aussieht, Tod durch Ersticken infolge Sauerstoffmangels durch äußere Umstände.»

«Also kein Mord?»

«Vielleicht doch. Er weist eine schwere Kopfverletzung auf.»

«Soweit ich gehört habe, war er Alkoholiker», sagte Heike Hunholz und griff dann auf ihre Erfahrungen in forensischer Psychologie zurück. «Vielleicht ist er gestürzt und hat bewußtlos dagelegen …»

Mannhardt wurde sarkastisch. «Klar, und im bewußtlosen Zustand hat er zwei Räume weiter das Feuer gelegt, an dem er dann erstickt ist.»

«Ach, steht das fest, daß es Brandstiftung war?»

«Hundertprozentig. Ausgekipptes Benzin als Brandbeschleuniger. Sogar das Streichholz haben wir gefunden.»

Heike Hunholz klang begeistert. «Ein klassischer Verdeckungsmord also. Und daß er den Brand selber gelegt hat, der Nettelbeck, haltet ihr für völlig ausgeschlossen? Eine Art Selbstverbrennung aus Protest gegen das, was da an der HÖV gegen ihn gelaufen ist?»

«Ja, halten wir.»

«Mir haben sie erzählt, daß er wegen seiner Depressionen beim Psychiater in Behandlung war, einem gewissen Dr. Schrompf …» Heike Hunholz brachte ihren nächsten Ball ins Spiel. «Was ja für die Selbstmordthese sprechen könnte …»

Mannhardt ließ sich nicht beirren. «Schon, aber der Brand ist im Büro des Asta ausgebrochen, und dafür hatte er gar keinen Schlüssel. Die Tür ist abgeschlossen gewesen, offenbar damit keiner so schnell löschen konnte.»

«Wann hat es denn eigentlich angefangen zu brennen?»

Mannhardt sah auf seine Notizen. «Gegen neunzehn Uhr vierzig. Gemeldet worden ist es von einem Taxifahrer um genau neunzehn Uhr siebenundvierzig.»

Heike Hunholz wollte sich noch einmal vergewissern. «Und zu der Zeit muß Nettelbeck schon bewußtlos in seinem Zimmer gelegen haben?»

«Ja, ob nun als Folge eines Schlages oder zu vieler Promille, weiß ich nicht, wahrscheinlich beides.»

«Na, dann viel Spaß bei der Suche nach dem Mörder, denn Nettelbeck war ein vielgehaßter Mann, bei Kollegen wie Studierenden.»

Jetzt erwachte Mannhardts Interesse. «Sag mal, was ist denn da augenblicklich Sache an der HÖV?»

«Was da Sache ist? Chaos und Krieg.»

«Doch nicht in der Beamtenausbildung!» Die HÖV hatte bis jetzt in der krisengeschüttelten Berliner Hochschullandschaft immer als Insel der Seligen gegolten.

«Aber ja: Mit der drohenden Verwaltungsreform ist auch die HÖV in die Krise geraten. Die Profs fürchten um den Bestand ihrer Fächer und zerfleischen sich im Kampf um die wenigen C3-Stellen, die es gibt, und den Studenten droht die Arbeitslosigkeit, weil der Dienstherr nach bestandener Staatsprüfung nicht mehr alle übernehmen will, sondern nur noch die Besten.»

«Ah ja.» Mannhardt fiel ein, daß er von den Klagen darüber auch schon mal gehört hatte. «Dann gibt es also in Zukunft das große Hauen und Stechen. Aber Nettelbeck war ja kein Student. Apropos Nettelbeck: Hast du nicht mal was mit dem gehabt?»

«Hör auf, ich hab lediglich zweimal mit ihm gegessen, als er noch Vorstandssprecher bei der EUROMAG war. Ist das jetzt bei dir 'n Motiv für Mord?»

«Kommt darauf an, wie das Essen war ...»

«Erstklassig», beteuerte Heike Hunholz.

Mannhardt horchte zur Tür hin. «Du, ich muß, mein neuer Kollege kommt gerade rein ...»

«Der kleine Toll mit der piepsigen Stimme?»

«Ja. Tschüs dann!»

Patrick Toll war etliche Jahre jünger als Mannhardt. Erschöpft wie nach einem Marathonlauf sank er ihm gegenüber in den Besuchersessel.

Mannhardt war zu neugierig, um ihm Zeit zum Verschnaufen zu lassen. «Noch immer keine Augenzeugen, keiner, der den Brandstifter gesehen hat?»

Toll wischte sich den Schweiß vom Gesicht. «Der Brand muß gegen neunzehn Uhr dreißig gelegt worden sein, und wer soll sich da noch auf dem HÖV-Gelände aufgehalten haben? Um achtzehn Uhr ist die letzte Lehrveranstaltung zu Ende, Viertel vor sogar. Und die Reinemachefrau, die vor Nettelbecks Zimmer gewirkt hat, geht spätestens um sieben.»

«Und was hat sie gesagt?»

Toll begann vor lauter Müdigkeit zu nuscheln. «Kommt erst morgen früh nach Hause. Sie soll bei einem unbekannten Liebhaber nächtigen, keiner weiß wo.»

Auch Mannhardt gähnte jetzt. «Pech gehabt ...»

Toll erwachte noch einmal zum Leben. «Dafür habe ich aber etwas sehr Schönes gefunden ...»

«Haben die Kinder beim Ostereiersuchen was übersehen?» fragte Mannhardt.

Toll war viel zu ernsthaft, um auf diesen Ton einzugehen,

und sagte so papieren wie Wagner im *Faust*: «Nein, das Tagebuch von Professor Nettelbeck, das von den Flammen nicht vollständig zerstört worden ist. Unsere Techniker werden den Text nach und nach vollständig rekonstruieren können.»

Mannhardt klatschte in die Hände. «Na, wunderbar! Hat er 'n neues Buch geplant: *Budgetierung in der öffentlichen Verwaltung auf der Basis von Produkt- und Ressourcenplanungen*?»

Toll richtete sich im Besuchersessel stolz auf. «Nein, aber beim Durchblättern erschienen mir zwei Sätze interessant. Erstens: *Trotz allem, Rossow hängt irgendwie an mir.* Und zweitens: *Ich habe Angst, daß M. mich vorher umbringen wird.*»

Mannhardt schloß die Augen, um sich noch einmal zu konzentrieren. «Rossow ist Politologie-Professor im Fachbereich I, das weiß ich noch von früher, aber wer ist M.?»

«Es gab da mal einen Film gleichen Titels mit Peter Lorre und anderen.»

«Ach was», sagte Mannhardt. «Ein Triebtäter wird's ja kaum gewesen sein bei Nettelbeck. Eher ... Sagen Sie, wie heißt eigentlich seine Frau mit Vornamen?»

Patrick Toll blätterte in seinen Papieren: «Marlene.»

«Na, wunderbar. M wie Marlene!»

«Eine Apothekerin», wußte Toll bereits.

Mannhardt stieß einen kurzen Pfiff aus. «Nicht schlecht! Na, schaun mer mal. Morgen früh erst zu Rossow und danach in die Apotheke.»

«Die Reinemachefrau hätt ich vorher auch noch gerne gesprochen ...»

Helga Günther kam auch nach zwei Tassen Kaffee nicht so recht in die Gänge. Sie hatte die Nacht auf einer Fete verbracht und mehr Apfelkorn getrunken, als sie vertragen konnte. Über ihr Erbrochenes hatte sie nur einen alten Scheuerlappen geworfen. Obwohl Mannhardt und Toll sich ein Tempotaschentuch vor die Nase hielten, war es in der engen Wohnlaube kaum auszuhalten. Aber in den kleinen Garten konnten sie nicht gehen, denn es gab gerade eines der seltenen, aber dafür um so heftigeren Vormittagsgewitter.

«Als Sie Ihre Putzsachen gerade in die Kammer stellen wollten, ist also Frau Nettelbeck an Ihnen vorbeigekommen?» fragte Toll, denn Helga Günther hatte zuvor etwas wirr geredet. Auch er war durcheinander, weil sie nur einen engen Morgenmantel trug, der so viel Fleisch sehen ließ, daß ihm richtig heiß geworden war.

«Ja, die Frau von dem Prof, der immer so vergnatzt aussieht, sag ich mal.»

«Und hat Frau Nettelbeck Sie auch gesehen, haben Sie sich begrüßt?» hakte Mannhardt nach.

«Nee, die is so vorbeigeschlichen, ohne det se …»

«Hatte sie etwas in der Hand?»

«Nich, det ick wüßte.»

«Und der Mann, von dem Sie gesprochen haben, war mit ihr zusammen da?»

«Quatsch. Der is 'n paar Minuten später den Flur runta, kurz nach halb sieben muß et da jewesen sein, und der wer mir ooch nich uffjefall'n, wenna nich wie Clinton ausjesehen hätte.» Die Reinemachefrau steckte sich eine Zigarette an, und beim Aufflammen ihres Plastikfeuerzeuges schien auch ihr ein Licht aufzugehen. «Warten Se mal, da war noch eena, der da rumjeloofen is, eena von die Studenten …»

Björn Rossow, von Hause aus Westberliner, war seit der Wende Eigentümer einer kleinen Villa in einem der unschön zersiedelten Vororte, wie sie sich seit hundert Jahren im Osten Berlins entwickelt hatten. Biesdorf-Süd, Kaulsdorf-Süd und Mahlsdorf-Süd, Biesdorf-Nord, Kaulsdorf-Nord und Mahlsdorf-Nord, so hießen sie, und nur vom Hubschrauber aus wußte man ungefähr, wo man war. Als C3-Professor bekam er – kinderlos und ledig – genau 6175 Mark 38 im Monat ausgezahlt, was nicht eben viel war, andererseits aber auch nicht gerade wenig, und obwohl man ihm für seine Veröffentlichungen, den Monographien und den Artikeln in diversen Fachzeitschriften, aber auch für seine Vorträge nie mehr als eine dreistellige Summe überwiesen hatte, war es doch so, daß auch Kleinvieh Mist machte. Wie auch immer: Mit seinem Haus, seinen 41 Jahren, seinem Vollbart und seinem guterhaltenen Speerwerferkörper war er auch für wesentlich jüngere Frauen ein interessanter Mann, zumal er ein großer Entertainer war und so einfühlsam zu plaudern verstand, daß er sogar in feministischen Blättern lobende Erwähnung fand. Seine Studentinnen allerdings waren absolut tabu für ihn, doch wenn sich nach abgeschlossenem Studium eine Chance bot, das nachzuholen, was er sich vordem so streng versagt hatte, dann nutzte er sie.

Die Neue hieß Tanja, war schon Gruppenleiterin in der Personalverwaltung und studierte nebenher noch Jura. Auch das faszinierte ihn an ihr, noch mehr aber ihre Schmetterkraft beim Volleyball, wenn sie langbeinig und im knappen Höschen am Netz hochstieg. Als er sie kennengelernt hatte, war er noch verheiratet gewesen, und sie hatte als unberührbar gegolten. Nun aber … Sie spielte Darts mit ihm, und er tat ihr den Gefallen, nach Kräften daneben zu werfen, denn er wußte, daß sie weich wurde, wenn sie gewann.

«Zweimal an der Triple-20 vorbei. Scheiße!» rief er.

«Jammere nicht: Du hast ja noch 'n dritten Pfeil.»

«Ja, Achtung!» Er zielte sorgfältig … und traf tatsächlich sein Sektglas, das auf einem Bücherregal dicht neben der Scheibe gestanden hatte.

Tanja klatschte Beifall. «Professor Dr. Björn Rossow, Deutschlands treffsicherster Politologe, bravo!»

Rossow riß ein paar Tempotaschentücher aus der Packung und warf sie ihr zu. «Hilf mir lieber aufwischen.» Es klingelte an der Haustür. «Auch das noch!»

Tanja spottete: «Die Reporter so schnell zur Stelle? Na ja: Ich bin in den Medien, also bin ich. Zitat Rossow.»

Rossow hastete zur Tür. «Ich will meine Ruhe haben, nichts weiter.»

«Zwei Männer», sagte Tanja, die aus dem Fenster schaute. «Sehen aus wie die Zeugen Jehovas.»

«Quatsch, dann wären es Frauen.» Rossow öffnete die Tür. «Ja, bitte?»

«Guten Tag, Herr Dr. Rossow. Mannhardt. Mein Kollege Herr Toll. Die Kripo …»

Rossow nickte. «Sie kommen wegen des Brandes …»

Patrick Toll korrigierte ihn. «Wegen des Mordes zum Nachteil Ihres Kollegen Professor Nettelbeck.»

«So kann man's auch sehen, ja. Dann kommen Sie bitte herein …» Er ließ sie durch Windfang und Diele ins Wohnzimmer treten und gab sich ungewohnt förmlich. «Darf ich vorstellen: Tanja Naumann.»

«Angenehm», sagte Mannhardt.

Toll haßte lange Einleitungen und kam gleich zur Sache. «Na gut, Herr Professor: Wir haben im Tagebuch Ihres Kollegen Nettelbeck eine Eintragung gefunden, aus der sich entnehmen läßt, daß Sie einmal recht eng mit ihm befreundet waren.»

«Ja.» Rossow besann sich auf seine Gastgeberpflichten. «Aber nehmen Sie doch bitte Platz …»

«Danke.» Mannhardt suchte sich mit Bedacht einen rückenschonenden Stuhl und gab Toll zu verstehen, daß er sich auf dem Sofa gegenüber plazieren sollte. «Also, Herr Rossow: Hatten Sie eine besonders enge Beziehung zu Ihrem Kollegen Nettelbeck?»

Rossow setzte sich nun ebenfalls und spielte mit dem Stiel seines zerbrochenen Glases. «Wir haben Ende der achtziger Jahre eine Exkursion nach New York gemacht, dreißig Studenten, Nettelbeck und ich. Da kommt man sich schon etwas näher. Und als Karin hier ausgezogen ist, meine Frau, da habe ich oft bei ihm und Marlene gesessen und mich ausgeweint. Die vielen Tabletten, die Depressionen, der Suizidversuch, zwei Monate in der Klinik … Aber jetzt, wo Tanja …»

Toll ging dazwischen. «Im Tagebuch von Professor Nettelbeck haben wir den Satz gefunden: *Trotz allem, Rossow hängt irgendwie an mir.* Worauf bezieht sich dieses *Trotz allem*?»

«Wie …?»

Mannhardt versuchte es ihm zu erklären: «Na, das setzt doch einen gewissen Konflikt voraus, daß es vorher Krach gegeben hat …»

«Ein Zerwürfnis, wie man früher sagte», fügte Toll hinzu.

Jetzt nickte Rossow. «Ja, sicher. Nettelbeck hat alles getan, damit wir Sozialwissenschaftler wieder aus der Beamtenausbildung verschwinden. Soziologie, Psychologie, Politologie – alles sollte geopfert werden zugunsten der Aufstockung seiner Betriebswirtschaftslehre. Der moderne Beamte als billiges Bauteil im großen Apparat.»

«Was Björn ganz schön erschüttert hat», kommentierte Tanja ungefragt.

«Ja.» Rossow gab es ohne weiteres zu. «Aber Nettelbeck hat das nicht etwa aus rationalen Gründen getan, sondern es war ein reiner Racheakt, weil wir Sozialwissenschaftler im Fachbereichsrat gegen ihn gestimmt haben, als es darum ging, wer von unseren C2-Professoren auf eine neu geschaffene C3-Stelle vorrücken sollte.»

«Sind Sie vorgerückt?» fragte Mannhardt.

«Nein», war Rossows knappe Antwort.

«Das war ein Psychologe mit zig Büchern und einem Riesenrenommee», erklärte Tanja die Sache. «Während Nettelbeck außer seiner Dissertation nur noch ein paar Veröffentlichungen in der Zeitung hatte: Suche Wohnung usw. Außerdem hat er für die HÖV nie etwas getan – keine Gremienarbeit, nichts. Immer nur in der Welt herumgejettet, Vorträge gehalten und abkassiert.»

Mannhardt sah sie an. «Sie wissen ja bestens Bescheid …»

«Wir haben ja auch die ganze Zeit über nichts anderes geredet als über Nettelbeck und die HÖV. Wie alle kaputtgehen an ihr und sich wie Wölfe verhalten.»

«Das klingt ja alles weniger schön.» Patrick Toll war neugierig geworden.

Rossow bückte sich, um weitere Reste seines Sektglases aufzuheben. «Aber dennoch habe ich Nettelbeck gemocht. Vielleicht, weil er irgendwie wie mein älterer Bruder war. Der ist vor Jahren an Magenkrebs gestorben … Au!» Er hatte sich die Kuppe seines rechten Zeigefingers aufgeritzt. «Wenn das genetisch vorprogrammiert ist in unserer Familie, dann müßte ich auch bald dran sein …»

Mannhardt blätterte in seinen Unterlagen. «Gut, Herr Rossow, kommen wir zu einem anderen Satz in Nettelbecks Tagebuch. *Ich habe Angst, daß M. mich vorher umbringen wird.* Erste Frage: Wer ist M., zweite Frage: Was heißt ‹vorher›?»

«Ganz einfach: M. ist Marlene, seine Frau. Sie kennen sie sicher. Ihr gehört die Apotheke oben am Markt … Und das ‹vorher› wird sich auf die Scheidung beziehen.»

«Haben die beide gewollt?»

«Sie mehr als er, was wohl mit seinem Alkoholproblem zusammenhängt. Vor allem kämpften sie um ihr Haus draußen in Schmöckwitz. Er lebte da drin wie in einer Festung, und sie beschoß ihn aus allen Rohren. Gestern abend hat sie mich noch angerufen und nach ihrem Mann geforscht, der zu irgendeinem Treffen nicht gekommen ist …»

Eine Stunde später saßen Mannhardt und Patrick Toll im Offizin einer jener modisch aufgemotzten Apotheken, wie sie in Ostberlin jetzt allenthalben anzutreffen waren, und konfrontierten Marlene Nettelbeck mit den Aussagen Rossows. Die Apothekerin, eine Frau, die ihnen sehr dominant und kraftvoll erschien, ließ äußerlich nicht erkennen, daß ihr der Tod ihres Mannes irgendwie naheging. Ihr Ton war nicht anders als Kunden gegenüber, die eine Packung Aspirin verlangten.

«Ja, Herr Mannhardt, das stimmt, was Björn Rossow Ihnen da erzählt hat. Ich hatte auch schon versucht, Sie anzurufen, aber Sie waren ja ständig unterwegs.»

«Wir waren natürlich schon bei Ihnen zu Hause, wußten aber nicht, daß Sie sich von Ihrem Mann getrennt haben und jetzt in der Apotheke leben.»

«Ein Bett stand hier ja eh schon, wegen des Nachtdienstes alle vier Wochen.» Marlene Nettelbeck zündete sich mit der großen Geste einer Filmdiva ihre Zigarette an.

Mannhardt war beeindruckt von soviel Souveränität. «Wo fangen wir an? Vielleicht mit der Aussage unserer Augenzeugin.» Er sah seinen Kollegen an.

Und Toll reagierte sofort. «Ja, Frau Nettelbeck: Die Reinemachefrau in der HÖV will kurz vor Ausbruch des Brandes zwei Verdächtige gesehen haben: ad eins Sie und ad zwei einen fremden Mann, der wie Bill Clinton aussah.»

Marlene Nettelbeck stieß ihren Rauch in die Luft. «Keine Ahnung, wer das sein könnte.»

«Schade.» Mannhardt klang etwas mokant. «Aber sagen Sie: Wie kommt es, daß eine Reinemachefrau die Ehefrauen der Professoren kennt?»

Marlene Nettelbeck lachte. «Ganz einfach: von der Apotheke her.»

«Ach so.» Mannhardt nickte. «Sie waren also in der fraglichen Zeit bei Ihrem Mann in der HÖV, zwischen achtzehn und zwanzig Uhr?»

Marlene Nettelbeck überlegte ein, zwei Sekunden. «Ja und nein. Ich hab in der Pizzeria gesessen und auf ihn gewartet. Und als er nicht gekommen ist, bin ich eben mal schnell in die HÖV rüber, das sind ja nur drei, vier Minuten … Gegen halb sieben muß das gewesen sein, achtzehn Uhr dreißig. Aber wieso ist das so wichtig für Sie?»

Mannhardt gab sich nun amtlich. «Frau Nettelbeck, im Tagebuch Ihres Mannes findet sich der schöne Satz *Ich habe Angst, daß M. mich vorher umbringen wird.* Und M. könnte doch wohl ohne weiteres für Sie, für Marlene, stehen?»

Marlene Nettelbeck zuckte mit den Schultern. «Ja, sicher. Aber Fakt ist nur, daß ich in der HÖV war, um ihn sozusagen zu einem Gespräch zu zwingen, ihn aber nicht angetroffen habe.» Sie drückte ihre nur halb aufgerauchte Zigarette im Aschenbecher aus.

Toll sah sie an. «Vielleicht war er im Büro und hat nur nicht aufgeschlossen. Aus Angst vor Ihnen.»

«Ich bitte Sie!» Marlene Nettelbeck wirkte ungehalten. «Die Sache ist doch klar: Das M. steht für Marvin, Marvin Winkelmann. Das ist ein Student, den er bei der Staatsprüfung durchfallen ließ. Ein bißchen willkürlich.»

Toll notierte sich das. «Winkelmann, Marvin ... gut zu wissen.»

Mannhardt kniff die Lippen zusammen. «Noch schöner aber wäre es, Sie hätten uns Ihr Wissen von sich aus angeboten, Frau Nettelbeck, gleich gestern abend.»

Marlene Nettelbeck winkte ab. «Wenn die Behörden das erfahren, fliegt der Junge aus dem Staatsdienst raus. Und was soll er sonst machen ... als gelernter Beamter?»

Toll blickte sie an. «Lieber setzen Sie sich dem Verdacht aus, selber als Täterin zu gelten?»

«Das scheint mir doch übertrieben edel zu sein», fügte Mannhardt hinzu.

Marlene Nettelbeck ließ sich nicht beeindrucken. «Ich hatte gehofft, gar nicht erst ins Schußfeld zu geraten. Und Marvin ist 'n sympathischer Junge, ganz untypisch für die HÖV. Ich hab immer gesagt: Hans-Joachim, du bist ungerecht zu dem Jungen.»

Mannhardt nickte ergeben. «Schön ... Aber noch mal zurück zur HÖV. Könnte es sein, daß Ihr Mann in seinem Zimmer gesessen hat und Ihnen nicht aufmachen wollte?»

«Nein, ich war mir sicher, daß er längst die Flucht ergriffen hatte. Ich bin ins Restaurant zurück und habe von dort aus bei Rossow angerufen, kurz vor sieben etwa.»

Mannhardt zeigte nun die Phantasie, die von einem modernen Beamten erwartet wurde. «Wenn ich das Drehbuch schreiben müßte, Frau Nettelbeck, dann sähe das Ganze so aus: Sie haben Streit mit Ihrem Mann, es kommt in seinem Büro zu einem Handgemenge, und es gelingt Ihnen, Ihren Mann zurückzustoßen. Sie haben allemal die Kraft dazu. Er schlägt mit der Stirn gegen seine Schreibtischkante und bleibt leblos liegen. Sie laufen zu Ihrem Wagen raus, holen den Benzinkanister und setzen alles in Brand. Sie wissen, daß Ihr Mann mehr Feinde hatte als Haare auf dem Kopf, da wird sich schon einer finden, der's gewesen sein könnte …»

«Das ist doch absurd!» schrie Marlene Nettelbeck.

Heike Hunholz saß zu Hause, schaukelte ihren zweijährigen Sohn auf den Knien und telefonierte mit Professor Wieser, der ein angesehenes betriebswirtschaftliches Institut an einer der großen Universitäten leitete. Auch sie war auf der Suche nach Nettelbecks Mörder. Dies nicht nur, um mit ihren Artikeln Geld zu verdienen, sondern um ihrem Lebensgefährten zu zeigen, daß sie das auch konnte: einen Mörder fangen. Dazu mußte man nicht Hans-Jürgen Mannhardt heißen und in Berlin Leiter einer Mordkommission sein.

Der BWL-Professor wußte in der Tat einiges über seinen Kollegen zu sagen: «Hans-Joachim Nettelbeck war ein profunder Kenner der Finanzwissenschaft, insbesondere was die Investitions- und Finanzierungsplanung betrifft. Er war für mehrere internationale Organisationen in Drittweltländern tätig.»

«Und was macht er da an einer Fachhochschule, in der zweiten Bundesliga sozusagen?»

«Das war erstens nur vorübergehend, um nach seiner Rückkehr aus den USA in Deutschland wieder Fuß zu fassen, und zweitens, um mitzuhelfen, die öffentliche Verwaltung zu einem modernen Dienstleistungsunternehmen umzugestalten.»

Heike Hunholz lachte. «An der HÖV allerdings mochte ihn kaum jemand, und einmal soll er gesagt haben, er habe es satt, immer nur Perlen vor die Säue zu werfen. Darauf haben sie ihm nicht einmal eine freie C3-Stelle gegönnt.»

«Bei uns steht er auf der Dreierliste für den neuen Lehrstuhl ‹Management der öffentlichen Verwaltung› an erster
Stelle ... C3 natürlich, möglicherweise auch mal C4.»

«Und wer ist da an zweiter Stelle?»

«Ein Kollege aus der Forschung – Wissenschaftszentrum,
DFG.»

Heike Hunholz glaubte, eine Spur zu haben. «Jemand
ohne feste Stelle, der sich von Projekt zu Projekt hangeln muß,
immer älter wird und langsam in Panik verfällt?»

Wieser blieb zurückhaltend. «Das ist nicht auszuschlie-
ßen.»

Heike Hunholz warf ihren ganzen Charme in die Waag-
schale. «Und wer ist das bitte? Oder dürfen Sie das aus Gründen des Datenschutzes nicht verraten?»

«Nein, nein, das ist ja hochschulöffentlich. Maxara heißt
der Mann, Dr. Dietmar Maxara, Mitte Dreißig vielleicht ...»

«Sie kennen ihn persönlich?»

«Maxara? Aber selbstredend. Der war ja mal mein Assistent.»

«Und wird nach Nettelbecks Tod jetzt er die Stelle bei
Ihnen kriegen?»

«Es wird eine Neuausschreibung geben, aber seine Chancen stehen in der Tat nicht schlecht.»

Das führte Heike Hunholz zu ihrer entscheidenden Frage:
«Sagen Sie: Könnte man diesem Maxara möglicherweise eine
gewisse Ähnlichkeit mit Bill Clinton nachsagen?»

«Ja, sicher, er ist genau der Typ.»

Im Hörsaal 312 der HÖV herrschte wie jeden Montagmorgen
ziemliche Unruhe: Die Studierenden tuschelten miteinander,
Zeitungen wurden umgeblättert, einige kamen zu spät, andere
gingen zu früh.

Björn Rossow war matt und unkonzentriert wie selten.
«Die Entwicklung der modernen öffentlichen Verwaltung in
... in Deutschland ist eng mit der Genese und dem Aufbau,

nein: Ausbau des Absolutismus verbunden ... des absolutistischen Terror... ich meine: Territorialstaates, der sich nach der Auflösung beziehungsweise der ... der Überwindung des spätmittelalterlichen Dualismus von Fürsten und Ständen im 16. und 17. Jahrhundert herauszubilden begann und zu Anfang des 19., Entschuldigung: des 18. Jahrhunderts seine endgültige Gestalt annahm. Die Verwaltung war Garant der absolutistischen Macht der Territorialfürsten ...»

«Das war doch das Heer!» rief Marvin Winkelmann dazwischen.

Rossow stutzte und brauchte einige Sekunden, um diese Information zu verarbeiten. «... Neben dem stehenden Heer, richtig, Herr Winkelmann, war die Verwaltung der Garant der herrschenden Ordnung, und gleichsam unbeschränkt nach innen wirkend, gewann sie dabei schnell an Größe ... Wie uns diese Folie hier zeigt ...»

«Dieser Rossow ist ja nicht mehr auszuhalten.» Marvin Winkelmann stöhnte auf. «Der liest doch nur noch Zitate ab. Und seine ewigen Folien. So was von ätzend!»

Silke, die Studentin, die neben ihm saß, versuchte ihn zu besänftigen. «Marvin, laß ihn! Die könn'n das mit Nettelbeck nicht verkraften.»

«Ein richtiger Profi muß das können. ‹Der Beamte hat sich mit voller Hingabe seinem Beruf zu widmen›, Paragraph 54 Bundesbeamtengesetz.»

In diesem Moment klopfte es gegen die Tür des Hörsaals, und als sie aufging, erkannte Rossow das Fahnderteam der Kripo.

«Ah, Herr Mannhardt, Herr Toll, die Kripo ... Wenn Sie mich verhaften wollen, dann bitte erst nach längerem Schußwechsel ...»

Mannhardt registrierte das aufbrandende Gelächter der Studenten mit einem gelangweilten Blick. «Später, erst einmal haben wir es auf einige Ihrer Studenten abgesehen. Es sind welche unter ihnen, die auch in den BWL-Kursen waren und uns noch etwas über Professor Nettelbeck erzählen können. Ich habe hier die Namen Gemballa, Schertz, Sawitzki und Winkelmann. Wenn wir uns bitte in die Mensa setzen könnten ...»

Die Betroffenen standen auf, möglichst lautstark die meisten, Stühle wurden gerückt und Sachen gepackt.

«Ziehet dahin in Frieden», sagte Rossow salbungsvoll. Das war wie früher in der Schule: Glücklich waren sie nur, wenn Stunden ausfielen.

Alles schien Routine, doch als Marvin Winkelmann am Fenster war, riß er es plötzlich auf und sprang in den Innenhof hinunter.

«Marvin, mach keinen Quatsch!» rief Rossow, stürzte noch hin, kam aber zu spät.

Auch Tolls konditionierter Ruf «Winkelmann, stehenbleiben!» blieb ohne Wirkung. Er rannte zur Tür, um die Verfolgung aufzunehmen. Mannhardt verzichtete auf *action*.

Rossow sah ihn an. «Der wird zum Bahnhof rüber sein. Tut mir leid.»

«Macht nichts. Ist doch ein schönes Geständnis.» Mannhardt hatte gerade einen Fortbildungskurs in positivem Denken hinter sich.

«Haben Sie etwas gegen ihn in der Hand?» fragte Rossow.

«Die Reinemachefrau hat ausgesagt, daß Marvin Winkelmann als letzter Besucher bei Nettelbeck war. Und Marvin fängt halt mit M an ...»

Mit M fing aber auch Maxara an. Und Dr. Dietmar Maxara, 34, wurde gerade am Autobahnkreuz Darmstadt in den Rettungshubschrauber gehoben. Er war mit seinem Audi 80 gegen einen Brückenpfeiler gerast. Bevor sie das Krankenhaus erreichten, erlag er seinen schweren Verletzungen. Zwei Stunden vorher hatte Heike Hunholz mit ihm telefoniert. Natürlich war es um Nettelbeck gegangen. Sie hatte alles auf ihrem Band:

H: Und dann die Liste. Hat es Sie sehr getroffen, daß er auf Platz eins gelandet ist?

M: Nun ja.

H: Dabei hatte er doch seine sichere Stelle an der HÖV, während für Sie alle Züge abgefahren waren …

M: Ich beiße mich schon durch.

H: Auch später, mit fünzig Jahren, noch als Hiwi?

M: Warum nicht?

H: Immerhin sind Sie noch zu Nettelbeck gefahren, um ihn zu bitten, den Ruf nach Köln nicht anzunehmen und Ihnen den Vortritt zu lassen …

M: Woher wissen Sie das?

H: Ich bin schließlich Journalistin. Und es gibt Augenzeugen.

M: Jetzt will man mir den Mord anhängen, das ist doch lächerlich.

H: Die Reinemachefrau hat Sie auf dem Foto hundertprozentig wiedererkannt.

M: Ich bestreite ja auch gar nicht, daß ich in der HÖV gewesen bin, um mit Nettelbeck zu reden …

H: Und im Affekt haben Sie dann …

M: Wie oft soll ich es denn noch sagen: Wir sind ganz friedlich miteinander umgegangen.

H: Warum sind Sie nicht zur Polizei gegangen und haben gesagt: Ja, ich war in der HÖV beim Kollegen Nettelbeck und habe versucht, mit ihm zu reden. Leider vergeblich.

M: Wenn Sie denken, daß ich jetzt die Stelle kriege, dann irren Sie sich: Es wird eine Neuausschreibung geben. Das stand von Anfang an fest.

H: Das habe ich aber anders gehört …

M: Pech für Sie.

H: Aber damit wären Sie, was Nettelbeck betrifft, noch nicht aus dem Schneider. Die Kripo wird Sie sicher nach Ihrem Alibi für die Tatzeit fragen …

M: Was soll das? Ich bin einer der angesehensten Betriebswirte, und meine Veröffentlichungen stehen in jeder Bibliothek.

H: Okay, doch davon kann keiner leben, und eine Stelle haben Sie nicht.

M: Wenn ich so dämlich wär wie Sie, dann hätte ich schon eine!

Von diesem Telefonat wie von Maxaras Tod erfuhr Mannhardt, als er mit Patrick Toll zusammen auf dem Gelände des Verschiebebahnhofs Wuhlheide nach Marvin Winkelmann suchte. Nach Aussage seiner Freunde sollte er hier auf dem verlassenen Eisenbahngelände Unterschlupf gesucht haben. Für diese Annahme sprach auch seine Liebe zur alten Eisenbahn, wie sie Toll in einer Kurzgeschichte gefunden hatte, die Marvin für den HÖV-Almanach geschrieben hatte.

Mannhardt preßte sein Handy ans Ohr und dankte Heike für die schnelle Information. «Na, wunderbar. Nun dürfen wir raten, was Sache ist: Ist es ein echter Unfall gewesen – oder ein Selbstmord, der wie ein Unfall aussehen soll? Wenn es ein Selbstmord gewesen ist, dann scheint mir der Fall Nettelbeck gelöst: Maxara hat seinen Konkurrenten in der HÖV erschlagen, danach aber das große Heulen gekriegt. Die Stelle hat er nicht bekommen, und dadurch, daß Nettelbecks Tagebuch nicht ganz zerstört worden ist, mußte er damit rechnen, daß wir ihn über kurz oder lang überführen würden.»

Heike Hunholz widersprach. «Ich finde, du machst es dir da 'n bißchen zu einfach, denn so fertig, wie der war, könnte er auch Selbstmord begangen haben, ohne daß er vorher Nettelbeck …»

«Und ich sage dir: er hat!»

In der HÖV ging am nächsten Tag gerade eine Podiumsdiskussion zum Thema «Schlanker Staat und Verwaltungsreform» zu Ende, und Prof. Wieser, den sie als Moderator geholt hatten, war voll des Lobes.

«Meine Damen und Herren: Sinn und Unsinn der Verwaltungsreform ... Ich freue mich, daß ich hier und heute in der HÖV eine Podiumsdiskussion leiten durfte, die auf hohem Niveau geführt wurde. Hohen Anteil daran hatte der Kollege Björn Rossow, der nun auch das Schlußwort haben soll ...»

«Vielen Dank, Herr Wieser ... Soll der Platzhirsch also röhren ...»

Die HÖV-Studenten lachten auf und klatschten Beifall.

«Der Rossow ist heute ja wieder 'n ganz anderer Mensch.»

«Ja, ja: Eine neue Liebe ist wie ein neues Leben. Da vorne sitzt sie, seine Neue, 'ne Gruppenleiterin aus 'm Rathaus. Tanja Sowieso ...»

«Pssst ...!»

Rossow rückte noch einmal sein Mikrofon zurecht. «Lassen Sie mich bitte noch einmal daran erinnern, daß die Idee zu dieser Veranstaltung von unserem hochverehrten Freund und Kollegen Hans-Joachim Nettelbeck stammt. Noch eine Woche vor seinem tragischen Tod hat er mich darauf angesprochen und mir das folgende Papier zum Lesen gegeben. Sie gestatten mir, daß ich es – als Ehrung für ihn – heute hier verteilen lasse...»

Man klopfte Beifall, und es entstand einige Bewegung im Saal.

Einer von Marvin Winkelmanns Freunden regte sich auf. «Der Nettelbeck, das war das größte Arschloch an der HÖV. Für den waren wir alle nur Idioten. Dabei war er der größte. Klar, man kann hunderttausend entlassen im öffentlichen Dienst – aber was hat man dann? Hunderttausend Arbeitslose mehr, die an Sozial- und Arbeitslosenhilfe fast soviel bekommen, wie sie früher im Dienst verdient haben. Über viertausend Mark kostet ein Arbeitsloser den Staat pro Monat. Außerdem werden sie noch psychisch krank oder drogenabhängig oder kriminell – je nachdem. Das wollte Nettelbeck mit seiner Theorie erreichen.»

Silke versuchte ihn zu bremsen. «Das ist ja schon blanker Haß bei dir. Man könnte fast denken, du selber hättest ihn ...»

Rossow bat um Ruhe und fuhr dann fort. «Danke ... Lassen Sie mich das Schlußwort mit Tucholsky finden. Von dem stammt ja nicht nur die Erkenntnis, daß es der Alptraum eines jeden Deutschen sei, vor einem Behördenschalter zu stehen, sein Traum aber, hinter einem zu sitzen, sondern auch das Folgende: ‹Es gibt, um eine Bureaukratie zu säubern, nur eines: Umwälzung. Generalreinigung. Aufräumung. Lüftung.› Verwaltungsreform tut also not. Wir müssen den Einsatz von Beamten künftig auf den hoheitlichen Bereich beschränken. Wir müssen die Hierarchie abbauen, die Entscheidungsbefugnis des einzelnen Mitarbeiters vergrößern und in den Verwaltungen eine echte Kostenrechnung einführen. Daran bestehen keine Zweifel. Aber das sind alles alte Hüte, jeder Student des zweiten Semesters weiß das und kann es runterbeten, und die Managementberaterfirmen kleben nur das Etikett ‹Lean Management› darauf, um Millionen zu kassieren. Man fordert, daß die Mitarbeiterinnen und Mitarbeiter sich qualifizieren – als seien sie in ihrer Mehrheit nicht jetzt schon gut ausgebildet, teamfähig, kreativ und kompetent.»

Der Beifall ließ ihn innehalten. Er genoß ihn.

«Wir haben eine öffentliche Verwaltung, um die uns die ganze Welt beneidet, und wenn wir alles privatisieren, dann funktioniert das so wie bei der Lieferung meines neuen Wohnzimmerschrankes: Die Möbelträger kommen nur tagsüber, wenn ich arbeiten muß. Das sollte sich mal der öffentliche Dienst erlauben ...» Spöttisches Gelächter setzte ein und viel zustimmender Beifall. «Öffentliche Verwaltung in einer Demokratie und einem Sozial- und Rechtsstaat ist eben mehr ein x-beliebiges Unternehmen: Sie ist die zentrale Steuerungsinstanz unserer Gesellschaft. Darum warne ich vor jeder übertriebenen Schlankheitskur, was die Staatsverwaltung betrifft: Man kann sich auch zu Tode hungern.»

Die Zustimmung war laut und herzlich. Wahnsinn, wie er das auf den Punkt gebracht hatte.

Tanja stieg auf das Podium und küßte ihn. «Gratuliere, Björn, toll gemacht!»

Rossow war glücklich. «Ach, Tanja, danke! Auferstanden aus Ruinen ... Komm, wir gehen was trinken, ich muß alles vergessen. Bis vor kurzem war ich derart ausgebrannt ... ich hatte 'n richtiges Burnout-Syndrom.»

Sie lachte. «Bei dir eigentlich eher: Björn out.»

Zwei Tage später saßen Mannhardt und Patrick Toll im Büro und diskutierten das Thema «Zur psychischen Belastung bei Todesermittlern», als plötzlich die Tür aufging und Marvin Winkelmann vor ihnen stand, als wäre nichts gewesen.

«Grüß Gott allerseits. Ich bin der Marvin Winkelmann!»

Mannhardt sprang auf. «Sie ...!? Das ist aber wirklich 'ne Überraschung! Wollen Sie sich etwa stellen?»

Marvin Winkelmann hielt ihm eine Tageszeitung hin. «Stimmt das nicht, was hier steht, daß Maxara den Nettelbeck ermordet hat, um die Stelle an der HÖV zu kriegen? Und daß er dann nicht damit leben konnte und mit seinem Wagen gegen 'nen Brückenpfeiler gerast ist?»

Toll nickte. «Doch, da spricht alles für. Zumal wir in seinem Auto den Benzinkanister gefunden haben, mit dem die HÖV höchstwahrscheinlich in Brand gesteckt wurde.»

«Dann muß ich ja keine Angst mehr haben ...»

«Nein. Trotzdem wäre aber doch eins zu klären ...» Toll fixierte ihn: «Ihre etwas eigenwillige Art, dem direkten Kontakt mit uns aus dem Wege zu gehen, und zwar unter Inkaufnahme eines erheblichen Blutverlustes beim Zerschlagen einer Fensterscheibe mit bloßer Hand.»

«Ja, das war 'n totaler Blackout bei mir, die volle Panik.»

Mannhardt sah ihn ungläubig an. «Nur so beim Anblick zweier Kriminalbeamter?»

«Ich dachte, daß Sie mich für Nettelbecks Mörder halten.» Marvin Winkelmann brach vor plötzlicher Nervosität fast die

Bügel seiner Sonnenbrille entzwei. «Weil ... wegen dem ... wegen des Anrufs bei ihm.»

«Was für ein Anruf?» fragte Toll.

«Na, das Indiz gegen mich ...»

Mannhardt zog die Stirn kraus. «Was denn: 'ne Morddrohung?»

«Ja ...» Marvin Winkelmann blickte sie verstört an. «Haben Sie das noch gar nicht gewußt?»

«Nein, woher denn?»

«Scheiße, wenn ich das geahnt hätte!» Marvin Winkelmann stampfte mit dem Fuß auf.

Toll ließ sich davon nicht beeindrucken. «Tatsache also ist, daß Sie bei Nettelbeck angerufen und gedroht haben, ihn umzubringen?»

«Ja. Erst war ich bei ihm im Büro. So gegen achtzehn Uhr vielleicht. Deshalb dachte ich ja auch, daß mich die Reinemachefrau bei Nettelbeck gesehen hätte.»

«Hat sie auch», verriet ihm Mannhardt. «Aber erzählen Sie mal weiter.»

«Sie wissen sicher nicht, daß ich letztes Jahr in der Staatsprüfung durchgefallen bin, weil Nettelbeck mir im Mündlichen 'ne Fünf gegeben hat. Völlig willkürlich. Das war die Rache dafür, daß ich als studentischer Vertreter in der Berufungskommission gesessen habe, die ihm die hausinterne C3-Stelle nicht gegeben hat. Und damit ich nicht noch mal durchfalle, wollte ich mich wieder mit ihm vertragen, mich entschuldigen, ihm alles erklären.»

«Und?»

«Nichts. Er hatte ganz schön was getrunken und nur gesagt, daß ich ein Kretin sei, ein IQ-70-Typ, und mich rausgeschmissen. Da hab ich dann die Nerven verloren und ihn von der nächsten Telefonzelle aus angerufen.»

Mannhardt nickte. «Und gedroht, ihn umzubringen?»

«Was man eben so sagt, wenn die Selbstkontrolle nicht mehr funktioniert ... Und gedacht, daß er das brühwarm seiner Frau erzählt oder einem Kollegen … oder gleich bei der Polizei anruft.»

«Gut. Schließen wir also die Akte Nettelbeck.» Mannhardt schüttelte ihm die Hand. «Die Gerichtskosten sparen wir auch – prima, wo wir alle sparen müssen –, denn der Täter hat sich schon selber gerichtet. Dietmar Maxara, wir danken dir!»

Rossow und Tanja waren kurz aus dem Bett gestiegen, um den Champagnerkorken knallen zu lassen und miteinander anzustoßen.

«Auf unser Glück», sagte Tanja.

«Auf unsere Liebe. Tanja und Björn …» Rossow sah in ihre Löwenaugen. «Auf daß du bald zu mir ziehst, daß wir heiraten und unsere Hochzeitsreise nach Punta Cana machen, in die Karibik …»

Sie lachte. «Wenn das Geld dazu noch reicht …»

«Warum sollte es nicht?»

«Weil du doch alles ausgibst für gute Taten: dreitausend Mark für *amnesty international*, fünftausend Mark für die Flüchtlingshilfe …»

Schlagartig wurde Rossow ernst. «Du, ich hab so unendlich viel wiedergutzumachen …»

Tanja konnte das nicht nachvollziehen und blieb beim Sitcom-Ton. «Was denn, Ödipussi? Hast du deinen Vater ermordet und die eigene Mutter geehelicht?»

Rossow wurde eindringlich: «Bitte, Tanja, das ist mir jetzt ernst. Ich muß es dir sagen. Besser jetzt als später, wenn es vielleicht zu spät ist.»

Tanja war verwirrt. «Aber was …»

Jetzt brach es aus ihm heraus: «Ich hab 'n Menschenleben auf'm Gewissen … Nettelbeck!»

Tanja reagierte ungläubig. «Willst du mich verscheißern? Komm, hör auf damit!»

«Wirklich, es stimmt.» Rossow versuchte sie in die Arme zu nehmen, suchte Halt an ihr, doch sie stieß ihn zurück.

«Das sagst du doch nur, um mich zu prüfen. Ob ich in Freud und Leid zu dir halte.»

«Nein, ich hab die HÖV in Brand gesteckt, *ich!* Nicht Maxara oder wer auch immer.»

«Bitte, laß den Quatsch!»

«Ich schwör's dir! Ich verstehe ja selber nicht, wie das passieren konnte. Ich bin abends noch mal hin, weil ich meine Brille vergessen hatte. Nachdem die Marlene Nettelbeck mich angerufen hatte. Und als ich das dunkle Gebäude vor mir sehe … wie ein schwarzes Loch, das mir alle Energie aus der Psyche saugt, aus dem Körper … kommt mir der Gedanke …»

Tanja verstand ihn noch immer nicht. «Die HÖV war doch dein Kind, du hast sie mitgegründet und …»

«Sie ist schuld an allem. Daß ich mich so schrecklich gefühlt habe. Bevor du meinem Leben neuen Sinn gegeben hast. Ich war total ausgebrannt – und ich hab das ausbrennen wollen, was meine Krankheit war: die HÖV. Wo mich keiner ernst nimmt, wo ich total überflüssig bin, obwohl meine Bücher an allen Unis Standard sind. Die Rechtsfächer, BWL, Haushaltswesen, Verwaltungslehre sind das Eigentliche, alles andere zählt nicht. Und überall diese Dumpfmeier, die mich rausekeln wollen, die Studenten wie die Amtsleiter in den Behörden. Geist ist nicht gefragt, Aufklärung und der weite Horizont noch weniger. Nicht weiter denken, als ein Bulle scheißt. Meine Stunden fallen weg, alles bewegt sich zurück zur Beamtenkadettenanstalt preußischer Prägung. Gott, da hab ich eben die Nerven verloren und alles angesteckt.»

Tanja küßte ihn. «Hätte ich bloß früher gewußt, wie schlecht es dir ging …»

«Macht kaputt, was euch kaputtmacht! Mein Haß auf die Studentenvertretung, die uns Sozialwissenschaftler wegrationalisieren will, damit es ihre Klientel in Zukunft leichter hat. Statt der Theorien über Bürokratie und Gesellschaft lieber Bürokunde: Wie stempele ich am saubersten, und wie telefoniere ich richtig? Da hab ich dann das Benzin im Asta ausgegossen. Mein Zimmerschlüssel paßte zufällig auch für deren Büro.»

«Mein Gott, Björn ...»

«Ich konnte doch nicht ahnen, daß der Nettelbeck in seinem Zimmer liegt. Vielleicht war er noch gar nicht tot, vielleicht ist er nur betrunken mit dem Kopf auf die Tischkante ... Dieser Gedanke macht mich ganz verrückt ...»

Sie schwiegen minutenlang, bis Tanja leise fragte: «Und nun?»

Rossow hatte die Augen geschlossen. «Als alles gebrannt hat, da bin ich aus der Stadt gelaufen. Um mich vor'n Zug zu werfen. Und hab's dann doch nicht getan. Aus Feigheit. Hätte ich aber gewußt, daß Nettelbeck verbrannt ist, wäre ich garantiert vor den Zug gesprungen.»

«Und jetzt? Willst du gar nichts unternehmen?»

«Nein! Soll ich denn alles verlieren? Dich, meine Stelle, mein Haus, alles, was ich habe? Der Millionenschaden am Gebäude ... Die nehmen mir doch alles weg, bis auf den letzten Pfennig! Und 'n paar Jahre Knast muß ich auch absitzen. Wir müssen Gras über die ganze Sache wachsen lassen. Zumal der Täter ja feststeht: dieser Maxara.»

So wäre die Akte in der Tat geschlossen worden, wenn nicht Dr. Schrompf, Nettelbecks Psychiater, von einer Auslandsreise heimgekommen wäre und folgende Mitteilung auf seinem Anrufbeantworter gefunden hätte:

«Hier ist noch einmal Hans-Joachim Nettelbeck ... Ich muß Sie unbedingt sprechen, ich dreh sonst durch und bring jemanden um. Prost! Auf mein Alkoholproblem! Also, was soll ich machen? Dieser Maxara war hier und wollte mich bewegen, auf den Ruf nach Köln zu seinen Gunsten zu verzichten. Dann war meine Frau da und hat wie eine Irre geklopft. Aber ich hab sie nicht in mein Büro gelassen. Zum Glück war abgeschlossen. Da kommt schon wieder einer … dieser Winkelmann noch mal …Na, dem werd ich's zeigen …»

Mannhardt drückte auf den Knopf. «Ja, Herr Winkelmann, dieses kleine Tonband aus seinem Anrufbeantworter hat uns heute Dr. Schrompf gebracht, Nettelbecks Psychiater … Dr. Schrompf ist gerade von einem Kongreß aus New York zurückgekommen. Mit Hilfe von anderen Anrufen, die er bekommen hat, können wir den zeitlichen Ablauf nun auf die Minute genau rekonstruieren.»

Toll tat es. «Danach hat Nettelbeck um achtzehn Uhr siebenundfünfzig bei Schrompf angerufen. Und zu dieser Zeit saß seine Frau hundertprozentig in der Pizzeria Palermo, und Dr. Maxara befand sich schon im Zug nach Hamburg. Das bestätigen sowohl der Schaffner als auch zwei Fahrgäste, die mit ihm im Abteil gewesen sind.»

«Die scheiden also als Täter aus», fügte Mannhardt hinzu.

«Aber ich auch!» schrie Marvin Winkelmann. «Weil ich's nicht gewesen bin!»

Mannhardt ließ nicht locker. «Sie wußten doch, daß Nettelbeck, nachdem Sie Ihre Morddrohung ausgestoßen hatten, am nächsten Tag zum Dekan, zum Rektor und zu Ihrer Ausbildungsbehörde laufen würde – nur mit dem einen Ziel: Sie aus dem öffentlichen Dienst entfernen zu lassen. Und das wäre Ihr sozialer Tod gewesen. Sein oder Nichtsein, er oder Sie. Und da haben Sie sich dafür entschieden, ihn mundtot zu machen.»

«Das ist doch hirnrissig!»

«Nein, logisch. Ach, Marvin, es war ein guter Plan. Die Reinemachefrau hatte Sie gegen achtzehn Uhr weggehen sehen, das wußten Sie, das war so gut wie ein Alibi. Weiterhin konnten Sie sicher sein, daß Nettelbeck ein Heer von Feinden hatte, daß sich also der Verdacht so verteilen mußte wie ein Tropfen Tinte in einem Wassereimer. Vor allem auch, weil der Brand jede Spur der Tat vernichten würde. Nichts mehr mit Fingerabdrücken, DNA und so weiter und so fort.»

Toll nahm den Faden auf. «Nur mit einem konnten Sie nicht rechnen: daß Nettelbeck auf dem Anrufbeantworter von Dr. Schrompf erwähnen würde, daß Sie eine Stunde später noch einmal in der HÖV gewesen sind. Sie müssen in der Dämmerung nicht bemerkt haben, daß er noch telefonierte.»

«Ich war nur noch mal da, um mein Rad zu holen!» schrie Marvin Winkelmann. «Nichts weiter!»

«Die Indizien sprechen doch eine deutliche Sprache – und zwar gegen Sie. Sie haben Nettelbeck gestoßen, er schlug auf die Tischkante, und Sie haben anschließend die HÖV in Brand gesteckt.» Mannhardt war am Ende seiner Kräfte.

Toll versuchte, raffiniert vorzugehen. «Marvin, ein Geständnis würde vieles erleichtern … Sie kommen in die Medien, Sie sind plötzlich wer. Die Buchverleger werden sich um Sie reißen. Ihr Leben als kleiner Kissenpuper ist endlich vorbei.»

Da brach Marvin Winkelmann zusammen: «Na schön: Ich war noch mal in seinem Büro. Aber ich wollte ihn nicht umbringen! Nur einen kleinen Denkzettel verpassen!»

Björn Rossow saß vorn im Audimax der HÖV und heizte die Vollversammlung an.

«Eine Bürokratie ist eine Institution zur Demotivierung ihrer Mitglieder, und auch die HÖV diminuiert uns alle! Ich will euch mal vorlesen, was der Preußenkönig Wilhelm IV. geschrieben hat – ganz modern. Er hat geschrieben: ‹Jeder lerne nur gründlich und ganz, was er für seinen Beruf wissen muß. Das Mehr ist für seinen Lebenszweck nicht förderlich, sondern störend und hinderlich. Das Wissen über die Grenzen des Standes und Berufes hinaus macht vorlaut, anmaßend, raisonniersüchtig.›» Es gab Beifall und Buhrufe. «… Ja, und darum muß diese studentische Vollversammlung heute beschließen, daß die HÖV nicht zur Klippschule verkommt, daß Beamte nicht wieder Fachidioten mit einem fürchterlichen Standesdünkel werden. Ich lese mal vor, was wir formuliert haben … zur Beschlußfassung nachher: ‹Wir wollen nicht zu Verwaltungsvollzugsmaschinen herangezüchtet werden, sondern ausgebildet zu modernen Verwaltungsmanagern, die neben profunden Rechts-, Verwaltungs- und Haushaltskenntnissen auch über andere Qualitäten verfügen müssen, vor allem über Sensibilität gegenüber den sozial Schwachen und über ausgeprägte Fähigkeiten, künftige Mitarbeiter und Mitarbeiterinnen so zu motivieren und zu führen, daß sie zur Teamarbeit und zur Selbststeuerung fähig sind. Das alles geht nicht ohne die sozialwissenschaftlichen Fächer. Darum wenden wir uns mit aller Entschiedenheit gegen deren Kürzung und Abschaffung, sondern fordern im Gegenteil ihre Ausweitung …!»

In diesem Augenblick sah er Mannhardt in der Tür des Hörsaals auftauchen, Toll an seiner Seite, zwei Uniformierte dahinter. Und ihm versagte die Stimme, denn er wußte, was das zu bedeuten hatte: Tanja war zur Polizei gegangen. Was hatte sie vorhin gesagt? *Das ist schäbig von dir, Marvin seinem Schicksal auszuliefern: ein paar Jahre im Knast. Nur damit du dein bequemes Leben weiterführen kannst. Kein Eingeständnis deiner Schuld, keine Reue, keine Sühne. Dann hast du nicht nur Nettelbeck auf'm Gewissen, sondern auch Marvin Winkelmann. Du kannst nicht davor weglaufen, das ist so, als wenn du Krebs hättest.*

Rossow stand auf. Es gab nur noch eins: daß er auf den Parkplatz lief, sich mit Benzin übergoß und das Streichholz dranhielt.

Schon lief er los.

GEORG FEIL

DER ARZT
AM ABGRUND

Es begab sich zu jener Zeit, als alle Studenten noch glaubten, bald selbst Chefarzt zu sein und privat liquidieren zu können, da verloren sie ihren Ordinarius. Sie hatten ihn bis dahin zwar nur selten gesehen, dafür aber um so mehr über ihn in der *Nachtzeitung* lesen können. Er war ihnen ein lebendiges Vorbild, bis er tot war.

Eigener Korrespondent (hf/nz) – Der verdiente Hochschullehrer und begnadete Augenchirurg Professor Dr. med. Johannes H. Gieskes (der Name wurde von der Redaktion geändert) traf sich am Vorabend des Semesterbeginns mit seiner zweiten Frau Eva Maria Gieskes, geb. Brammer, im Nobelrestaurant «Grünforster Wald», um über die seit Monaten anstehende Scheidung zu sprechen. Laut Aussage eines Kellners entfachte sich jedoch ein heftiger Streit, in dessen Verlauf der Professor das Restaurant verließ. Seine Frau folgte ihm kurz darauf und setzte sich zu ihm in ihren Mercedes Benz 600.

Wie der Kellner der NZ gegenüber berichtete, zog der Augenarzt Professor Dr. Johannes H. Gieskes wenig später ein Fläschchen hervor und schüttete den Inhalt seiner Frau ins Gesicht. Der Augenzeuge erfuhr das von Frau Gieskes, die unmittelbar danach in das Lokal zurückkam und äußerte, daß es sich dabei um eine ätzende Flüssigkeit gehandelt habe.

Zu diesem Zeitpunkt hatte Gieskes bereits den Wagen verlassen und war zum Steilufer des Flusses hinter dem Lokal gegangen. Dort erschoß er sich mit einer Jagdpistole. Die Leiche konnte erst eine Stunde später unterhalb des Abhangs gefunden werden. Professor Johannes H. Gieskes hinterläßt eine geschiedene Ehefrau und zwei Kinder im Alter von 25 und 24 Jahren und seine zweite Ehefrau Eva und deren 14jährige Tochter.

RECHERCHEN

Eva Gieskes war ins Lokal zurückgegangen, um sich die Augen auszuwaschen, dem Kellner und den anderen Gästen gegenüber empörte Anmerkungen zum ganzen Vorfall zu machen und den Geschäftsführer des Lokals zu bitten, ihren Chauffeur anzurufen, der sie abholen sollte. So bezeugten es die prominenten Gäste des Lokals, die das ganze Treiben von ihren Tischen aus gut verfolgen und untereinander hinreichend kommentieren konnten. Frau Gieskes versäumte es in all dem Hin und Her nicht, noch ihren Wollmantel aus dem Wagen zu holen, weil sie ihn «als Beweis» für die Gefährlichkeit der ätzenden Flüssigkeit brauche. Wenige Minuten später kam der Chauffeur, von dem sich Frau Gieskes in die Uniklinik fahren ließ. Es war der nicht mehr ganz junge Student Andreas K., der bei Herrn Prof. Gieskes im letzten klinischen Semester hörte. In seiner Freizeit chauffierte er Frau Prof. Gieskes und ging ihr auch anderweitig zur Hand – was Herr Prof. Gieskes nicht wußte. Später berichtete der Kellner, daß Andreas K. überraschend schnell mit dem zweiten Mercedes zur Stelle war. Es schien ihm sogar, als habe er auf dem Parkplatz nebenan gewartet.

AUGENPROFESSOR VERÄTZT GATTIN DIE AUGEN

DER MANN, DER ANDEREN DAS AUGENLICHT WIEDERGEBEN KONNTE, NAHM ES SEINER GELIEBTEN

Die Konkurrenz fand eine bessere Schlagzeile:

Luigi, der ortskundige italienische Kellner, der nicht umsonst in einem Nobelrestaurant servierte, machte nach seinem Anruf auf dem Handy des Chauffeurs einen zweiten, ebenso wichtigen Anruf – nämlich bei der *Nachtzeitung*. Die hatte das Lokal vor einiger Zeit lobend erwähnt, so daß hier ein kleiner Dankesdienst im Rahmen des täglichen Gebens und Nehmens angeraten schien. Luigi berichtete von einem Schuß und daß er das Schlimmste befürchtete. Erst als der Bildreporter da war und die ersten Fotos vom Abhang, vom Lokal, vom Kellner und seinem Chef Salvatore gemacht hatte, rief man auch die Polizei und den Notarzt an. Die kamen, allerdings ohne den Notarzt. Dieser verfuhr sich, landete bei einer anderen hilfesuchenden Adresse in der Nähe des Lokals und erfuhr erst am Nachmittag des darauffolgenden Tages aus der Zeitung, was er verpaßt hatte.

Währenddessen suchten die Polizei und die munteren Gäste des Lokals nach dem Professor oder seiner Leiche und fanden den toten Wissenschaftler und Lehrer einige Meter unterhalb des Restaurants am Steilhang. Woraufhin der Fotograf noch ein Bild machen konnte, nämlich wie die Männer vom Beerdigungsinstitut den «Modearzt», wie er von der *Nachtzeitung* ab jetzt genannt wurde, im wahrsten Sinne des Wortes einsackten. Das Foto bekam später von einer konkurrierenden Illustrierten die silberne Zitrone für die geschmackloseste Reportage, was der Auflage beider Blätter durchaus förderlich war.

EVA

EINE FRAU WILL

Entwurf zu einem Drehbuch

Professor Johannes G. erschoß sich am 29. Mai 1998. Im Verlauf einer heftigen Auseinandersetzung hatte der mit vielen Auszeichnungen geehrte Augenchirurg seiner zweiten Ehefrau zuvor eine ätzende Flüssigkeit in die Augen geschüttet. Die Beerdigung mußte wegen der gerichtlichen Auseinandersetzung der beiden Ehefrauen über den Ort der Bestattung mehrmals verschoben werden.

Die Hauptperson unseres Films ist Eva Maria B., die TV-Tierärztin aus reichem Stadtadel, deren erster Ehemann an einem Herzinfarkt starb, deren zweiter Ehemann sich erschoß – und deren dritter Ehemann Johannes G. war. Bis auch er sich erschoß.

Der Film erzählt die Geschichte einer Frau, die eigentlich alles hatte, aber nur das eine wollte: Glück. Und das um jeden Preis. Es geht um die Tragödie zweier Menschen, die sich nie hätten begegnen dürfen. Ausgehend von der Originalstory des Romans soll der Film den Interpretationsspielraum dessen, was hier geschehen ist, voll ausnutzen, d. h. der künstlerischen Freiheit und Erfindung freien Raum lassen.

1. AKT

Die gutaussehende und charmante Tierärztin Eva Maria Brammer hat im Regionalsender eine kleine Show, die ihr zunehmende Popularität verschafft. Sie stürzt sich Hals über Kopf in die Arbeit, denn nach dem Tod ihres zweiten Mannes haben sich viele Freunde zurückgezogen. Das Leben in Münchens Nobel-Vorort Grünwald ist einsam geworden. Da tut ein wenig Rummel gut – besonders Eva Maria Brammer, die von frühester Jugend an gewohnt war, im Mittelpunkt des Interesses zu stehen, und deren Familie dank ihres beträchtlichen Immobilienbesitzes im Zentrum der Stadt zu den Reichen und Glücklichen gezählt und daher zu jeder auch nur denkbaren gesellschaftlichen Veranstaltung eingeladen wird. In dieser Phase kommt sie dem Journalisten Dagobert L. näher, der ihren Berufsweg – und

später ihre persönliche Entwicklung – mit Interesse begleitet.

Und zu diesem Zeitpunkt lernt Eva Professor Johannes
Gieskes kennen, der soeben Chef der angesehensten Mün-
chener Augenklinik geworden ist. Noch ist Gieskes mit
seiner ersten Frau Evelyn verheiratet, einer hochaufge-
wachsenen schönen Frau, die er als junger Arzt im Hause
seines damaligen Chefs kennengelernt und trotz des elter-
lichen Protests (sie war schwanger mit dem ersten Sohn
Hans) geheiratet hatte. Wenig später folgte Tochter Barbara.

Eva sticht Evelyn in wenigen Wochen aus. Gieskes, der
kein Sohn von Traurigkeit ist, aber auch kein Don Juan,
mußte sich nie um die Frauen bemühen, sie flogen ihm immer zu und waren jeweils versessen darauf, dem weichen
und einfühlsamen Menschen zu helfen, ihm beizustehen im
Kampf gegen irgend etwas oder irgend jemanden. So hatte
sich damals Evelyn an den jungen Arzt gehängt, so klam-
mert sich jetzt Eva an den erfolgreichen Chefarzt. Und der
merkt nicht, daß es diesmal etwas anderes ist als bei den
vielen Malen vorher.

Für Eva ist Gieskes der Mann schlechthin. Alles stimmt,
auch die Mischung zwischen ihnen beiden: Er hat den
Charakter, sie das Geld; er hat den Erfolg, sie die gesellschaftliche Reputation. Er ist auf der steilsten Karriereleiter, sie kann ihn steuern und begleiten. Eva ergreift ihre
Chance mit beiden Händen. Sie trennt Gieskes allmählich
aus seiner vertrauten Umgebung heraus, wechselt den
Freundeskreis und löst ihn von Bindungen, die ihr fremd –
oder die ohne ihre Einwirkung entstanden – sind. Gieskes
merkt nicht, daß er seine persönlichen Entscheidungen
immer öfter ihr überläßt. Sie heiraten relativ schnell, Gieskes adoptiert Evas achtjährige Tochter als sein eigenes
Kind.

Die Trennung von der alten Familie fällt Gieskes

schwer, weil er besonders an seinem Sohn hängt und Tochter Barbara eine hinreißende Schönheit zu werden verspricht. Sohn Hans verkraftet die Trennung schlecht, versagt als Sechzehnjähriger in der Schule, wird auffällig und erstmals polizeibekannt.

Als Gieskes zunehmend Probleme mit der Verwaltung seiner Klinik bekommt, bestärkt ihn Eva in seiner Kritik, treibt ihn vorwärts und immer tiefer in einen heillosen Streit; alle haben unrecht, die ihn binden oder auch nur an Verträge erinnern wollen. Ihre innere Triebfeder, ihn ganz für sich haben zu wollen, läßt sie sogar eine mögliche Versöhnung Gieskes mit der Krankenhausträgerschaft hintertreiben. Eva sagt Gieskes zu, ihm eine Privatklinik zu bauen und einzurichten. Gieskes ist arglos und freut sich – er kann jetzt sein eigener Herr sein und nur seinem Beruf leben.

2. Akt

Gieskes beginnt ein Verhältnis mit Hanna Vöckler. Es ist kurz, aber heftig. Hanna beendet es selbst, weil sie die Ehe nicht zerstören will und Gieskes' Wesen, immer nachzugeben und bloß nie jemanden zu verletzen, rechtzeitig erkannt hat; sie will nicht an einen Mann glauben, der ihr nur Liebe schwört aus Nachsicht, Duldsamkeit und Mitgefühl. Die beiden werden gute Freunde – wie sich später herausstellt, die besten.

Hanna kann Gieskes nicht davon abhalten, verschiedene Verträge mit den Brammers zu unterschreiben, in denen die Eigentümerschaft an der Klinik, die Einspruchsrechte einer Betreibergesellschaft usw. geregelt werden. Gieskes ahnt zwar, daß er vom Regen in die Traufe kommt, d. h. die Abhängigkeiten von einem öffentlichen Krankenhausbetreiber eintauscht gegen die von einem privaten – aber da es

«Familie» ist, sieht er über das «strukturelle Problem» hinweg. Obwohl Hanna gerade darin den Pferdefuß sieht.

Unabhängig von Gieskes Entwicklung nimmt Eva wieder Kontakt mit Dagobert L. auf, um ihr berufliches Comeback vorzubereiten; sie hat lange Zeit keine Sendung mehr gemacht und sucht nun – nicht zuletzt auf Anraten der engsten Freunde, die die Isolierung der Familie mit Sorge verfolgt haben – den Wiedereinstieg ins Medium. Ihre prominente Herkunft hilft ihr dabei, auch ein wenig Geld an der richtigen Stelle. Der neue Kontakt mit Dagobert L. wird ein Pakt für die Zukunft – für eine Zeit, in der Eva dringend öffentlichen Beistand braucht. Wenn es nämlich darum geht, ihre Schuldlosigkeit an allem, was in den nächsten Monaten passieren wird, darzustellen.

BREAK (MITTE ZWEITER AKT)

Eva kommt ihrem Mann auf das bereits beendete Verhältnis mit Hanna. Ihre Reaktion ist äußerst heftig. Gieskes kann von Glück reden, daß er ausgerechnet in dieser Situation den begehrten und hochdotierten Medizinerpreis von San Francisco erhält. Eva muß gesellschaftlich dichthalten, d. h., sie kann ihren Mann jetzt nicht durch eine Ehehölle schicken, wo doch aller Augen auf sie gerichtet sind. Gieskes ist glücklich, noch einmal davongekommen zu sein; doch insgeheim ahnt er, daß ihm seine Schwäche eines Tages zum Verhängnis wird. Er stürzt sich in die Arbeit und bezieht die neue Klinik.

Als Gieskes zur Preisverleihung nach San Fransisco seinen Sohn Hans mitnimmt, bricht die Hölle los. Seine Abreise gleicht einer Flucht. Wir spüren das nahende Unheil.

Der Alltag nach der Preisverleihung scheint die Wogen zunächst zu glätten. Doch dann verliebt sich Gieskes mal wieder in eine Assistentin. Er gesteht es Eva, zieht zu Hause aus und verordnet ihnen beiden eine Besinnungszeit. Eva bleibt erstaunlich ruhig – zumindest äußerlich. Gieskes glaubt, Hannas Rat richtig in die Tat umgesetzt zu haben: Sei du selbst, gib nicht immer nach, bestimme dein eigenes Leben, laß dich nicht ausbeuten.

Eva präsentiert Gieskes den Vertrag, den er mit ihr unterschrieben hat: Im Fall einer Scheidung verliert er das Recht, in der neuen Klinik zu arbeiten; darüber hinaus hat er sich verpflichtet, Stillschweigen über die Gründe seines Ausscheidens zu wahren. Wenn es dazu kommen sollte, ist also auch sein Ruf ruiniert, denn niemand wird verstehen können, warum der gefeierte Augenchirurg, der soeben für eine technische Erfindung zur Verbesserung der Operationsmethode bei Augenoperationen ausgezeichnet wurde, einfach aufhört. Man wird ihm keinen Kredit für neue Unternehmungen mehr geben, die Fachpresse wird munkeln ... Gieskes ahnt, daß das sein Ende sein kann. Er fragt Hanna um Rat.

Die mahnt zur Vorsicht, doch zu spät. Eva fordert Gieskes' Entschluß: Entweder er kommt zurück und bezieht mit ihr das neue Penthouse, das sie in Harlaching gebaut und noch gemeinsam ausstaffiert haben, oder der Vertrag wird wirksam. Die Klinik gehört den Brammers, Gieskes hat zu verschwinden. Sie trägt ihre Forderung am Telefon derart heftig vor, daß Gieskes für das verabredete Treffen all seinen Mut zusammennimmt und seine Pistole einsteckt. Die Psychologen werden später sagen, daß er die Waffe in der Absicht eingesteckt habe, um Eva zu töten. Sie wissen aber auch, daß er dazu zu schwach war und sich «lieber» selbst getötet hat. Sie ahnen nicht, daß der neue

Chauffeur seiner Frau, der bei Prof. Gieskes studiert und über ihn diesen Job bekommen hat, am Tatabend ganz in der Nähe war. Um auf Eva zu warten? Oder auf deren Ehemann? Niemand wird es je erfahren.

Am Ende steht Eva allein am Grab ihres Johannes, das da ist, wo sie es nie haben wollte.

Versicherung des Autors:
Die Kenntnis der Personen stammt zum Teil aus persönlichen Begegnungen, aus Aussagen der langjährigen Freundin (hier Hanna genannt) und Arztkollegen von Professor G. Die darüber hinausgehenden und umfassenden Recherchen wurden während der dramatischen Ereignisse nach dem Tod G.s vom Polizeireporter der angesehensten deutschen Tageszeitung gemacht. Dagobert L. sollte für die Mitarbeit gewonnen werden. Für die Rechtsberatung bei der Produktion müssen mehrere Anwaltskanzleien beschäftigt werden. Es ist daran gedacht, diejenigen Personen, Kanzleien und Justitiare zu beschäftigen, die den Fall ohnehin durch eigene Beteiligung kennen und von daher keine Einarbeitungszeit benötigen – und die sich nicht gegenseitig bloßstellen werden.

DEEP TOUCH
FILMPRODUKTIONSGESELLSCHAFT
INTERNE NOTIZ
PROJEKT 6/98

Gedacht ist an den Regisseur Helmut Dietl. Das ganze Drama soll einerseits durchaus deutsch-provinziell bleiben, aber gleichermaßen auch weltübergreifend-packend. Es müßte allerdings für den Weltmarkt noch einen versöhnlichen Gestus bekommen. Der Ton sollte nicht zu hart sein, meint Dr. A. vom auftraggeben-

den Sender. Dem recht wilden Drama täte so et-
was wie ein Happy-End ganz gut. Wenn Dietl das
mache, sei ja die Hauptbesetzung auch schon
da, die Finanzierung käme dann von ganz al-
leine.

Machen!

Anmerkung der Rechtsabteilung:
Um das Projekt zu machen, müßten die Roman-
rechte erworben werden. Zur Beurteilung der
Qualität des Romans wurden einige Probekapi-
tel des Manuskripts angefordert.

WEITERE RECHERCHEN
ZUR SELBSTMORD-NACHT

Eva Gieskes erfuhr nach ihrem Krach mit Johannes H. Gieskes in der Universitätsklinik, daß es mit ihren Augen nicht so
schlimm bestellt war und die Flüssigkeit so ätzend nicht gewesen sein konnte. Sie ließ sich noch in derselben Nacht nach
Zürich fahren und rief ihren alten Freund im Medienrummel,
Dagobert L., an. Was sie tun solle? Er riet ihr dringend ab, irgendwelche Interviews zu geben, und nahm selbst Kontakt
mit Kollegen auf. Mit Andreas K. sprach sie nicht mehr, der
Student war ziemlich verwirrt.

Es entstand das Gerücht, Gieskes könne Opfer eines
Verbrechens geworden sein. Beide Ehefrauen folgten dieser
Spur – jeweils die andere als Urheberin oder gar Täterin ver-
mutend. Gieskes' Kinder nahmen einen Anwalt, der bis dahin
gelegentlich Zuhälter verteidigt hatte, aber Sohn Hans (der
kurz nach dem Tod seines Vaters sein vor Jahren unterbroche-
nes Medizinstudium wiederaufnahm) kannte aufgrund seiner
nicht unbedingt geradlinigen Laufbahn keinen anderen. Die

Theorie war einfach und überzeugend: Die zweite Frau habe ihren abschiedslustigen Ehemann an das Hochufer bestellt, vorher jedoch die Jagdpistole aus seinem Waffenschrank genommen und dem Täter zugespielt. Die ätzende Flüssigkeit, von der man immer noch keine Spur gefunden hatte, habe sie selbst mitgebracht, sich damit bespritzt und ihren Mann mit Geschrei in die Arme des Killers geschickt. Oder sie habe ihn durch ihren Psychoterror zum Selbstmord getrieben, das ginge auch.

Der findige Anwalt empfahl, einen Detektiv zu engagieren. Er fand einen denkbar geeigneten Mann, nämlich den ehemaligen Leiter der Sonderfahndung der Kriminalpolizei. Der war der Meinung, daß auf jeden Fall erst einmal Beweise hermüßten, am besten das Fläschchen. Und er fand, was die Beamten des Erkennungsdienstes der Kriminalpolizei (die immerhin Jahre zuvor unter ihm gearbeitet hatten) nicht gefunden hatten: das Fläschchen.

Das verschwand aber wieder, als alle Zeitungen über den sensationellen Fund berichteten. Es tauchte auch nicht im Labor des Landeskriminalamtes auf, wo es nach den Resten der Flüssigkeit hätte untersucht werden können, sondern im Fotolabor einer großen deutschen Illustrierten, die es ablichtete und damit den ersten Farbbericht über den Fall aufmachte. Erst Wochen nach Gieskes' Tod kam das Fläschchen ins Labor, wo man endlich der Frage nachgehen konnte, ob Eva von ihrem Mann mit Säure verletzt wurde oder ob es doch nur Lauge oder gar Wasser war und die Frau maßlos übertrieben hatte. Man fand ausreichend Rückstände – von harmlosem Terpentinöl. Man konnte klären, wem das Fläschchen gehört hatte: einem Kunstmaler, der wenige Tage zuvor die Raubritterburg auf der anderen Seite des Flusses gemalt und das Fläschchen nach Gebrauch weggeworfen hatte.

Und alle Zeitungen und Zeitschriften druckten. Alles. Nur nichts von dem, was Andreas K. wußte. Der Student war verschwunden und würde nie wieder auftauchen …

Der Gipfel der Auseinandersetzungen, die Eva Gieskes mit Interviews und Dementis führte, war der Streit der hinterbliebenen Ehefrauen um die Beerdigung Gieskes'. Beide wollten ihn ganz für sich, und das Gericht mußte sich mit einer einstweiligen Verfügung beschäftigen, die die Beerdigung auf dem von der ersten Ehefrau ausgesuchten Friedhof untersagen sollte. Da sich Eva immer noch in der Klinik aufhalten mußte, weil sonst die Geschichte vom gefährdeten Augenlicht zusammengebrochen wäre, kam Gieskes unbeschadet unter die Erde. Die Öffentlichkeit nahm großen Anteil; Fachkollegen aus aller Welt kauften eine Seite der renommiertesten deutschen Tageszeitung und annoncierten, daß sie «aus Gesprächen eine Ahnung» bekommen hätten, daß der Freund einer Intrige zum Opfer gefallen, zumindest aber an «Mißgunst und Haß» gestorben sei. Einer der Ordinarien meldete sich am offenen Grab zu Wort und hielt eine schneidig-scharfe Rede gegen die «Bürokraten und Technokraten in der Universitäts- und Krankenhausverwaltung, nicht kompatibel mit den Vorstellungen G.s von Leistung und Verantwortung».

Vor dem Friedhof standen die Journalisten zusammen; Hans Gieskes kam als erster heraus. Ein Mann löste sich aus der Gruppe und ging auf ihn zu. Er kondolierte nicht, sondern fragte nur, ob das Angebot, das er ihm am Telefon gemacht habe, okay sei.

Hans Gieskes nickte. «Aber fünfzig mehr.»

«Fünfzigtausend obendrauf?»

«Ja – schließlich ist es die Geschichte meines Vaters.»

Hausmitteilung:
Die Tatsache, daß der mittlerweile fertigge-
stellte Roman Der Arzt am Abgrund ohne Happy-
End schließt, rechtfertigt nicht den Abbruch
der Verhandlungen zum Erwerb der Verfilmungs-
rechte. Ich weise der Ordnung halber darauf
hin, daß zumindest die Optionsgebühr zu zah-
len ist.

Anmerkung der Geschäftsleitung:

Okay,
aber dann auch Schluß
mit der Geschichte.
Daß sie wahr ist, glaubt
uns doch sowieso kein
Mensch.

Ein Raum mit einem Stuhl, einem Tisch und einem Fenster ohne Licht, auf dem Boden Tenhagen, den Anbruch des Tages erwartend, das Erwachen aus einer Somnambulie, die ihn mit jeder Nacht weiterer Kräfte beraubte. Er fiel farbige Spiralen hinunter, gab sich einem süßen Sog hin, immer tiefer absinkend in eine Welt des absoluten Stillstands. Es war nicht kalt, und Tenhagen empfand es nicht als Unglück, dort zu sein, und doch trieb ihn eine unterschwellige Furcht, das dunkelste aller Verstecke nicht mehr verlassen zu können. Noch bewegte er sich, noch war es ihm möglich, selbstbestimmend zu sinken oder zu steigen, doch der temperamentvolle Tanz eines Schmetterlings war einem kraftlosen Flattern gewichen.

Plötzlich stieg er wieder auf, spürte die enorme Anstrengung, die ihn dieser Befehl kostete, befreite sich schmatzend aus einem Vakuum, trieb auf, bis jeder Widerstand von ihm abfiel, beschleunigte weiter, wirbelte an die Oberfläche und schlug hart auf kaltes Parkett, in einem Raum mit einem Stuhl, einem Tisch und einem Fenster ohne Licht. Nackt und frierend kroch er nach draußen, rieb seine schmerzenden Gelenke und zog sich mühsam an der Wand auf die Beine.

Das Telefon klingelte unentwegt, bis Tenhagen benommen abnahm.

«Wo stecken Sie denn? Wissen Sie eigentlich, wie spät es ist?» fragte Leiboldt penetrant.

«Mir geht's nicht gut …»

«Tut mir leid. Aber Sie sollten sich das hier unbedingt ansehen!»

Ein Wrack, nur noch auf seinen Felgen stehend, verbrannter Lack, der sich braun und zäh über die Karosserie wälzte, ein Rücksitz, aufgeplatzt wie ein Würstchen, ein skelettierter Körper, dessen skelettierte Arme auf einem skelettierten Lenkrad lagen, ein Schädel, der es munter wie ein Sektkorken, aber gleichwohl erfolglos durchs Dach versucht hatte und unter den Resten des Beifahrersitzes liegengeblieben war. Eine Wüste aus Glassplittern, geschmolzenem Metall und kaltem Rauch. Tenhagen wog die Fotografie in seiner Hand, bemerkte die angewiderten Gesichter der Studenten, die ihre Proteste gegen schlechte Ausbildungsbedingungen unterbrochen hatten, um sich indirekt durch den Tod Martin Bonkers', Professor der Philosophie und Liebhaber alter Sprachen, bestätigt zu fühlen. Sein Tod trug kaum zur Ausbesserung des intellektuellen Lecks an deutschen Hochschulen bei, obwohl Bonkers nicht gerade durch universitären Fleiß aufgefallen war. Eigentlich war er nie aufgefallen, da er nie dagewesen war. Ein Forschungsjahr mit noch ausstehenden Ergebnissen, Vorträge im Ausland, vorzugsweise in Südamerika, und ein heiliges Desinteresse für die Lernwut der Kölner Studenten hatten dafür gesorgt, daß seine Auftritte an der Kölner Universität Marienerscheinungen gleichkamen.

«Gibt es einen Bericht aus der Pathologie?»

«Nein», antwortete Leiboldt und nahm ein weiteres Foto in die Hand. «Viel gibt's da sowieso nicht zu schreiben.»

Leiboldt warf das Foto vom Skelett auf den Tisch und grinste breit.

«Schon eine Ahnung, woran er gestorben sein könnte?» Tenhagen lächelte nicht.

Marianne Bonkers schien die beiden Beamten erwartet zu haben. Ohne Regung öffnete sie ihnen die Tür, lächelte schwach, als sich Tenhagen und Leiboldt vorstellten. Eine langsam verblühende Schönheit, glatt und frisch wie ein kalter Wintermorgen.

«Ist meinem Mann etwas zugestoßen?»

«Woher ...?»

Marianne Bonkers wies ihnen schweigend den Weg durch ein geschmackvoll eingerichtetes Einfamilienhaus. Ruhe und Ordnung im durchweg repräsentativen Stil waren innenarchitektonisches Pendant zur Lebensqualität in Köln-Junkersdorf. Das Leben hier hatte in jeder nur erdenklichen Form seinen Preis. Tenhagen fühlte sich unwohl, das flaue Gefühl eines fehlenden Frühstücks machte ihn schwindelig.

«Nun?»

Marianne Bonkers reckte sich auf einem makellos weißen Sofa und erwartete mit einstudierter Haltung die schlechte Nachricht, während Leiboldt die Rolle des Mannes mit der Schreckensbotschaft übernahm.

«Ich fürchte, Ihr Mann wurde Opfer eines Bombenattentats. Wir fanden seine Lei… wir fanden ihn heute morgen vor der Uni in seinem Auto.»

Schweigen senkte sich über ein scheinbar aus einem gigantischen Marmorblock geschlagenes Wohnzimmer, kühle Ruhe schlich spürbar um Tenhagens Beine. Unmerklich schien sich der Boden zu heben, zu senken, nachzugeben, um sich dann in ruhigen Ellipsen in die Tiefe zu schrauben, alles mit sich zu reißen, in eine Gruft mit einem doppelverglasten Panoramafenster unter einem verblühten Vorgarten ohne Vogelgesang und knorrige Kirschbaumäste. Langsamen Schrittes suchte Tenhagen eine Tür, die ihn aus dieser Einsamkeit führen könnte, bewegte sich mal auf dem Absatz wirbelnd, mal die kahlen Wände streichelnd in einem Raum ohne Echo, bevor sich in rasender Geschwindigkeit das Licht des Fensters am Horizont zu einem Punkt verjüngte und schließlich ganz verlosch. Tenhagen war in einem Raum mit einem Stuhl, einem Tisch und einem Fenster ohne Licht, verbrachte dort scheinbar eine Ewigkeit, bevor ihn etwas – ohne weitere Vorwarnung – an seinem Kragen aus der Stille riß und ihn zurück in den teuren Sessel eines teuren Wohnzimmers schleuderte.

«Bitte?» fragte Tenhagen, darauf hoffend, daß nicht allzuviel Zeit vergangen war.

Marianne Bonkers hatte ihm einen Brief vorgelegt.

«Sie sollten das lesen.»

Es war Martin Bonkers' Abschiedsbrief, ein handschriftlicher Gruß an die Lebenden mit dem üblichen Bedauern über den Entschluß, die Unausweichlichkeit seines unchristlichen Handelns, die Depressionen des Alltags, die Unfähigkeit, sich Widrigkeiten zu stellen. Ein explosives Gemisch aus Langeweile, Verzweiflung und fehlenden Visionen. Briefe, die sich glichen, mal ausgefeilt als letztes Zeugnis mißachteten Talents, mal hastig, als könne man das Unvermeidliche kaum erwarten, mal trostlos, den Angehörigen als Denkzettel für den Rest ihres Lebens. Den Brief in die Manteltasche steckend, stand Tenhagen auf und verabschiedete sich knapp. Draußen vor der Tür kehrten die Geräusche des Alltags zurück.

Der Bericht aus der Pathologie kam am frühen Abend, war jedoch wie erwartet ernüchternd. Der Arzt hatte darauf verzichtet, die genaue Todesursache zu bestimmen, was bei einem ausgebrannten Skelett ohne Schädel auch einigermaßen müßig gewesen wäre, und festgestellt, daß es sich um einen Mann zwischen vierzig und fünfzig gehandelt hatte, um die 180 Zentimeter groß. Da ein Unterkiefer fehlte und vom oberen Kiefer nicht genug übriggeblieben war, konnte man keine seriöse Zahnuntersuchung vornehmen. Ein weiterer Bericht über die verwendete Bombe blieb ebenfalls rätselhaft. Das Labor war nicht zweifelsfrei in der Lage, zu klären, welche Chemikalien diese gewaltige Detonation verursacht hatten, deren Druck die Scheiben des Philosophikums zerfetzt hatte. Ein letzter graphologischer Bericht bestätigte Martin Bonkers' Handschrift: Sie war ohne Zweifel echt.

Für Tenhagen spielten die Berichte ohnehin keine Rolle: Der Fall war abgeschlossen.

Noch in derselben Nacht änderte sich der Takt.

Leiboldt hatte sich eine neue humoristische Grausamkeit ausgedacht, und Tenhagen wußte es, bevor auch nur ein Wort gesprochen wurde. Da war wieder dieses Flackern in seinen Augen, auffordernd und ungeduldig, sich kaum beherrschend, um eine wunderbare Pointe loszuwerden. Leiboldt reichte ein Blatt an Tenhagen weiter und grinste schweigend: ein Bekennerschreiben. Eine Drohung, das Philosophikum wie einen überflüssigen Professor in die Luft zu sprengen, sollten nicht augenblicklich weitere Gelder in die Verschönerung des Campus gesteckt werden. Mit «weitere Gelder» war wahrscheinlich die Streichung Bonkers' von der Honorarliste des Landes Nordrhein-Westfalen gemeint.

«Verdammte Trittbrettfahrer …»

Leiboldt grinste. «Hm … ich finde, wir sollten den Ball flach halten und auf Ergebnis spielen.»

Das war es also. Irgend jemand hatte diesem Antisportler gesteckt, daß Tenhagen denselben Namen trug wie der verdiente Bochumer Abwehrrecke aus vergangenen Bundesligazeiten.

«Laß das Philosophikum räumen und durchsuch es.»

«Aber …»

«Tu einfach, was ich sage!»

Nach Mitternacht fanden die Ermittler eine versteckte Bombe. Eine Attrappe zwar, aber eine deutliche Warnung an die ermittelnden Behörden, denn das einzige, was dieser Bombe fehlte, war ein Sprengsatz. Zwei Spezialisten überwanden über Stunden hinweg elektronische Fallen, terroristische Schweinereien, die die Sprengmeister fast verzweifeln ließen, nur um anschließend festzustellen, daß kein Plastiksprengstoff gezündet werden sollte, sondern Knetgummi.

Tenhagen lehnte an einem der Stehtische des Philosophikums über einem Instantkaffee und starrte ins Nichts, als Leiboldt begann, an seiner Schulter zu rütteln. Kaffee kippte aus dem

Becher und lief lauwarm über Tenhagens Hände, während Leiboldt unablässig Tenhagens Namen rief. Er war glücklich, sehr glücklich, ein Lächeln umschlich seinen Mund, während alle Last von ihm abfiel und er Leiboldt entgegenkippte.

Ein Liebespaar, eine Braut, vor Glück ihrer Sinne nicht mehr mächtig, ein Bräutigam, der in ungeschickten Drehungen einen Platz suchte, gleich einem Tanz, dem die Musik fehlte. In rührender Vorsicht gab Leiboldt dem Gewicht nach, sank mit seinem Vorgesetzten hinab und bettete ihn weich auf hartem Boden. Fast schien es, als fiele Tenhagens kranker Körper weiter zusammen, als verlöre er jede Substanz mit einem einzigen langen Ausatmen. Doch Tenhagens tiefer Sturz fing sich, als Leiboldt besorgt gegen seine Wangen schlug und Tenhagen ein letztes Mal den Weg an die Oberfläche fand.

«W-was ist los?»

«Meine Güte, Boss …!»

Leiboldt mußte ihm auf die Beine helfen, und es vergingen Minuten, bis er wieder sicher stand. Eine letzte Wahrheit hatte sich seit dem Morgen böse grinsend angeschlichen, mit lauernden, leisen Schritten, und überwältigte ihn jetzt mit dem sicheren Instinkt eines Jägers: Seine Zeit war abgelaufen. Und so beschloß Tenhagen, seinem unabwendbaren Schicksal zu trotzen und sich mit einer List die Zeit zu nehmen, die ihm eigentlich nicht mehr zustand. Sein Leben war eine Verzögerung zwischen Auftakt und Einsatz: ein Wimpernschlag gestohlener Zeit.

Zum erstenmal in seinem Leben beging Tenhagen eine Straftat, bei der er sich keinerlei Mühe gab, sie in irgendeiner Weise zu vertuschen. Kokain verschwand aus der Asservatenkammer, und ohne Zweifel würde man den Schuldigen schnell stellen, was ihn, den Mann ohne Zukunft, amüsierte: Er würde Besuch bekommen in einem Raum mit einem Stuhl, einem Tisch und einem Fenster ohne Licht.

Sechzehn Stunden lang steigerte Tenhagen kontinuierlich

die Dosis, bis sein Schädel wie ein akribisch konstruierter Resonanzkörper von Eindrücken, Geräuschen und Gedanken in Schwingung geriet. Die Droge hielt ihn wach, und solange ihm das Kokain nicht ausging, würde er wach bleiben oder an einer Überdosis sterben. Pulver in einem Tütchen … Welche Gnade ihm doch zuteil wurde: Er konnte Lebenszeit sichtbar machen, aufs Gramm genau errechnen, was als unmeßbar galt. Sechzehn Stunden waren seit dem Diebstahl vergangen, sechzehn Stunden in einem hochtourig laufenden Körper, einem schier fehlerfrei arbeitenden Verstand ausgeliefert. Sechzehn geliehene Stunden, sechzehn Stunden fast aufgerieben vom eigenen Jagdfieber, sechzehn Stunden, die einen anderen Mann in einen gleißenden Spot zerrten.

Ein Bekennerschreiben auf einem Blatt Papier, handelsüblich, weiß und holzfrei, achtzig Gramm den Quadratmeter schwer und geradezu jungfräulich rein von jeglichen Abdrücken, mit einem unübersehbaren Daumenabdruck auf einem fetten O, einer ebenso fetten, wenn auch zweckentfremdeten Schlagzeile, datiert auf den zwölften Dezember 1997. Bunte Buchstaben, ausgeschnitten aus bunten Zeitungen, ergaben ein buntes Potpourri an terroristischer Bedrohung. Auf einer eilig zusammengerufenen Pressekonferenz präsentierte man der Öffentlichkeit die Festnahme eines Hauptverdächtigen und durch eine bezahlte Indiskretion auch seinen Namen: Georg «Schorschi» Zimmeck, Taschendieb, verkrachte Spielerexistenz, ein wirrer Bursche mit nervösem Blick, ängstlich und unberechenbar wie eine eingesperrte Ratte, der sich sein Geld offiziell mit einem kleinen Kiosk verdiente. Zwölf Stunden Verhör, Fragen und Anschuldigungen, die wie Knüppel auf Zimmecks krummen Rücken einschlugen, öffentliche Berichte, die die Genese eines rücksichtslosen Schwerverbrechers ausleuchteten, einen Sud aus Mißbrauch, Inzest und Verständnislosigkeit: häßlich wie eine stinkende Kloake. Psychologische Erklärungsversuche drängten in den Vordergrund, basierend auf intimen Geständnissen exklusiv eingekaufter

Opfer, unerbetenes Verständnis für einen Mann, der einst schuldlos Opfer der Umstände wurde, mahnende Worte von unterlassener Aufsichtspflicht einer Gesellschaft, die ihre Schwächsten im Stich läßt. So stotterte Zimmeck, der jämmerliche Gauner, in seiner Verwirrung nicht wissend, was er im Satz zuvor behauptet hatte, wand sich wie ein Aal durch Widersprüche, Wahrheiten und Notlügen, bis er gestand und erleichtert war, seine Vorverurteilung mannhaft bestätigt zu haben. Jetzt also wußte man alles über Zimmeck, alles, bis auf die Tatsache, daß er unschuldig war. Und so beschloß Zimmeck sein Leben, wie er es gelebt hatte: als Opfer von Umständen, an einem Wasserrohr hängend, blau und kalt in einer kacheligen Box.

Tenhagen, der Mann, der Zimmecks Schlinge geknüpft hatte, konnte ihm nicht mehr helfen. Überrumpelt von seiner Atemlosigkeit, wurde ihm schon kurz nach der Verhaftung klar, daß er den falschen Mann hatte: Zimmeck hingegen war verloren, es sei denn, er fand jemand anderen, den er in die Maschine stoßen konnte. Er wühlte in Zimmecks Unterlagen, grub sich durch die fortgeschrittene Verwahrlosung einer mit Habseligkeiten vollbepackten Absteige, suchte verzweifelt nach einem Hinweis, bis das Blut in heißen Strömen aus seiner Nase lief, und fand schließlich einen Zettel, der ihn auf die richtige Spur brachte. Eine Quittung, die krakelig bestätigte, daß Zimmeck sein ganzes Leben für sechs Mark und achtzig Pfennig verkauft hatte: einen Stapel Altpapier, darunter eine Zeitung mit seinem unschuldigen Daumenabdruck auf einer auf den zwölften Dezember datierten Seite, verscherbelt an Udo Weber, Deutschlands dienstältesten Studenten, ebenso engagierter wie medienwirksamer Gegner aller Zwangsgebühren für Langzeitstudierende und vehementer Hüter der Bildungsetats. Sein Name fand sich auch in den Entleihlisten der Fachbibliotheken für Chemie und Physik, Bücher, in denen man die Grundfertigkeiten zu technischen Feinheiten einer intelligent zusammengebauten Bombe erlernen konnte. Als Tenhagen Webers Zimmertür mit einem Dietrich öffnete, fand er eine Fotografie, die ein anderes Schicksal besiegelte und Zimmeck das Überleben geschenkt hätte.

Tenhagen wählte die Nummer seines Kommissariats.

«Tenhagen hier ... Stellt einen Haftbefehl aus ... Marianne Bonkers ... ja, heute nacht noch ...»

In Webers Keller fand man die entliehenen Bücher, zusammen mit einer hübschen Werkstatt für alternde Studenten, die sich für Terrorismus immatrikuliert hatten. Weber war seit dem Anschlag verschollen, und Tenhagen verzichtete darauf, die Verhöre zu leiten, um seine knappe Zeit nicht mit Marianne Bonkers' Schweigen zu verschwenden. Eine Schlinge zierte ihren Hals, die Tenhagen diesmal ihr umgelegt hatte: Nachbarn fanden sich, die Weber als ständigen Gast im Hause Bonkers identifizieren konnten, ein offen zur Schau getragenes Verhältnis, kaltblütig und grausam vorgetragen, einen schüchternen Ehemann im gleichen Maße vorführend wie demütigend. Weber teilte sich sogar zusammen mit Marianne Bonkers ein Auto, das Martin Bonkers bezahlt hatte. So saß Marianne Bonkers in Untersuchungshaft, während die Polizei hektisch nach Udo Weber fahndete und sich die Öffentlichkeit bereit machte, ein neues Schicksal ans Kreuz zu schlagen.

Alles, was Tenhagen nun blieb, war, den Fall zu seinem Ende zu bringen, bevor er das letzte Gramm aufgebraucht hatte. Auf dem Weg zum Flughafen warf er einen letzten Blick auf die Universität: das Hauptgebäude ein klobiger, rechtwinkliger Bau mit rechtwinkligen Fenstern in Reih und Glied. Das Philosophikum duckte sich vierstöckig und mit wulstigen Betonrippen in den Nachthimmel, das Hörsaalgebäude stelzig und staksig, verschönert durch einen in Beton eingefaßten Teich: Diese Universität hätte wirklich eine Explosion verdient gehabt.

Ein langer Flug stand ihm bevor, ein viel zu langer Flug, der sein knapp gewordenes Kokain aufzehren würde, bevor er sein Ziel erreichte. In der engen Kabine der Bordtoilette mußte Tenhagen eine Entscheidung treffen: die Dosis verringern und seine rasende Fahrt abbremsen oder alles einnehmen und hoffen, damit durchzukommen. Tenhagen suchte in seinem Spiegelbild nach einer Antwort, fand einen müden Mann mit tief in den Höhlen liegenden Augen vor, schweigend, und setzte alles auf eine Karte: schnupfte in groben, gierigen Zügen, bis nichts mehr übrigblieb als Staub, den er sich auf das Zahnfleisch rieb. Die Explosion in seinem Schädel war überwältigend, Flammen tanzten vor seinen Augen, Geräusche brachen sich in Wellen von innen gegen seine Stirn, bis er blutend in die Knie ging und das Bewußtsein verlor.

Er erwachte, aufgeweckt durch ein rhythmisches Donnern an der Kabinentür, dahinter die Stimme einer Frau. Sie waren im Landeanflug, in zwanzig Minuten würden sie Santiago de Chile erreichen. Er hatte es geschafft.

Tenhagen fand Martin Bonkers in Viña del Mar, nördlich von Chiles Hauptstadt, in einem schmucken Einfamilienhaus, in einem Vorort, der Ruhe und Ordnung postkartengleich repräsentierte. Das Leben hier hatte in jeder nur erdenklichen Form seinen Preis. Ein Taxi setzte Tenhagen vor dem Haus ab, und als ihm geöffnet wurde, glaubte er zunächst an ein Déjà-vu: Vor ihm stand eine Frau mit einem Gesicht, das glatt und frisch wie ein kalter Wintermorgen war. Ein menschlicher Klon von Marianne Bonkers namens Maria, höchstens fünfundzwanzig Jahre alt. Sie wies ihm den Weg durch ein geschmackvoll eingerichtetes Einfamilienhaus: Das Wohnzimmer hatte einen Fußboden aus Marmor und ein doppelverglastes Panoramafenster, das auf einen blühenden Garten zeigte.

Schweigend warteten sie auf Martin Bonkers.

Bepackt mit Einkaufstüten, begrüßte Bonkers seine neue

Frau und nichtsahnend Tenhagen, der irritiert feststellen mußte, daß sich Bonkers nicht dafür interessierte, wer er war oder warum er in seinem Wohnzimmer auf ihn wartete. Vielleicht freute er sich über Besuch, jemanden, der ihn in seiner neuen Heimat willkommen hieß, vielleicht hielt er ihn für einen Bekannten Marias ... Nicht einmal die Tatsache, daß Tenhagen kein Spanisch sprach, erschien ihm ungewöhnlich: Bonkers schien zu glücklich, um mißtrauisch zu sein.

Und so unterhielten sich beide über Belanglosigkeiten, über freundliches Wetter und die wärmende Herzlichkeit der Chilenen.

«Wissen Sie», sagte Tenhagen müde, «ich traf einen alten Mann am Flughafen ... ziemlich heruntergekommen, ein Bettler, der mich um Geld bat und dafür versprach, mir eine Geschichte zu erzählen ...»

Bonkers nickte ernst, so ernst, daß Tenhagen zum erstenmal nach unendlich langer Zeit lächeln mußte. «Die Menschen hier sind sehr stolz ... Was war das für eine Geschichte?»

«Vor ziemlich langer Zeit, fast vor einem ganzen Menschenleben, lebten zwei Männer in seinem Dorf, die die besten Freunde waren, bis zu dem Tag, an dem sie sich in dieselbe Frau verliebten und deswegen in Streit gerieten. Anfangs schworen sie sich, dem anderen ohne Zorn zu seinem Glück zu gratulieren, sollte er die Angebetete für sich gewinnen. So machten ihr beide den Hof, beschenkten sie mit Liebe und Versprechungen, doch je mehr die beiden um die Schöne warben, desto weiter schien sie sich von ihnen zu entfernen.

Jeder im Dorf wußte, daß die Frau keinen von beiden liebte und sich nur allzugern von den beiden Toren aushalten ließ, doch nutzten keine guten Worte, sie von ihrer Besessenheit abzubringen. Ihr Werben wurde von Tag zu Tag verbissener, bis sie sich nicht mehr um ihre Arbeit kümmerten und ihnen eines Tages nichts mehr blieb außer der vagen Hoffnung, von ihr erhört zu werden. Und die Furcht, auch diese noch zu verlieren, ließ ihre Freundschaft endgültig zerbrechen; sie waren zu Todfeinden geworden.

Dann, eines Nachts, begegneten sie sich zufällig im Haus ihrer Angebeteten. Was während dieser Nacht geschah, weiß niemand so genau, doch man fand den einen am nächsten Morgen erschlagen vor seiner Hütte. Jeder wußte, wer der Täter war, und obwohl er vor Gericht in Tränen aufgelöst seine Unschuld beteuerte, verurteilte man ihn zum Tode.

In der Nacht vor seiner Hinrichtung besuchte ihn der Pfarrer und fand ihn hingebungsvoll betend auf dem Boden seiner Zelle. Er fragte ihn, ob er die heilige Beichte ablegen wolle, doch der Verurteilte lächelte und sprach, daß Gott niemals einen Unschuldigen in die Hölle schicke: Noch vor Morgengrauen würde Gott sein Flehen erhören und ihm die Freiheit schenken, noch vor Morgengrauen würde er wie ein Vogel davonfliegen. Der Pfarrer glaubte, daß er vor Angst ganz von Sinnen war, und blieb noch einige Minuten bei ihm, während der Mann in einem eigenartig pulsierenden Rhythmus die Bibel rezitierte, bis sich sein Körper in religiöser Ekstase krümmte und wand.

Als der Morgen graute, öffnete man die Zelle und fand sie menschenleer. Der Mann war spurlos verschwunden. Die Wärter suchten nach ihm, doch er blieb verschwunden und tauchte nie wieder auf. Als der Pfarrer von dem Wunder im Dorf erzählte, fielen alle Einwohner auf die Knie und baten Gott um Vergebung.

Nur ein kleiner Junge schlich sich unbemerkt fort und kehrte seinem Dorf für immer den Rücken. Er hatte in heimlicher Erwartung einer aufregenden Hinrichtung auf der Gefängnismauer geschlafen, als er im Morgengrauen vor lauter Hunger aufwachte und eine Taube vor den Gittern der Zelle sitzen sah. Als sie davonflog, packte er seine Schleuder, traf das Tier im Flug, briet es und aß es auf.»

Es war ruhig in Bonkers' Wohnzimmer, und es schien mit jeder Sekunde ruhiger zu werden, während der Professor mehr und mehr in sich zusammenfiel und ihm offensichtlich bewußt wurde, daß er seine Spuren nur sehr schlampig verwischt hatte. Gelder waren von seinen Konten verschwunden und ohne weitere Umwege in Chile gelandet. Eine Leiche für die Ermittler, in Bonkers' Alter und etwa seiner Körpergröße: Udo Webers Tod schenkte ihm die Möglichkeit, sich von seinen Fesseln zu befreien, von einem Ehevertrag, der für ihn beinahe zur Todesfalle geworden wäre, von dem Liebhaber seiner Frau, von den täglichen Demütigungen, den Blicken der Nachbarn und Kollegen. Woher hätte er wissen sollen, daß Weber im überheblichen Leichtsinn ein fingiertes Bekennerschreiben losgeschickt hatte, bevor Bonkers Opfer eines Anschlags wurde? Ein lächerliches Blatt Papier mit ebenso lächerlichen Forderungen, die von einem ganz normalen Mord mit einem ganz normalen Motiv ablenken sollten: Gier.

Tenhagen studierte das Gesicht eines Mannes, der trotz allem versucht hatte, seiner Frau mit seinem Abschiedsbrief ein letztes Hintertürchen offenzulassen, um sie vor ihrer verdienten Strafe zu bewahren. Eine fürstliche Witwenrente sollte die trauernde Marianne Bonkers dafür entschädigen, daß ihr Ehemann dafür gesorgt hatte, daß die Bombe im richtigen Auto lag, um endlich ein glückliches Leben führen zu können. Eine letzte Entschuldigung für einen scheuen Racheakt, den ängstlichen Punch eines Mannes, der nie zuvor seine Hand zur Faust geballt hatte.

Tenhagen war am Ende seiner Kräfte, das Kokain hatte jede Wirkung verloren. Ein Sog machte sich in ihm breit, wohlbekannt und süß, immer rascher erstarb alles Leben, während er sich ruhig auf den Abschluß seiner langen Reise vorbereitete. Seine Dienstwaffe auf Bonkers' Kopf richtend, blickte er den Professor an, dessen Gesicht einem einzigen hilflosen Flehen um Verständnis glich und der so leise sprach, daß Tenhagen ihn nicht verstand. Dann schwieg auch Bonkers, so daß sich beide endlose Sekunden ansahen.

Tenhagen spannte den Hahn.

Das Knacken zerriß das Zimmer förmlich in zwei Teile, eine tiefe Kluft klaffte zwischen Jäger und Gejagtem, während Tenhagens Seite wie eine Eisscholle vom Festland abzutreiben schien.

«Vielleicht bin ich hier, um für Gerechtigkeit zu sorgen …»

Sekunden der Stille, dann begann Tenhagen zu lachen: erst vorsichtig, ein glucksendes Kichern, das anschwoll zu schallendem Gelächter. Er schüttelte sich vor Lachen, schlug sich auf die Schenkel, es schien, als könne er nicht mehr aufhören. Die Waffe glitt ihm aus den Händen und fiel polternd auf den Marmor. Gerne hätte er Bonkers gesagt, wie sinnlos seine Jagd auf ihn war, wie sinnlos Bonkers' neues Leben sein würde, die Hoffnungen, die er in sein neues Heim, seine neue Frau setzte … Es konnte nichts an ihrer aller Bestimmung ändern: Am Ende erschlug sie ein dummer Junge mit einer Schleuder.

Der Boden begann sich zu heben, zu senken, in ruhigen Ellipsen riß es ihn immer noch lachend in eine Gruft mit einem doppelverglasten Panoramafenster unter einem blühenden Vorgarten voller Vogelgesang und schwirrendem Pollenflug, bevor sich in rasender Geschwindigkeit das Licht des Fensters am Horizont zu einem Punkt verjüngte und schließlich ganz verlosch. Er war zu Hause: in einem Raum mit einem Stuhl, einem Tisch und einem Fenster ohne Licht.

UTA-MARIA HEIM

Amoklauf
im Audimax

*Ich bekenne, daß ich die akademische Frei-
heit nicht edel oder liberal zu nennen vermag.
Worin besteht sie denn, diese angebliche Freiheit? In nichts
anderem als in der gänzlichen Freiheit jedes Studenten, lie-
derlich zu leben und nichts zu lernen und darin eine Tugend
zu sehen, seine Schulden nicht zu bezahlen, die Philister zu
prellen und sich verrückt anzuziehen. Nein, wir brauchen
eine strenge Hand an den Universitäten.*
August von Kotzebue

*Wir haben Fehler gemacht, wir legen ein volles Geständnis
ab: Wir sind nachgiebig gewesen, wir sind anpassungsfähig
gewesen, wir sind nicht radikal gewesen. Wir haben uns wieder hingesetzt, als wir uns wieder hinsetzen durften. Wir haben die Worte der Redner in uns aufgenommen, wir haben ab
und zu die Augen geschlossen, wir haben uns jedesmal ent-
schließen müssen, bevor wir gehustet haben, wir sind nicht
weiter aufgefallen, wir sind liebe Kommilitonen gewesen.*
Peter Schneider, Germanistikstudent (1967)

Julius Brechbühl trat einen Schritt vor und verneigte sich. Sein
Haar fiel in silbernen Wellen über seinen schwarzseidenen
Rollkragenpullover. Er strich es mit beiden Händen nach hinten, bevor er die Arme ausbreitete und sich wieder in die Mitte
des Ensembles einreihte. Die beiden Hauptdarstellerinnen
Feuerle und Wild schwankten unter der Last ihrer Blumen-
sträuße.

In den vollbesetzten Rängen des Kleinen Hauses wurde

306

rhythmisch geklatscht und mit den Füßen gestampft. Als das Saallicht anging, erhob sich das Publikum und johlte. Tänzelnd wie Rennpferde drängelten sich die Schauspieler nach beiden Seiten. Einen Augenblick lang stand Brechbühl verloren im Zentrum, als letzter frontal zum Zuschauerraum. Sein Blick traf den Blick Udo Winterhalters, der mit ineinandergelegten Händen aufrecht in der zweiten Reihe saß.

Auf der Treppe steckte sich Ellen sofort eine an. Udo Winterhalter schniefte. Sie hatten ihre Lederjacken anbehalten, statt sie an der Garderobe abzugeben. Deshalb waren sie als erste draußen in der zugigen Nachtluft, die nach Crack und Benzin stank.

«Jetzetle», sagte Udo.

«Letzte S-Bahn», entgegnete Ellen und zeigte hinüber zum diesig düsteren Hauptbahnhof, auf dem der Mercedesstern rotierte.

«Taxi. Sind sowieso Spesen. Wenn Sie noch zur Premierenfeier mitwollen.»

«Muß ich das?» fragte Ellen und stakste durch den Park.

«Kommt auf Ihre Lebensplanung an», erwiderte Udo, der mit seinen XXL-Beinen hinter ihr hersprintete.

Ellen fuhr herum. «Tschüs dann.»

Sie rannte zur S1. Udo stapfte Richtung Staatsgalerie. Er schniefte.

Vor vier Monaten war er vom Hamburg-Korrespondenten zum Chefredakteur aufgestiegen. Aus einer Laune heraus hatte der *Stuttgarter Tagblatt*-Verlag das schnittige *Hanseblatt* gegründet, das als linksliberale, überregionale Konkurrenz dem konservativen *Hamburger Abendblatt* das Wasser abgraben sollte.

Seither kriegte Winterhalter einen rhinitischen Schub nach dem andern. Vorige Woche hatte er die Gasleitung angebohrt. Die Woche davor war er einem Kleinkind vors Fahrrad gelaufen. Deshalb schmerzte ihn der Knöchel. Sein Kopf tat ihm weh. Er litt unter Atemnot und Halsschmerzen. Das Hamburger Wetter, und außerdem ein Magengeschwür.

Im Juni, also gleich nach seiner Ernennung, hatte er in der Schanze, St. Pauli, eine Eigentumswohnung gekauft. Loft mit 30-Quadratmeter-Vollbad, Mansarde. Niemand hatte ihm gesagt, daß im Hausflur Junkies wohnten, die über die Speicherluke in seinen Dachgarten und von dort aus in sein Wohnzimmer stiegen. Sie nahmen den Laptop mit und brieten Spiegeleier. Auf dem Dach überall Spritzen und Blut und Taubenscheiße, weil die Alte von nebenan, um die Rauschgiftsüchtigen zu vertreiben, mit Brotlaiben warf.

Jetzt war er in Stuttgart, in seiner alten, engen Wohnung, die er dringend loswerden mußte. Sie stand leer und war bis auf Stuhl, Tisch und eine schimmelige Matratze ausgeräumt. Wo früher das signierte, blutrote Plakat gehangen hatte «Alle reden vom Wetter. Wir nicht», zierte ein weißer Fleck die Küchenwand.

Im Wasserkessel kochte er Spaghetti. Mit dem Schweizermesser hackte er die Zwiebeln. Er war Linkshänder, und alles, was er tat, faßte er verkehrt herum an. Dabei stand Udo mit zweiundvierzig auf der Karriereleiter ganz oben. Unter den Brillengläsern tastete er nach den Tränen, die ihm in breiten Bächen über die bleichen Wangen liefen.

«Schöne Scheiße.» Jo Pfeiffer seufzte. Er senkte den Blick und biß sich auf die Lippen.

Klaus Stein tigerte die elf Quadratmeter Wohnheim auf und ab. Er war klein und dünn und durchsichtig wie eine Qualle. Ellen verpaßte ihm einen Augenaufschlag, den er vollends ignorierte. Sie saß auf dem schmalen Bett und stützte ihren Lockenkopf auf die schwindsüchtige Schreibtischplatte, wo ein potenter Rechner mit einem überlebensgroßen Bildschirm rangelte. Jo hockte vor ihr auf dem fleckigen Teppichboden.

«Der Auftrag war doch klar», fing er jetzt wieder an, «du

gehst mit deinem Chef auf die Party, schmeißt dich an Brechbühl ran, schleppst ihn ab ins Hotel.»

Ellen betrachtete ihre langen, makellos modellierten Schenkel mit der Kunststoffhaut. Ihr Blick wanderte hinüber zu Klaus, irgendwie traurig.

«Brechbühl, Julius, geboren 1943 in Zürich. Aufgewachsen in Berlin. Blieb nach dem Mauerbau im Westteil und schloß sich der Studentenbewegung an. Schrieb damals mit großem Erfolg Agitprop-Stücke, von denen nur noch ‹Dutschke darf nicht sterben› und ‹Rot und tot› aufgeführt werden. Letzteres, wo es um die gescheiterte deutsche Revolution von 1848 geht, gilt in der künstlerischen Neufassung von 1982 als sein bedeutendstes Bühnenwerk. Es wird in Stuttgart zur 150-Jahr-Feier der Demokratie inszeniert.

Nach einem abgebrochenen Studium der Germanistik und Geschichte wurde Brechbühl nicht nur zu einem der gefeiertsten deutschsprachigen Dramatiker, sondern er setzte sich auch als kritischer Publizist und Kulturmoderator beim Fernsehen durch. Seit 1989 hält er als Gastdozent Seminare an der Universität Stuttgart. Außerdem führt er bei seinen Stücken selber Regie und spendet einen nicht unerheblichen Teil des Erlöses für wohltätige Zwecke. 1992 zog er sich zurück nach Kilchberg auf der Schwäbischen Alb, wo er Subsistenzwirtschaft betreibt und Schafe züchtet.»

Du liebe Lotte, dachte Udo, was für ein Deutsch. Verständlich, warum der Verfasser dieser Vita lieber anonym blieb. Udo griff zum Rotwein und schenkte nach, bevor er im Programmheft die lange Liste von Brechbühls Œuvre studierte. Auf dem Holztisch lag ein Block, daneben ein Kugelschreiber. Weiter hinten stand der fast geleerte Spaghettiteller, in dem rote Fettaugen glupschten.

Am Morgen stattete Udo Winterhalter seinem ehemaligen Chefredakteur Heckmann einen Pflichtbesuch ab. Er war ungeduscht und unrasiert, aber im *Tagblatt*-Gebäude wellte sich der PVC-Boden, und die Klimaanlage kotzte Staubpartikel.

«Moin-Moin, Kollege», polterte Heckmann, bemüht um hanseatischen Tonfall. Prompt fiel er zurück in sein Honoratiorenschwäbisch. «Hend Se ausgeschlafen?»

Udo schniefte.

«Wie geht's denn so da oben im Norden?» Heckmann lief hinüber zur Kaffeemaschine und goß zwei Plastikbecher voll. «Mich kriegen keine zehn Pferde da hoch.»

«Ja», sagte Udo und nahm einen Becher.

«Ganz im Vertrauen, der Verlag ist ziemlich beeindruckt. Dr. Dees lobt Sie über den grünen Klee.»

Udo trank und verbrannte sich die Zunge.

«Klares Konzept, sichere Strategie, gute Arbeit.» Heckmann strahlte. «Hätte ich Ihnen gar nicht zugetraut.»

Auf dem Flur traf er Ellen Pfeiffer, die über die PVC-Wellen schritt wie Jesus übers Wasser. Unter der Lederjacke trug sie immer noch das quergestreifte Kleid vom Vorabend.

«Dann woll mer mal», sagte Udo.

Wortlos reichte sie ihm drei eng bedruckte Blätter. Er folgte ihr durch die Glastür und um die Ecke ins Feuilleton. Es war noch niemand an seinem Platz. Die Uhrzeiger standen auf fünf vor halb zehn.

Ellen schleuderte ihre Tasche auf den Schreibtisch. Udo hockte sich auf einen freien Stuhl. Er las. Ellen fuhr ihren Rechner hoch und überflog einen Stapel Pressematerial.

Udo blickte auf. «Sie wissen, daß Sie vor halb drei keine Zeile geschrieben haben müssen? Dann schaffen Sie zwei Stunden, und um halb fünf geben Sie ab.» Er zerriß alle drei Seiten auf einmal. Der Stapel wurde immer kleiner und dicker. «Sie sollten Ihre Kritiken nicht gleich nach der Veranstaltung schreiben. Niemals nachts.»

Ellen blinzelte. Winterhalter warf seinen Block übern

Tisch. «Lesen Sie. Ich kann nur nachts schreiben. Ich schreibe alles nachts.» Er grinste.

«Winterhalter? Ein arrogantes Arschloch. Ein Schwein.»

«Und, wie sieht er aus?»

«Graue Haare, markantes Gesicht. Tolle Augen. Groß. Zwei Meter?»

Katharina lachte ins Telefon, weil Ellen nur eins sechzig war. «Und, kriegst du die Stelle trotzdem?»

«Kommt auf die verdammte Kritik an. Dieser Brechbühl ist doch zum Kotzen. Ich bin wie blockiert.»

«Nichts leichter als das. Ich helf dir. Gib mir mal deine Faxnummer.»

Jo und Klaus trafen sich in der Mensa. Es gab Maultaschen vegetarisch mit Mandeln und Ackersalat. Alternativ dazu Forelle oder Schnitzel, aber sie hatten beide die Maultaschen gewählt, weil sie nichts aßen, was tot war und ein Gesicht hatte.

Sie nannten sich die «Illuminierten», das war eine Art Geheimloge von liberalen Burschenschaftlern, zu der jeder Zutritt hatte, der einen Internet-Zugang besaß. Ihren Namen hatten sie vom «Weißen Illuminat» abgekupfert, einer ähnlichen Einrichtung zur Apo-Zeit, in der elitäre Kommilitonen auf lateinisch den Langen Marsch diskutierten. Klaus studierte Informatik, Jo Elektrotechnik. Sie kamen aus der reformierten Oberstufe und hatten mit einer Fremdsprache das Abi gemacht.

Sie waren im Kern zu zweit, aber jeder, der ihre Homepage studierte, mußte glauben, es handle sich um eine Massenbewegung. Denn auf dem virtuellen Weg hatten zwei zwanzigjährige Zweitsemester binnen eines Sommers die Liberalen unterwandert. Die FDP hatte das Wahlergebnis im wesentlichen ihnen zu verdanken.

Jo sagte: «Zeit, daß das Semester losgeht.»

Sie setzten sich ans verwaiste Ende eines Resopaltischs. Klaus schaufelte seine Maultaschen.

Jo sagte: «Kann sein, meine Kusine ist total in dich verknallt.»

Darauf Klaus: «Vergiß deine Kusine. Sie ist noch blöder als deine Katharina.»

Jo: «Du siehst das zu verbissen.»

Klaus: «Katharina paktiert mit dem Hauptfeind.»

Jo (kauend): «Aber Brechbühl ist das ja noch nicht mal. Er ist ein 68er Dummschwätzer und harmlos.»

«Er hat für Schröder Wahlkampf gemacht. Er ist der geistige Wegbereiter der sozialen Volkspartei. Ein Verräter der vereinten Märkte Europas. Und er macht sich sogar an der Uni über uns lustig.»

Jo lachte. «Wir sollten im Netz lieber die Studiengebühren weiterdiskutieren.»

Um 16 Uhr 32 schickte Ellen ihre Theaterkritik per E-Mail nach Hamburg. 205 Zeilen. Ganz schön viel für eine Volontärin. Aufmacher mit Bild, Kasten auf der Frontseite.

Um 21 Uhr 12 betrat Lima CX, szenebekannter DJ und Zeitungsausträger, die Bar Centrale in der Nähe der Reeperbahn und verkaufte dort zwei druckfrische Exemplare des *Hanseblatts*. Eins nahm ihm eine ältere Frau aus Mitleid ab, das andere kaufte Nadine Schneider.

Winterhalter tobte. Er stellte sich dafür extra in die Tür des Stuttgarter Feuilletons. «Mannomannomann», bellte er und wackelte mit dem Kopf hin und her, wie das sein Schwiegervater in spe selig getan hatte, wenn ihm etwas über die Hutschnur ging. «Da macht man vorn 'nen fetten Anreißer, und hinten schreitet die Dame zur Schlachtung.»

Ellen sah von ihrem Schreibtischstuhl aus zu ihm hoch.

«Ja, hätt ich das denn wissen können, nach Ihrem seichten Entwurf?» Udo schnappte nach Luft und hustete.

«Macht doch nichts», bemerkte Udos alter Kollege Kaffka schütter, «wenn draußen gelobt wird und drinnen geprügelt. Intellektueller Sadomaso steigert die Auflage.»

Winterhalter grinste. So hätte Kaffka damals nicht geredet. Damals, als sie beide noch PDS wählten.

«Tut mir leid», erklärte Winterhalter, als sie in der Oktobersonne auf der Terrasse der Kantine saßen. Vor ihnen im Kessel lag Stuttgart.

Ellen hatte ihre Lederjacke über die Lehne gehängt. Sie trank Apfelschorle und rauchte ihre zweite Zigarette.

«Von mir aus können Sie den Job haben», sagte Udo, während er das Innere der Brezel mit Butter bestrich.

Ellen starrte an seiner Schuhspitze vorbei auf die Fliesen. Sie hob den Blick und sah hinüber zum Fernsehturm.

«Warum schauen Sie mich nicht an?» stammelte Udo. «Sie sind jetzt Feuilletonredakteurin in Hamburg.»

«Ich glaub, dann hätt ich was für Sie», erwiderte Ellen. «Brechbühl soll nämlich ermordet werden.»

Wie immer am Freitag machte Nadine Schneider schon mittags Schluß. Sie radelte zum Bismarckbad und schwamm ein paar Runden. Sie schwitzte in der Sauna und quetschte sich auf die Sonnenbank. Als sie wieder in die trübe Fußgängerzone hinaustrat, war es halb vier.

Sie ließ das Rad stehen und fuhr mit dem Bus nach Hause. Ihre Knie waren weich, sie zitterte. Wahrscheinlich brütete sie eine Erkältung aus. Sie beschloß, den Montag dranzuhängen und über das Wochenende wegzufahren.

Seit drei Jahren wohnte Nadine im dreizehnten Stock eines Hochhauses in Hamburg-Stellingen. Bis dahin hatte sie mit ihrer Mutter zusammengelebt, die bettlägerig war und gepflegt werden mußte. Nach ihrem Tod hatte Nadine alles verschenkt oder verbrannt, was sie an früher erinnerte, die Möbel verkauft und sich völlig neu eingerichtet.

Auf dem gläsernen Couchtisch lag die heutige *Hanseblatt*-Ausgabe. Der Kasten unten links zeigte ein Foto von Julius Brechbühl. Daneben stand: «Ovationen für ‹Rot und tot› – Mit einer fulminanten Brechbühl-Premiere geht in Stuttgart das Kulturprogramm zur 150-Jahr-Feier der 48er-Revolution zu Ende».

Nadine legte die Zeitung auf den Boden ihrer Reisetasche.

Derweil hockte Julius Brechbühl 668 Kilometer südlich in einem schalldichten Studio des SWR Stuttgart. Die meisten der ehemaligen SDR-Redaktionen waren im Zug der Fusion zum Südwestfunk nach Baden-Baden abgewandert, und der Beton des Funkhauses bröckelte. Es herrschte die Atmosphäre eines Reaktorunfalls, alles unterirdisch und keiner da.

Endlich näherte sich ein Mann im Rentenalter, der ein schlechtsitzendes Jackett und weiter oben ein Toupet trug. Er war Techniker, Aufnahmeleiter, Moderator und zuständiger Redakteur in einer Person. Nachdem er hinter der verschmierten Scheibe Platz genommen hatte, ging eine rote Lampe an. Das Mikro ploppte.

Der Übriggebliebene hatte die Stimme eines Siebzehnjährigen. Im Alleingang produzierte er routinierte Dreiminutenhäppchen, die zum Südwestdeutschen Rundfunk nach Baden-Baden überspielt wurden. Einen ganzen Samstagvormittag lang würde Julius Brechbühl «Für Sie im Gespräch» sein.

Klaus aktivierte seine Mailbox und fand eine Mitteilung seiner Fachschaft, die ihn per Online-Abstimmung dazu aufforderte, am Montag abend im Audimax an einer Podiumsdiskussion teilzunehmen. Es ging um die Auswertung der Studierendenstreiks und virtuelle Formen basisnaher Protestkultur.

Obwohl Klaus und Jo im Internet ein eher oligarchisches System etabliert hatten, das an den technologischen Kapazitäten der Studierendenmehrheit vorbeiführte und statt dessen medienwirksam auf die Großrechner des liberalen Parteiapparats pfeilte, nahm er den demokratisch erteilten Auftrag per Tastendruck an. Danach rief er das Veranstaltungsprogramm auf und erfuhr, daß die Sendung im Regionalfernsehen live übertragen werden sollte. Brechbühl moderierte.

«Sowieso», sagte Udo, «Brechbühl. Verhindern Sie den Mord, oder schreiben Sie darüber?»

Ellen schnippte mit dem Feuerzeug. Ihre Augen blitzten.

Winterhalter legte die Beine übereinander. «Kommt Ihnen das auch alles wie eine Satire vor? Wie ein Remake?» In der Geschichte, hatte sein Schwiegervater in spe selig gesagt, wiederholt sich alles. Einmal als Tragödie, einmal als Farce. «An was erinnert uns das bloß?»

«An nichts», sagte Ellen. Sie stand auf. Mit der U-Bahn fuhr sie bis Stadtmitte. In einem Schuhladen kaufte sie sich ein Paar dunkelbraune Wildlederstiefel.

Am Abend saßen Jo und Katharina noch bei einem Wein im Odyssia, Bohnenviertel. Im Hintergrund Theodorakis.

«Ich glaub, Klaus dreht langsam ab», sagte Jo, der in der aufgesetzten Brusttasche seines Karohemds nach dem Tabak kramte.

«Wie kommst du darauf?» fragte Katharina, die fünf Jahre älter war. Sie hatte bereits ihren ersten großen Job und gab sich entsprechend weltläufig.

«Ihm steigen die ‹Illuminierten› zu Kopf», erwiderte Jo. «Erst war es eine Art Indianerspiel. Jetzt … Klaus ist ein Meta-Chaot, ohne Politbewußtsein. Er muß mit Gewalt was beweisen.»

«Aber ihr habt doch politisch ungeheuer viel erreicht», wandte Katharina ein. «Die Pflichtseminare zur positiven Diskriminierung, die Studierenden-Foren.»

Jo winkte ab. «Wir Studierenden sind europaweit vernetzt, aber leider nur auf einer elitären Ebene. An die zentralen

Knackpunkte der Bildungsmisere kommen wir per Internet nicht ran. Ohne durchorganisierte Streikzentrale kriegen wir die Volksbegehren gegen die Hochschulgesetze niemals zustande.»

Obwohl Jo schon seit acht Monaten mit Katharina zusammen war, redete er meist im abstrakten Studi-Jargon der 77er mit ihr. Er war an dem Tag geboren, an dem Schleyer ermordet wurde, und der erste politische Akt, an den er sich erinnerte, war die Wahl von Kanzler Kohl.

Über seine acht Jahre ältere Kusine Ellen hatte er Katharina kennengelernt. Die bestellte eben noch ein Achtel Demestika. An der Theke des Odyssia lehnten lauter Apo-Opas, sie hatten großporige, glänzende Nasen und trumpften auf wie ihr Vater.

«Die Sache mit Brechbühl war ein Joke», erklärte Jo, bevor er das Blättchen zusammenklebte und die Selbstgedrehte auf den Tisch legte. «Wir haben im Netz ein Actiongame verbreitet, in dem man ihn nach Punkten abschießen kann. Herz hundert Punkte, Lunge neunzig. Wenn du den ganzen Tag am Rechner hockst …»

«Was habt ihr?» rief Katharina.

«Und vorgestern sollte Ellen ihn aufreißen, ihn bloßstellen, beklauen, ihn irgendwie dazu bringen, daß er endlich sein Maul hält.»

Am Stuttgarter Hauptbahnhof stieg Nadine Schneider aus dem ICE, der weiter nach München fuhr. In ihrer Reisetasche hatte sie Kleidung und Wäsche für ein Wochenende, außerdem eine Zeitung und ein Messer.

Am i-Punkt besorgte sie sich ein Zimmer und eine Theaterkarte. «Rot und tot», Sonntag 19 Uhr 30 im Kleinen Haus.

Nachdem Ellen auf dem Wochenmarkt eingekauft hatte, las sie die Samstagsausgabe des *Tagblatts* und hörte dabei «Für Sie im Gespräch». «Die heutigen Studenten sind wie kleine Kinder», sagte eine rauhe Stimme, «eine naive Spaßguerilla ohne – ähäm – hochschulpolitisches Konzept.»

«Und Sie hatten damals eins?» fragte ein schüchterner Moderator, der sehr jung sein mußte.

«Nun – ähäm – der SDS war seinerzeit immerhin in der Lage, hochschulpolitische Prozesse nachhaltig zu beeinflussen und das gesamtpolitische Klima – ähäm – in nuce zu verändern.»

Wichser, dachte Ellen.

«Soweit vielen Dank, Herr Brechbühl», sagte der Moderator. «Nach der Musik geht's weiter.»

Deep Purple brachte «Child in Time».

Udo stand im Flur und versuchte, seine Wohnung zu verkaufen. Das Publikum war adrett. Die Herren machten ein Pokerface, die Damen lächelten. Udo ließ seine Schultern hängen und ruderte mit den Armen. Er versuchte, mindestens einen Kopf kleiner zu sein. Dabei mußte er dauernd schlucken, ihm war übel. Er hatte Ohrensausen, und seine Nase lief.

Die Interessenten trampelten in den Zimmern herum, in denen er mit Claudi gewohnt hatte. Als sie sich vor fünf Jahren trennten, war sie im siebten Monat schwanger gewesen. Er blieb allein zurück, verlagerte seinen Hauptwohnsitz vorübergehend in eine psychosomatische Klinik. Die Lücke in seinem Lebenslauf schloß er durch eine Herausgebertätigkeit, die mit einer Doktorarbeit vergleichbar war und ihm in literarischen Kreisen zum offiziösen Titel verhalf.

Dann kam die Strafversetzung nach Hamburg, die ihm wieder nichts als Erfolg beschert hatte. Seit er auf der Welt war, fiel er immer nur nach oben. Nach vier Monaten überstieg die verkaufte Auflage des *Hanseblatts* die Zweihunderttausender-Grenze, und der Verlag jubelte. Das vormals provinzielle Stuttgarter Mantelblatt kam mit Udos Hilfe republikweit zum Durchbruch. Und seine Tochter Luise war einfach ein Goldkind.

Klaus Stein lag auf seinem Bett und las ein Buch über August von Kotzebue, den populären deutschen Dichter, den der freisinnige Student Karl Ludwig Sand 1819 ermordet hat. Klaus wollte wissen, wie. Auf dem Titel war Sand mit einem spitzen Dolch abgebildet, Kotzebue schützte seinen Schädel.

Klaus schätzte das Analogieprinzip, das Arbeiten auf der Grundlage von kontinuierlichen Größen, das hing einerseits schon mit seiner Fächerwahl zusammen. Aber die informatische Liebe zur Entsprechung weitete sich andererseits aus auf sämtliche Lebensbereiche.

Er war zwanzig Jahre alt und durchsichtig wie eine Qualle. Seine Eltern wohnten in einem Vorort-Reihenhaus in Stuttgart-Vaihingen. Es stand vis-à-vis vom Universitätsgelände. Dennoch hatte Klaus einen Platz im Studentenwohnheim in der Rosenbergstraße, Stuttgart-West, beantragt und ihn auch bekommen. Jetzt fuhr er jeden Tag mit der S-Bahn und dem Bus.

Klaus verfolgte die Vision eines Vereinten Europa, er liebäugelte mit den Liberalen und duckte sich vor dem Spott der 68er, die er haßte. Obwohl er vor Überanpassung schier unsichtbar wirkte, waren seine Vorstellungen grandios und wirr. Er war ehrgeizig und bereit, einiges zu riskieren.

Nadine Schneider brachte den Samstag und den halben Sonntag herum, ohne daß sie hinterher wußte, was sie getan hatte. Das ging ihr aber öfter so.

Sie stieg in ihre zickzackgemusterten, hüfthohen Boot-Cuts, schlüpfte in applizierte Velourslederpantoletten und streifte sich eine gepatchte Mix-Bluse aus Pikee und Crêpe über. Vom Haken nahm sie den Mantel, der schlicht und schwarz war und alles verdeckte, auch das Messer. Bis auf die massive Panzerkette mit Karabinerverschluß, die um ihren Hals hing und an der sie von Zeit zu Zeit riß.

Früher hatten Volontärinnen übers Cannstatter Volksfest geschrieben und über die Gorillababys in der Wilhelma. Winterhalter belauschte sich bei dem Gedanken und stellte fest, daß er ein Seckel wurde. Sein Schwiegervater in spe selig hatte recht gehabt. Das Sein bestimmt das Bewußtsein. Seit Udo Winterhalter zum Chefredakteur mutiert war, wurde er immer mehr wie der alte Käsbacher, der bewunderte und gefürchtete Vorgänger Heckmanns. Vermutlich hatte er ein Vaterproblem.

Udo schniefte. Da seine alte, enge Wohnung leer stand, war sie verstaubt und keimig, und ihn plagten neue Allergien. Wahrscheinlich der Schimmel. Er mußte raus. Er mußte fort. Er zog seine Lederjacke an und schnürte den Schuh.

Er lief an der Straße entlang und stieg die steilen Stäffele hinauf zur Karlshöhe. Das Laub der Bäume leuchtete golden, dazwischen schimmerten die letzten Sonnenstrahlen hindurch. Überall lagen Kastanien. Es roch nach Pilzen und Benzin. Im Kessel brodelte Stuttgart, ein düsteres Elixier aus Versicherungen, entlassenen Schichtarbeitern und pietistischen Kirchen. Dazu summte der Verkehr.

Stuttgart hatte so gar nichts Studentisches. (Hamburg übrigens auch nicht. Aber da scherte sich komischerweise keiner drum.) Trotzdem hatte Winterhalter plötzlich die Eingebung, daß das angeblich geplante Brechbühl-Attentat auf das Konto durchgeknallter Studis ging. Vor ein paar Jahren hatten Stuttgarter Studierende mit Romas zusammen Dachau besetzt. Damit brachten sie es immerhin bis in die «Tagesschau». Mit Brechbühl würden sie es weiter bringen.

Natürlich hatten sich die Studis verändert. Und damit auch ihre Ziele. Von der Subversiven Aktion über Stammheim bis heute waren mehrere Generationen von TUlern durch den lichtlosen Pfaffenwald geschleust worden, und die Geisteswissenschaftler hockten in ihren schadstoffverseuchten Hochhausbunkern in der Innenstadt, wo die purzelnden Aufzüge den Mageninhalt nach oben trieben.

Udo hatte sein Studium damals nach zwei Semestern abgebrochen.

Ellen rief Katharina an. Katharina rief Ellen an. Bei beiden war
besetzt. Nächster Versuch dasselbe.

Julius Brechbühl hockte vorm Goldenen Hirsch in der unter-
gehenden Sonne und trank Calvados. Im Laufschritt kam eine
seiner Hauptdarstellerinnen übern Schloßplatz gehetzt, sie
winkte ihm zu und lachte, bevor sie in Richtung Kleines Haus
verschwand.

Brechbühl lächelte. Er hatte eine gute Wahl getroffen. Als
er Katharina Feuerle ihre erste Hauptrolle gab, hatte er
zunächst daran gezweifelt, ob sie die Bühnenpräsenz wirklich
durchhielt. Jetzt bekam sie die flammendsten Kritiken. Sogar
eine Hamburger Gazette hatte das Mädel lang und breit in den
Himmel gelobt. «Eine der flirrendsten Entdeckungen der
letzten Jahre», hatte da gestanden, inmitten eines ansonsten
hitzigen Verrisses, und: «Zweifellos mit die größte Hoffnung
fürs deutsche Theater.»

Als es schellte, saß Nadine Schneider bereits auf ihrem Platz in
der hintersten Reihe links außen.

Udos Telefonkarte war kaputt. Er hatte kein Kleingeld. Aber
ein Passant, der beobachtete, wie er gegen eine einsame Telefonzelle trat, lieh ihm spontan sein Handy. Udo verwählte sich
und versuchte es noch einmal. Er wußte plötzlich Ellens
Nummer nicht mehr. Als sie ihm wieder einfiel, war besetzt.
Aber.

«Kotzebue», schrie Udo. «Und jetzt machen Sie gefälligst
Ihr Maul auf.»

Als es wieder schellte, war die Pause vorbei. Nadine Schneider
saß da in ihrem schlichten schwarzen Mantel, den sie zur Be-

erdigung ihrer Mutter gekauft hatte, und starrte reglos zur Bühne. Der zweite Teil von «Rot und tot» wurde noch turbulenter als der erste. Katharina Feuerle hatte allerhand zu tun mit ihrer Rolle. Sie wirbelte, tanzte, stolperte und sang.

Das Publikum lachte, Szenenapplaus. Nadine Schneider spürte, wie sie aufstand und die Stufen hinab nach vorne ging.

Montag morgen. Zum quergestreiften Kleid und der Lederjacke trug Ellen jetzt nagelneue Wildlederstiefel, die knarzten: Am Blockabsatz pappte ein rotes Preisschild: 159,– Sonderangebot.

Ihre Augen waren rot und verquollen. Jo hatte sie in der Nacht noch angerufen. Eine junge Schauspielerin aus Hamburg hatte ihre beste Freundin Katharina ermordet.

«Das paßt nicht», schrie Udo, der durch den welligen Flur humpelte, «das weicht total von der Vorlage ab.»

Jo war den ganzen Tag für niemanden zu sprechen. Keiner wußte, wohin er sich verkrochen hatte, und Klaus ging davon aus, daß er am Abend auch nicht mitkam ins Audimax. Während er im Internet surfte, hatte Klaus das Radio laufen. Brechbühl gab gerade ein Interview.

«Ja, ich bin – ähäm – fassungslos», stammelte er.

«Die Täterin bewarb sich also bei Ihnen für die gleiche Rolle wie das Opfer», sagte eine schüchterne junge Stimme. «Treffen die Vorwürfe zu, daß Sie Nadine Schneider beim Vorsprechen ausgelacht haben?»

Brechbühl hüstelte. «Ähäm, sie hatte ihr Schauspielstudium abgebrochen. Angeblich aus finanziellen Gründen. Und wegen ihrer kranken Mutter. Sie jobbt in einer Bäckerei ...»

Klaus aktivierte alles und alle. Sämtliche Studis sollten abends als Lichterkette zum Audimax ziehen, wenn Brechbühl dort moderierte.

«Mein Gott, sind Sie naiv», sagte Ellen. «Sie glauben doch wohl nicht, daß es heute noch so läuft wie im 19. Jahrhundert.»

Winterhalter schnappte zu. Der Biß in die Brezel gehörte zu seinen liebsten Leidenschaften. «Noch zögern wir», las er am Bildschirm ab. «Doch wir kennen den Weg. Wir sind die Menschen, die ihn gehen können, denen die Kraft dazu erwachsen wird. Wir werden den Mut aufbringen.» Er sah Ellen, mit der er sitzend fast auf einer Höhe war, ins Gesicht. «Das ist aber 19. Jahrhundert, Frau Pfeiffer.»

Ellen seufzte. «Die ‹Illuminierten› sehen im Kanzler so was wie Metternich. Sie schreiben Manifeste ab, turnen geheimbündlerisch herum und zitieren jede Menge Unfug.»

«Jetzt schau», sagte Udo, der am Rechner zappte. «Sie planen eine Lichterkette.»

Bis zum Abend hatte sich die Stimmung im Pfaffenwald aufgeheizt. Drohend klebten die dunklen Wohnwaben am Hang, und der Pfad, der zu den Instituten führte, war unbeleuchtet. Ein kühler Wind blies. Am Himmel dräuten Wolken.

Der Unikomplex sah aus wie der galaktische Einschlag mehrerer Meteoriten. Die Hörsäle hatten keine Fenster. In der Nacht waren anthroposophiebefallene Gutmenschen gekommen und hatten die toxischen Betonklötze mit den zartesten Farben des Äthers beschmiert. Alles ausgestorben und öd, doch zwei Ecken weiter filmte das Regionalfernsehen. Dort drängelten die Massen. Sie trugen Kerzen bei sich und schwiegen. Sie protestierten gegen die Unmenschlichkeit des Systems, das die Opfer zu Tätern und die Täter zu Opfern verkehrte. Sie protestierten gegen Brechbühl, gegen das Stück, gegen 68. Sie standen auf gegen ihre Eltern, gegen die Schäden der antiautoritären Erziehung, gegen den Betroffenheitszirkus und die ganze Körnerfresserei. Sie schwiegen an gegen die Sozialdemokratie, gegen das Bestehende, gegen Zukunftsangst, Ausweglosigkeit, Sinnleere, Tod und gegen den Hohn sämtlicher Scheinalternativen. Kurz: Sie konnten sich selbst nicht leiden und hatten die Schnauze voll.

«Gefährlich», sagte Udo, der durch die düstere Betonwüste stolperte und an Ellens Schulter Halt fand.

«Wir müssen rein», erwiderte sie knapp.

Vor dem Audimax erwartete sie kein gigantisches Polizeiaufgebot. Lediglich zwei uniformierte Streifenbeamte lehnten am Eingang und winkten jeden durch, der keinen Dolch in der Hand hatte.

«Jeder Tote hier ist ein arbeitsloser Akademiker weniger», sagte Ellen.

«Warum sollte die Staatsmacht also die Studis vor sich selber schützen?» bekräftigte Udo, der mit eingezogenem Kopf durch die Tür lief, während die beiden Wachtmeister nicht mit der Wimper zuckten.

Drinnen alles dunkel. Die Podiumsdiskussion fiel aus.

«Megaphonbewehrte Fahnenschwenker sind out», flüsterte Udo, der in einer Ecke kauerte und zusah, wie die stumme Lichterprozession in disziplinierten Dreierreihen ins Audimax einzog. Es waren hundert, tausend, zweitausend Demonstranten, und es wurden immer noch mehr. Dreitausend. Winterhalter faßte an seinen obersten Hemdknopf. Er kriegte Platzangst.

«Wenn jetzt einer durchdreht», flüsterte er, «wenn jetzt einer den Dolch nimmt und zusticht, dann laufen alle Amok, dann gibt es hier einen Berg von Leichen, ein Massengrab.»

Statt einer Entgegnung faßte Ellen nach seiner schweißnassen Hand. Sie dachten beide an Klaus Stein und Karl Ludwig Sand. Klaus hockte bestimmt lieber daheim an seinem Rechner, anstatt sich den Folgen auszusetzen. Er mobilisierte virtuell. Neue Zeiten, neue Sitten.

Udo schniefte. Er war zwei Katzenleben älter als Ellen.

Und Brechbühl und Jo? Wo waren eigentlich Brechbühl und Jo?

Udo dämmerte etwas. Er sprang panisch auf.

Über die Autoren

Heidi Brang, 1955 in Berlin geboren, studierte in Leipzig Romanistik und arbeitete nach ihrer Promotion zehn Jahre lang als Lektorin und Übersetzerin in der Hauptstadt der DDR. «Spätfolgen» ist ihre zweite Kriminalgeschichte.

Fred Breinersdorfer wurde 1946 in Mannheim geboren, studierte Rechtswissenschaft und Soziologie in Tübingen und war nach seiner Promotion einige Jahre als Rechtsanwalt tätig. Neben zahlreichen Kriminalromanen schrieb er Hörspiele und Drehbücher. Seine Anwalt-Abel-Romane laufen zur Zeit mit Günter Maria Halmer im ZDF. Er erhielt mehrere Auszeichnungen, seine Romane wurden in zahlreiche Sprachen übersetzt. Zuletzt erschien sein Abel-Krimi *Das Biest*. Breinersdorfer ist Professor für Urheber- und Medienrecht und Vorsitzender des deutschen Schriftstellerverbands VS.

Lola Dickhaus (Pseudonym) wurde 1965 geboren und studierte Anglistik und Slawistik in Moskau und Marburg. Nach ihrer Promotion etablierte sie sich in Freiburg und Marburg als Anglistik-Dozentin. «In Dubio Pro Reo» ist ihr Krimidebüt.

Thea Dorn, 1970 in Frankfurt am Main geboren, absolvierte mit Gesang und Philosophie eine eher exotische Fächerkombination. Seit 1995 ist sie wissenschaftliche Mitarbeiterin am Institut für Philosophie der Freien Universität Berlin. Ihr Debütroman *Berliner Aufklärung* wurde 1995 mit dem Raymond-Chandler-Preis ausgezeichnet. Zuletzt erschien ihr Roman *Ringkampf*, eine Reminiszenz an den mörderischen Musikbetrieb.

Georg Feil, 1943 geboren, studierte in Münster, München und Paris. Er ist Professor an der Hochschule für Fernsehen und Film in München und Filmproduzent bei Colonia Media. Georg Feil schrieb zahlreiche Romane und Drehbücher, u. a. «Auf Achse», «Die Katze».

Wolf Haas wurde 1960 in Maria Alm am Steinernen Meer geboren und lebt als Werbetexter und Autor in Wien. Nach seiner Promotion arbeitete er zwei Jahre als Uni-Lektor in Swansea (Südwales). Seine Werbespots für eine Automarke wurden in Österreich so populär, daß sich daraus im Radiosender Ö3 die Kult-Comedyserie «Peda & Peda» entwickelte. Zuletzt erschienen der Roman *Komm, süßer Tod* und der Formel-1-Krimi *Ausgebremst*.

Uta-Maria Heim wurde 1963 in Schramberg/Schwarzwald geboren, studierte Literaturwissenschaft, Linguistik und Soziologie in Stuttgart und Tübingen. Mit bissigem Witz lichten ihre Krimis und Hörspiele den allgemeinen «Kulturdschungel» *(Der Spiegel)*. Zuletzt erschien ihr Roman *Durchkommen*.

Andreas Izquierdo wurde 1968 in Euskirchen geboren. Als eingeschriebener Student der Universität Köln verfügt er über ein sicheres soziales Fundament, um seine Schriftstellerkarriere zu betreiben. Zuletzt erschien sein Roman *Jede Menge Seife*, der zur Zeit fürs Kino verfilmt wird.

-ky alias **Horst Bosetzky** wurde 1938 in Berlin geboren und ist seit 1973 Professor für Soziologie an der Berliner Fachhochschule für Verwaltung und Rechtspflege. Sein Beruf prädestinierte ihn dazu, den deutschen Soziokrimi zu erfinden.

Zuletzt erschien *Einer muß es tun*. 1988 erhielt er den französischen Kritikerpreis für den besten ausländischen Kriminalroman, 1992 von der Vereinigung der deutschen Krimiautoren den Ehrenglauser für sein Gesamtwerk.

Christine Lehmann, 1958 in Genf geboren, promovierte in Germanistik und lebt als Nachrichtenredakteurin des SDR (in Zukunft: SWR) in Stuttgart. Zuletzt erschien ihr Roman *Training mit dem Tod*, wie «Der Spuk von Jena» ein Fall für die kesse, bisexuelle Lisa Nerz.

Peter Schmidt, 1944 geboren, war bis 1977 in verschiedenen Berufen, zuletzt in der Werbung, tätig. Er studierte Literaturwissenschaft und Philosophie in Bochum und lebt als freier Autor in Gelsenkirchen. Seine Romane fanden immer wieder die Gunst der Juroren des Deutschen Krimipreises. Zuletzt erschien sein Roman *Der Museumswächter*.

Dietrich Schwanitz wurde 1940 im westfälischen Werne geboren und war zwanzig Jahre lang an der Hamburger Universität Professor für Anglistik. Mit *Der Campus*, seinem literarischen Debüt, etablierte er höchst erfolgreich ein neues Genre in Deutschland: den Campus-Roman. Sein neuer Roman, *Der Zirkel*, ist in Vorbereitung.

Heiner Trudt ist eine Art multipler Persönlichkeit, die ursprünglich aus 103 Frankfurter Studenten bestand. Aus einem Germanistik-Seminar entstand 1997 unter Anleitung von Professor Heiner Boehncke der Roman *Bockenheimer Bouillabaisse*. Für «Exmatriculatio praecox» rauften sich diesmal Daniel Bartezko, Heiner Boehncke, Nadine Bagheri, Franke Henning, Christine Hoffmann, Marco Möller, Dirk Puehl, Alexander Sonnentag und Zwen Keller zusammen.

Peter Zeindler, 1934 in Zürich geboren, ist promovierter Germanist und war lange Zeit Fernseh- und Hörfunkredakteur. Mit seinen Kriminalromanen hatte er jahrelang ein Abonnement auf den Deutschen Krimipreis. 1996 erhielt er von der Vereinigung der deutschen Krimiautoren den Ehrenglauser für sein Gesamtwerk. Zuletzt erschien sein Roman *Salon mit Seerosen*.

Ernst Bienzle, mit Brille, Phlegma und Bauchansatz, mit einer Schwäche für Sauerbraten mit Spätzle und Soße, Kriminalkommissar und Leiter der Stuttgarter Mordkommission, verheiratet, ein Häuschen am Stadtrand ... Mit dieser Figur des schwäbischen Gemütsmenschen ist **Felix Huby**, ehemaliger Spiegel-Korrespondent, mittlerweile erfolgreicher Drehbuchautor, einer der bekanntesten deutschen Kriminalautoren geworden.

Bienzle stochert im Nebel
(thriller 42638)
Oberflächlich betrachtet tut Hauptkommissar Bienzle nichts: Er fragt ein bißchen, er redet ein bißchen und hört zu ...

Bienzle und die schöne Lau
(thriller 42705)
Einen Mörder, der sich beim Mordanschlag selbst ermordet, hat es in Bienzles Laufbahn noch nicht gegeben ...

Bienzles Mann im Untergrund
(thriller 42768)

Bienzle und das Narrenspiel
(thriller 42872)
Männer, Frauen und Kinder in den buntesten Kostümen tanzen durch die Straßen – und ein ausgebrochener Sträfling, der Rache nehmen will ...

Bienzle und der Sündenbock
Kriminalstories
(thriller 42958)

Gute Nacht, Bienzle
(thriller 43066)

Bienzle und der Biedermann
(thriller 43077)
Fleisch, dessen Verfallsdatum kurz bevorsteht, wird in die Ostländer transportiert. Man macht Profit und kassiert Subventionen ... Kein leichter Fall für Bienzle.

Ach wie gut, daß niemand weiß ...
(thriller 42446)

Der Atomkrieg in Weihersbronn
(thriller 42411)

Sein letzter Wille
(thriller 42499)
Optiker Kissling kämpft gegen die Baumafia in seiner Kleinstadt – bis er eines Morgens mit einem Genickschuß tot gefunden wird ...

Schade, daß er tot ist
(thriller 42584)
«... der beste Huby, der bisher erschienen ist.»
FAZ-Magazin

«Da werden endlich wieder Geschichten erzählt, die so intelligent und spannend sind, die zum Zittern und Lachen bringen. Allererste Empfehlung: die subtil anarchistischen Polizeikomödien der beiden Hamburger Norbert Klugmann & Peter Mathews.»
Lui

KLUGMANN/ MATHEWS

thriller

Vorübergehend verstorben

rororo

Beule & Co
Beule oder Wie man einen Tresor knackt. Ein Kommissar für alle Fälle. Flieg, Adler Kühn
(thriller 43101)
Die Helden des Autorenduos scheinen auf den ersten Blick wenig perfekt. Sie haben Probleme mit Frauen, mit sich selbst und mit ihrer Kondition. Eigentlich sind sie ganz selten richtige Helden ...

Die Schädiger. Tote Hilfe
Zwei Krimikomödien
(thriller 43275)
«Witzig und spannend» (*Süddeutsche Zeitung*) ist der häufigste Kommentar zu diesen etwas anderen Krimis. Zwei Geschichten um den ewigen Loser Rochus Rose und die Jungs von der alternativen Tankstelle.

Vorübergehend verstorben
Roman
320 Seiten. Gebunden Wunderlich Verlag und als rororo thriller 43306
Die Männer sind alle Verbrecher, ihr Herz ist ein finsteres Loch... Die Anwältin Luise Rubato fährt lieber in die Grube, als der Moral der Männer zu erliegen.

Norbert Klugmann
Treibschlag *Ein Fall für den Sportreporter*
(thriller 43238)

Zielschuß *Ein Fall für den Sportreporter*
(thriller 43241)

Doppelfehler *Ein Fall für den Sportreporter*
(thriller 43228)

Schweinebande
(thriller 43175)

Tour der Leiden *Best of Foul Play*
(rororo 43324)

«Norbert Klugmann legt ein wahnsinniges Tempo vor und ihm fließen mitunter Dialoge aus der Feder, gegen die hochgerühmte amerikanische Kollegen die reinsten Langweiler sind.» *Süddeutscher Rundfunk*

Ein Gesamtverzeichnis der Reihe *rororo thriller* finden Sie in der *Rowohlt Revue*. Vierteljährlich neu. Kostenlos in Ihrer Buchhandlung.